EN HET GESCHIEDDE IN DIE DAGEN...

En het geschiedde in die dagen...

– winterverhalen van alle tijden op de drempel van het nieuwe jaar –

VCL-serie

ISBN 90-242-1899-3
NUGI 340

© 1999, VCL-serie, Kampen
Omslagillustratie: Rien Poortvliet
Omslagbelettering: Hendriks Prepress

INHOUD

ALS DE MIST OPTREKT, Julia Burgers-Drost 7

GELUKKIG NIEUWJAAR... MOEDER,
Annie Oosterbroek-Dutschun 60

HET POESJE IN DE SNEEUW, W.G. van de Hulst 77

ONTHULLING IN DE WIND, Henny Thijssing-Boer 84

ADVENT, Co 't Hart 93

TWEESTRIJD, Gerda van Wageningen 94

GEEN VREDE OP AARDE, Wim Hornman 132

OUWE JAN, W.G. van de Hulst 137

ANNO DOMINI, Nel Benschop 142

DE LAATSTE OORLOGSWINTER, Jenne Brands 143

HET LIED VAN DE WIJZEN UIT HET OOSTEN,
Hans Bouma 158

HUIS IN DE DUISTERNIS, Greetje van den Berg 159

BIENTJE EN DE BOZE BUURMAN, Truus van der Roest 201

EN HET GESCHIEDDE..., Dorien de Ruiter 213

DE ADVENTSKALENDER, Ine ten Broeke-Bruins 214

BRONVERMELDING 224

Julia Burgers-Drost

ALS DE MIST OPTREKT

„Het was beregezellig, Amanda. Bedankt voor alles. En jij natuurlijk ook, Cees!" Rineke Strooman omhelst haar vriendin en laat zich door dier echtgenoot in haar korte mantel helpen.

„Ik kom duidelijk op de tweede plaats!" plaagt Cees goedmoedig.

„En ik dacht nog wel dat je me een warm hart toedroeg!"

Rineke is blij met haar rug naar de twee toe te staan; zo zien ze ook haar verraderlijke blos niet.

Amanda blijft maar zeuren: „Ik wou dat je bleef slapen. Je hebt nota bene een dikke week vrij genomen. Wie weet wanneer je pas weer deze kant uit komt!"

Rineke strijkt met beide handen langs haar hals om enkele haarslierten die onder de mantelkraag zijn terechtgekomen, bij de rest van de blonde massa te voegen.

Amanda klemt Rinekes tas vast. Ze overweegt deze tas als voorwerp van gijzeling in te zetten.

Maar Rineke laat zich niet vermurwen. Het was goed hier geweest te zijn bij het pasgetrouwde stel. Ze is opgelucht te kunnen vertrekken; dat wel. Nog steeds vraagt ze zich af of ze zich heeft vergist in Cees. Aanvankelijk had het geleken of hij haar beter had willen leren kennen, tot hij was voorgesteld aan Amanda.

Het was een overwinning dat ze vanochtend bij haar vriendin aangebeld had! En ze kon trots op zichzelf zijn.

De omgeving waarin hun huis was gelegen, had haar verrast. Bossen werden afgewisseld door een waterrijk gebied, vennen en volgens Amanda zelfs moerasgronden.

Cees knipoogt naar Rineke. „Je bent te allen tijde welkom. Houd haar niet tegen, vrouwtje. De weersverwachting is niet best: het kan glad worden! Als je eenmaal op de snelweg zit, kan je niet veel gebeuren. Ik zal een paar kilometer voor je uit rijden via een kortere route!" Hij neemt Amanda de tas af en opent de voordeur.

Even deinst hij achteruit: een mistwolk lijkt, uiteraard ongenodigd, binnen te willen dringen.

„Blijf toch!" probeert Amanda.

Rineke neemt de tas van Cees aan. „Ik ben net als iedere andere Nederlander best wat gewend! Als het niet te veel moeite is, Cees, mag je me een eindje begeleiden. Amanda, tot ziens! Ik bel van de week een keer, goed?"

Cees huivert in zijn dikke trui. „Kom op, Rineke, dan duiken we erin!"

Rineke krijgt al rijdend spijt niet in te zijn gegaan op Amanda's uitnodiging te blijven. Ze knijpt haar ogen tot spleetjes en kan maar met moeite de lichten van de voor haar rijdende wagen in het vizier houden.

Telkens trapt ze onnodig op haar rem, menend dat ze een menselijke schim ontwaart. Uiterst verward en nerveus schudt ze het loshangende haar op haar schouders heen en weer.

Even is ze in paniek wanneer het er de schijn van heeft dat Cees van richting is veranderd en zij een afslag over het hoofd heeft gezien. Ze heeft er spijt van dat ze niet in dat veilig warme huis is gebleven, maar ook dat ze deze lange omweg heeft verkozen boven de route die ze die ochtend zonder moeite wist te rijden.

Af en toe zijn er stukken waarop de mist minder dicht is, maar onverwacht lijkt het of de wereld in watten verpakt wordt. De weg schijnt smaller te worden en het wegdek moeilijk begaanbaar. Rineke foetert hardop enkele onverdiende kreten aan Cees' adres. „Nog even en ik plons in een sloot of zo!"

Als het lijkt of de auto voor haar onverwacht stopt, begrijpt Rineke dat ze zich hier onmogelijk bij een oprit naar een snelweg kan bevinden. Ze trapt tijdig op de rem, maar kan niet verhinderen dat haar wagen ongehoorzaam reageert en na een glijpartij tegen een autobumper tot stilstand komt.

Geagiteerd duwt Rineke het autoportier open. Haar ogen trachten door de mist heen te dringen. „Cees!?" roept ze wanhopig.

Een voor haar onbekende, zware mannenstem geeft antwoord: „Niks geen 'gecees'. Wat doet u hier op privé-gebied? Ik ben me er niet van bewust gasten te hebben gevraagd."

Dodelijk geschrokken springt Rineke uit de auto en maakt daarbij dezelfde hachelijke manoeuvre als haar wagen zo-even. Languit sliert ze over de bevroren steentjes. En voor ze op de grond terechtkomt, slaat ze onzacht met haar hoofd tegen de bumper. „Cees," siddert ze bijna onhoorbaar.

Het volgend moment maakt de mist plaats voor een nog minder te doordringen duisternis.

„Wel, wat krijgen we nu?" Allard Hagedoorn loopt trefzeker op zijn schoenen met zolen die tegen gladheid bestand zijn naar de plek waar hij een smak hoorde, die vergezeld ging van een lichte kreun. Een stralenbundel uit zijn zaklantaarn is niet bij machte door de mist heen te dringen. „Zeg, juffie, wat scheelt eraan?" roept hij bars.

Een antwoord komt er niet.

Allard klemt zijn kaken op elkaar en slikt een nijdig woord in. Vrouwen! Eerst dringen ze ongevraagd je privé-gebied binnen, vervolgens rammen ze je wagen en tenslotte vallen ze flauw voor je huisdeur. Hij bukt zich en laat zijn handen tastend in de richting van de plaats gaan waar hij de ongenode gast vermoedt.

Even is het of zijn hart stilstaat om vervolgens op hol te slaan. Zijdezacht voelt het haar aan, en het gezicht is warm levend. Voorzichtig schuift hij zijn armen onder het lichaam, dat gemakkelijk te tillen is. Niet dat Rinekes gewicht beneden peil zou zijn, maar het geval wil dat Allard beschikt over een goed ontwikkeld spierstelsel.

Het lopen met de levende vracht valt echter niet mee, gezien de gladheid van de bodem. Overdreven behoedzaam zoekt de man zijn weg naar het huis: een hoge steenmassa die beangstigend indrukwekkend opdoemt in de mist.

Vier spekgladde treden. Waarom heeft niemand in vredesnaam de moeite genomen zout te strooien? Een brede stoep; de laatste hindernis.

Allard futselt met veel moeite een sleutel uit zijn broekzak en ontlokt door de onverwachte beweging een lichte kreun aan Rinekes half geopende mond. Hij geeft een trap tegen de deur die, gewend aan dit soort ruwe behandelingen, ogenblikkelijk wijd openvliegt. Een brede lichtbundel perst zich naar buiten, maar die moet ruimte prijsgeven aan de natte mist.

Allards borst gaat heviger dan normaal op en neer. Hij knippert een moment met zijn ogen en tuurt dan, als was hij een ogenblik geïnteresseerd, naar zijn 'buit'. Het eerste dat hem opvalt is de vracht blond haar die als een gordijn over het gezicht valt. Een fijn straaltje bloed sijpelt langs haar wang omlaag. „Ook dat nog," zegt Allard hijgend.

Even is er paniek in zijn donkerbruine ogen. Dan, alsof het hem een uiterste inspanning kost, loopt hij met zijn vrachtje naar de dichtstbijzijnde deur die, naar het schijnt, vanzelf opengaat zodra hij ervoor staat. De reden ervan is simpel: door de ouderdom is het huis hier en daar in een bedenkelijke staat. De vloeren zijn verzakt en de deur van zijn werkkamer hangt niet zuiver recht in zijn scharnieren.

Met een elleboog duwt Allard op een knop van het licht, dat de kamer in een warme gloed zet. Regelrecht loopt hij op de divan af, waarop een gebatikte doek voor een vrolijke noot in het streng ingerichte vertrek zorgt.

Behoedzaam legt hij de hem onbekende vrouw op de rustplaats. Besluiteloos kijkt hij enkele ogenblikken op haar neer. Een niet onknappe verschijning en dat zal wel door het lange haar komen, concludeert hij. En ze is jong. Net zo jong als indertijd... Alsof hij een scherm omlaagtrekt, zo abrupt zwenken zijn gedachten een andere kant op.

Hij verlaat geluidloos de kamer, trekt de deur achter zich dicht en beent vervolgens door de lange gang naar een vertrek waar hem heerlijke etensgeuren verwelkomen.

Een mollige vrouw, gehuld in een schort waar drie personen in kunnen, staat zingend in een pan te roeren.

„Nellie, wordt er een gast verwacht?" snauwt Allard.

Het gezang stopt. De lepel eveneens. Langzaam draait de vrouw zich om. „Niet dat ik weet, meneer. Uw moeder heeft tenminste niets gezegd en mevrouw Stulpe is zelf gast. Ik verwacht toch niet dat die zo brutaal zou zijn..."

Allard wacht de rest van de zin niet af. Nog voor hij de deur achter zich heeft gesloten, wordt het geschraap in de pan voortgezet en het zojuist afgebroken lied vervolgd vanaf het punt waarop de onderbreking plaats had gevonden.

„Ben jij al thuis, lieve jongen? Ik had je niet horen komen. Er wordt mist verwacht en men waarschuwt voor gladde wegen. Wat zie je er verfomfaaid uit."

Allard kijkt neer op de kleine vrouw die hem tegemoet is gekomen. Hij negeert gespannen haar woorden. „Verwacht een van jullie bezoek?" vraagt hij kort.

Mevrouw Hagedoorn schudt haar hoofd in een niet-begrijpen. „Jij?" informeert ze belangstellend. Bezoek voor Allard: dat zou een goed teken zijn.

In een paar woorden legt Allard uit wat er aan de hand is.

Geschrokken haast de oudere dame haar zoon voorbij.

„Als ze maar niet…" prevelt ze.

Rineke is zojuist ontwaakt uit een diepe slaap; het enige waar ze zich om bekommert is een hevige hoofdpijn.

Kreunend legt ze beide handen tegen haar ogen.

Een moment staan moeder en zoon naast elkaar bij de deur. Allard merkt niet dat hij zijn handen op zijn moeders schouders heeft gelegd, alsof ze steun zoeken. „Dat ziet er niet zo fraai uit, lieve kind. Hoe kon dit gebeuren?" vraagt de vrouw verbaasd.

„Zo'n hoofdpijn." Rineke voelt dat ze snikt. Ze wil rechtop gaan zitten, maar vier handen duwen haar met kracht terug op de deken.

„Geen sprake van, er moet eerst een dokter bij komen!" bast Allard.

Zijn harde stem doet Rineke ineenkrimpen. „Cees," stamelt ze hulpeloos.

Allard haalt zijn schouders op. Daar begon ze weer over die Cees te zwammen.

Terwijl hij de hoorn van de telefoon van de haak rukt, bekommert de oude dame zich liefdevol om de onverwachte gast. „Niet praten, dat komt later wel. Zeg alleen hoe je heet."

Rineke slikt haar tranen als het ware in, maar voelt toch iets langs een wang glibberen. Haar lippen trillen. Geluidloos formuleert ze haar naam.

Mevrouw Hagedoorn verstaat niets van het gemurmel en laat het maar zo. „Moeten we iemand waarschuwen: je man of ouders?" vraagt ze op zachte toon om de telefonerende Allard niet te storen. Rineke schudt haar hoofd. Het heeft, zo bedenkt ze, geen zin Amanda en Cees te waarschuwen. Die kan ze later wel bellen. „De dokter zal langskomen." Allard blijft aarzelend naast de divan staan en torent hoog uit boven de liggende Rineke. Hij mompelt iets over de auto's buiten en verlaat zonder verdere uitleg de kamer, de deur nadrukkelijk achter zich sluitend.

De anders zo rustige sfeer in huize Hagedoorn is danig verstoord. Hoewel menigeen het begrip 'rustig' anders zou invullen. Het was in feite niet meer dan een kunstmatig in het leven geroepen sfeer, waarin de huisgenoten zich voor het oog van de buitenwereld gelukkig voelden, voorzover dat mogelijk was gezien de tragische gebeurtenis van ruim een jaar terug.

De weersomstandigheden waren allerbelabberdst geweest, wat in de trieste najaarstijd geen uitzondering is. Mist had de wereld schijnbaar gevangen gehouden en de zon had de kracht gemist de laaghangende wolken te verjagen. 's Nachts was de temperatuur tot onder nul gezakt, wat de oorzaak was geweest van de eerste gladheid van het seizoen. Kortom: wie niet noodzakelijk de deur uit hoefde, deed er toen beter aan thuis te blijven.

Allard Hagedoorn, van beroep toneelschrijver en tekstdichter, had zich op de dag van de ramp zoals gewoonlijk al vroeg opgesloten in zijn werkkamer, dezelfde als die waarin Rineke nu zichzelf en anderen ervan trachtte te overtuigen niets te mankeren.

Wat had zijn vrouw, Charlotte, toch bezield de deur uit te gaan?

Ze had Nellie op gehaaste toon de opdracht gegeven een oogje op de kleine Madelon te houden. „Ze wil met alle geweld naar buiten, dat domme kind! Ze beweert dat er in de tuin elfjes en feeën ronddansen. Ze heeft te veel fantasie en ik gooi haar sprookjesboeken nog eens in de haard!" had ze gezegd.

Voor Nellie een opmerking had kunnen plaatsen over het feit dat mevrouw er verstandig aan deed ook binnenshuis te blijven, was

Charlotte al weggefladderd. Kort daarna had ze gehoord hoe de motor van de rode sportwagen aan was geslagen en de auto in een onverantwoord snel tempo de hobbelige zandweg op was gereden.

Nellie had zich ervan overtuigd dat het kind aan het spelen was. Tussen haar poppen zat ze zoet te turen in een van de vele sprookjesboeken. Ze was er zo in verdiept geweest dat ze de binnenkomst van Nellie niet of nauwelijks had opgemerkt.

„Eenzaam schaap," had Nellie gemompeld. Ze was altijd van mening geweest dat het gezin Hagedoorn er beter aan deed een huis te zoeken dat meer in de bewoonde wereld lag. Het kind zou op die manier eerder met anderen in contact zijn gekomen.

Zuchtend was Nellie weer aan het werk gegaan. Voordat er naar haar goede raad geluisterd werd! had ze nog gedacht. Al zou de aarde vergaan, ze was voor mevrouw Hagedoorn niet meer dan de meid.

Een halfuur later had ze zich het kind herinnerd. Haastig had ze de appeltaart in de hete oven geschoven en haar vochtige handen aan haar schort afgedroogd. Groot was de ontsteltenis geweest toen ze de kamer verlaten aan had getroffen. De poppen waren verdwenen geweest en de boeken hadden kriskras door het vertrek gelegen. Nellie had zich geen ogenblik bedacht en was zonder jas naar buiten gerend, waar ze gelijk op een witte muur van mist was gestoten. Struikelend over oneffenheden had ze zich door de tuin gehaast. Een grote angst had haar hart doen bonken.

Niet ver van het woonerf had ze het moeras geweten en het zich door het land slingerende riviertje, dat op het kind Madelon een grote aantrekkingskracht uitoefende.

Languit was Nellie op de vochtige aarde geploft. Huilend van angst was ze overeind gekrabbeld. Ze had gevoeld waar ze over gevallen was, en dat had haar de moed gegeven door te rennen. Madelon had een van haar poppenkinderen verloren op het pad. Met het speelgoed in haar hand geklemd was Nellie doorgelopen, almaar de naam van het kind roepend. Groot was haar ontsteltenis geweest, toen ze een schreeuw om hulp als antwoord op haar noodkreten had gehoord.

Vlakbij het moeras had ze een ontdane Madelon gevonden, die

zich onmiddellijk met haar kleine armpjes vastgeklemd had aan Nellie.

Nellie was vergeten boos te worden; ze had Madelon in haar armen getild. Het kind was echter blijven huilen en roepen om haar moeder.

„Mamma kan je niet horen, schat. Mamma is even weg met de auto," had Nellie hijgend gezegd.

„Ik wou mee, ik riep mamma en pappa heel hard, ik rende achter de auto aan," had het kind geroepen.

Nellie had haar hoofd geschud. Hoe kon ze een bijna vijfjarig kind uitleggen dat ze zich vergist had? Toen mevrouw Hagedoorn weg was gereden, had het kind immers veilig in de kamer gezeten? Bovendien had meneer Hagedoorn zich in zijn werkkamer bevonden. Daar had Nellie een eed op willen doen.

Deze losse gedachte was kort daarna een vraag geworden, gesteld door de politie. Waar was meneer Hagedoorn geweest op het tijdstip dat zijn vrouw de dood had gevonden door verdrinking? Hoe had het kunnen gebeuren dat haar wagen in het riviertje was gevonden, terwijl Charlotte op de graskant had gelegen? Volgens de politiearts zou ze nog geleefd hebben, als er tijdig hulp was geboden. Bovendien had ze in een houding gelegen die erop wees dat ze tijdens en kort na de ramp niet alleen was geweest. Wie had Charlotte Hagedoorn uit het water gehaald?

Nellies getuigenis dat meneer Hagedoorn tijdens het voorval in zijn kamer was geweest, was sterk in twijfel getrokken. Het werkvertrek was immers dichtbij de voordeur gelegen? Men kon ongemerkt het huis verlaten en er weer in terugkeren zonder dat dit opgemerkt werd.

En dan was er de uitspraak van het kind: ze had beide ouders in de sportwagen gezien. Er was zelfs een pop van haar in de nabijheid van de ramp gevonden, zodat een verzinsel uitgesloten kon worden! Vanzelfsprekend was het gebeurde in de pers gekomen.

Een en ander had de reputatie van de zo integere Allard Hagedoorn danig geschaad. Het had hem menige relatie en werkopdrachten gekost!

Als er niet die twee verschillende uitspraken van hardlopers waren geweest, zou het er voor Allard slecht hebben uitgezien. Twee jongelui, die elkaar niet kenden, hadden zich gemeld toen er een oproep voor eventuele getuigen was gedaan.

Eén had beweerd rakelings langs de stilstaande wagen te zijn gelopen, zich afvragend wie er in deze weersomstandigheden aardigheid in had er anders dan joggend op uit te gaan. Hij had één persoon gezien: een vrouw.

De andere hardloper had gemeld op de weg langs het riviertje net op tijd uitgeweken te zijn voor een langzaam rijdende wagen, die abrupt was gestopt toen hij opdoemde in de mist. Met een soort snoeksprong had hij zich in veiligheid weten te brengen. Een raampje was opengedraaid en een mannenstem had geroepen of alles oké was. „Ik weet zeker dat er een man in die wagen zat en ook dat hij niet alleen was; ik hoorde hem tegen iemand praten," had de hardloper gezegd. Hij had absoluut niet kunnen zeggen of de stem gelijk was aan die van meneer Hagedoorn.

Toch was er alom getwijfeld aan Allards onschuld, ook al had hij vrijspraak gekregen wegens gebrek aan bewijs.

„Ga toch verhuizen, jongen!" had zijn bejaarde moeder die tijdelijk de zorg voor het kind op zich had genomen, gesmeekt.

Maar Allard had een ander standpunt ingenomen: weglopen zou een vorm van schuld bekennen zijn!

Het dossier Charlotte Hagedoorn was gesloten; andere gebeurtenissen hadden snel het gebeurde overschaduwd.

Alleen voor de betrokkenen was het leven veranderd. Bij alles wat ooit in het verleden was gebeurd en in de toekomst nog zou plaatsvinden, werd de onuitgesproken kanttekening gemaakt: het was voor of na de fatale datum.

Allard was van een opgewekte levensgenieter veranderd in een in zichzelf gekeerde man. Alleen zijn moeder en dochter wisten soms door te dringen in zijn ivoren toren.

De gewaarschuwde arts laat niet lang op zich wachten.

„Dat hoofdwondje heeft weinig te betekenen!" zegt hij resoluut. „En voor de rest…"

Rineke kan een gevoel van weerzin niet verklaren als ze de handen van de dokter over haar hoofd voelt gaan. Ze heeft al van jongs af aan een feilloze intuïtie aangaande haar onbekenden. En na een minuut weet ze doorgaans met zekerheid of de ander haar sympathie waard is.

„Het zou mooi zijn als u een paar dagen rust kon houden. Ik wil u dringend afraden uw reis voort te zetten. Ik neem aan dat de familie hier wel bereid is u enkele dagen te herbergen! Als er geen ernstige klachten bij komen, kunt u zich eind van de week naar uw eigen huis laten vervoeren."

Rineke haast zich te zeggen dat ze hier in de omgeving vrienden heeft wonen.

„Dat is prima, maar ik zou u nu willen verbieden van dit bed af te komen. Of u moet solliciteren naar een chronische hoofdpijn." Rineke trekt een lelijk gezicht.

De dokter knipt zijn tas dicht en kijkt met een blik die Rineke als 'gejaagd' zou willen omschrijven, om zich heen.

Mevrouw Hagedoorn komt als geroepen de kamer binnen, aan de nauwkeurige waarneemster verradend achter de gesloten deur te hebben geluisterd. „Het spreekt vanzelf dat de jongedame hier kan blijven. Ik maak beneden wel een bed voor haar op. We zijn op de wereld om elkaar te helpen!"

Rineke steekt haar tong uit tegen de verdwijnende rug van de dokter. „Glibber," mompelt ze onhoorbaar. Het is dat ze zo'n hoofdpijn heeft, anders zou ze wel voor zichzelf opgekomen zijn! Ze moest toch eens aan Amanda en Cees vragen of die glibber ook hun huisarts was!

Rineke doezelt weg. Ze luistert zonder belangstelling naar de geluiden die het huis voortbrengt. Oude woningen, zo weet ze, zijn zelden zonder! Planken die kraken door de droogte, knarsende scharnieren en het lichte getrippel van muizen tussen de muren. En niet te vergeten het gescharrel van mussen die onder de dakpannen een heerlijk warm onderkomen voor de nachten hebben.

De deur van de werkkamer gaat vanzelf op een kier open, als snelle voetstappen zich licht door de gang reppen. Een smalle reep licht glijdt plagend over Rinekes gezicht en maakt haar klaarwakker.

Ze luistert naar de jonge, ietwat hese vrouwenstem die een vraag stelt. „Wat is er toch gaande, Nellie? Hoorde ik een auto? Wie komt er nu op bezoek? Het is net zulk weer als toen."

Rineke, nog onkundig van de wereld achter dat woordje 'toen', laat haar fantasie de vrije loop. Mist en gladheid: iedere Nederlander krijgt er op zijn of haar beurt mee te maken.

De vrouwenstem is prettig om naar te luisteren. Vaag komt het timbre Rineke bekend voor, maar ze is te moe om deze gedachte uit te diepen.

Ze gluurt door haar wimpers en neemt de voorwerpen die door de smalle strook licht zichtbaar zijn, in zich op: een kostbaar, maar behoorlijk versleten tapijt en een brede en bewerkte tafelpoot, die haar doet concluderen dat de inrichting van dit huis oud of antiek is. Het ruikt zelfs antiek, vindt ze.

Naar pluche, hout en een vleug verbrand appelhout, dat duidt op de aanwezigheid van een open haard.

„Anoek, ik dacht dat jij nog wel zou genieten van je rust. Ik heb in de keuken al een blad voor je klaarstaan. Kom gezellig in de kamer zitten. Dan vertel ik je wat er ondertussen is gebeurd, toen jij lag te dromen!"

Rineke zou het gesprek best verder willen volgen. De stem van de oudere dame die haar zo schattig bemoederde, vindt ze sympathiek en bovendien liever dan die van de jongere vrouw.

Een deur slaat dicht. Even nog meent ze de heer des huizes te horen spreken: kort en op barse toon. Toch roept deze man geen negatieve gedachten bij haar op, zoals dat bij de arts wel het geval was. Opnieuw dommelt Rineke in, iedere gedachte bewust terugdringend. Ze is zo moe!

Ze merkt niet meer dat de deur van de kamer waar ze ligt verder wordt geopend. De strook licht glijdt over haar roerloze gestalte. De man op de drempel blijft aarzelend staan en kijkt naar het medicijndoosje in zijn hand. Dan wordt zijn blik vanzelf naar de sluimerende vrouw getrokken.

Het had hem heel wat inspanning gekost de voorgeschreven medicijnen te halen. Het was of de mist nog compacter was geworden.

Even zucht hij, zonder het zelf te merken. Het zou jammer zijn, als hij het meisje moest wekken. Geruisloos trekt hij zich terug en sluit de deur achter zich in het slot.

De pillen moesten maar wachten.

Rineke wordt pas wakker als ze een hand op haar schouder voelt. „Hoe gaat het met onze patiënte?"

Even rennen haar gedachten, als schooljongens achter een bal, door elkaar. De stem van de oude dame vindt eindelijk een plekje in haar geheugen en er glijdt vanzelf een hand naar haar voorhoofd.

„Heb je nog hoofdpijn?" vraagt de lieve stem.

Rineke glimlacht mat. „Ik geloof dat het minder is. Hoe laat is het toch? Ik heb geslapen en ik schaam me zo dat ik u hier zoveel last bezorg!"

Mevrouw Hagedoorn haast zich te zeggen dat dit niet het geval is. „We hebben zelden logees. Wat dat betreft is het prima. Onze Nellie, de huishoudster, vindt het heerlijk voor een persoon meer te koken. En ik geniet ervan aanspraak te hebben. Ik ben een stadsmens, weet je. Ik heb mijn eigen bedoening elders."

Rineke knikt. „Maar toch," zegt ze aarzelend.

Mevrouw Hagedoorn legt een vinger op haar mond.

„Kom, ik heb een heerlijk bed voor je opgemaakt in de kleine zij-kamer hiertegenover. Rineke heet je, zei je straks? Hoe nog meer?"

„Rineke Strooman. Ik woon in Haarlem en ben van beroep free-lance tekenaar. Van kinderboekjes, en soms van advertenties en van strips. Als het maar wat oplevert!" zegt ze, in een behoefte zich ken-baar te maken. „En ik was op bezoek bij een vriendin. Haar man zou me uit deze negorij leiden, maar ik ben hem kwijtgeraakt en zat ineens achter een verkeerde auto."

Rineke bevochtigt haar uitgedroogde lippen met haar tong. Oei, wat stak die wond aan haar slaap gemeen!

„En wil je die vrienden niet bellen? Worden ze niet ongerust?" vraagt mevrouw Hagedoorn belangstellend.

„Als ik ze bericht stuur staan ze erop dat ik bij hen kom, en eigen-lijk wil ik dat liever niet. Ze zijn nog maar pas getrouwd," aarzelt Rineke. Wat ze eigenlijk wil zeggen, verzwijgt ze. Ze kan onmoge-lijk verwoorden dat de man van haar beste vriendin degene is die ze maanden in stilte had aanbeden. Ze had gehoopt en gewacht, tot Cees totaal onverwacht zijn aandacht op de lieftallige Amanda gericht had. Zijn liefde had wederliefde gewekt en het stel had wachten met trouwen een onnodige kwelling gevonden.

Rineke had zichzelf in die dagen geprezen vanwege haar kunst die twee om de tuin te leiden. Ze was en bleef de vrolijke, luchthartige vriendin die ervan huiverde een relatie aan te gaan.

„Mijn devies?" had ze nog gezegd. „Vrienden zijn om mee te debatteren en uit te gaan; ze zijn onmisbaar voor me. Maar het is wel afscheidnemen op de stoep, bij wijze van spreken! De rest komt later wel!"

Tja, onvermoed toneeltalent? Nee, logeren bij Amanda en Cees was onmogelijk. Cees hield van zijn vrouw. Ze wilde zelfs geen gedachte meer aan hem wijden. Wat haar dat aan kracht en energie kostte, wist alleen God.

„Dus je kunt ongestoord hier blijven tot je in staat bent jezelf te redden. Ik ben zo blij dat het niet ernstiger is met je. Mijn zoon heeft namelijk het een en ander meegemaakt. Hij lijkt een beer van een man, maar o, dat hartje is zo klein! Hij zou zich schuldig voelen aan je valpartij, ook al heeft hij er geen deel aan!"

Rineke mompelt een verontschuldiging. „Ik wil graag alle onkosten vergoeden."

Een warm glimlachje is het antwoord.

„Zo, mijn kind, nu zullen we je gereedmaken voor de nacht. Je moet me even vertellen wat je zou willen gebruiken. Een kopje warme thee met beschuitjes? Vruchtensap misschien?"

Rineke schuift haar hoofd ongemakkelijk heen en weer op het kussen. Ze is het niet gewend zo verzorgd te worden.

Een zachte tik op de deur doet beide vrouwen omkijken.

Het silhouet van Allard Hagedoorn tekent zich af tegen het licht vanuit de gang en verduistert de schemer behoorlijk. „U hebt het bed klaar, moeder? De medicijnen staan in de keuken. Kom, ik zal de jongedame helpen op te staan."

Rineke schiet overeind en tuimelt gelijk weer achterover.

„Kindje," roept de lieve stem geschrokken.

En de donkere schaduw bij de deur is in drie stappen naast de divan. „Kalm aan. Kom, sla je armen om mijn hals. Zwaar ben je niet."

Rineke laat hem begaan. Zwaar ben je niet! Het streelt warempel haar ego.

„Ze moet waarschijnlijk eerst naar het toilet, Allard. Kom, doe maar heel voorzichtig. Ik haal wel een nachthemd voor haar."

Rineke heeft geen enkele inbreng, wat nieuw voor haar is! Ze stond al sinds haar achttiende jaar op eigen benen en wist doorgaans precies wat ze wel en niet wilde. Zelden betrok ze haar vrienden in haar problemen, terwijl ze zelf juist dikwijls anderen ter zijde stond in moeilijke tijden. „Ik... ik ben verlegen met de situatie," hakkelt ze gegeneerd.

Onverwacht cynisch reageert Allard Hagedoorn: „Ik dacht dat het ongeval min of meer gepland was. Een en ander past toch zeker precies in je straatje?"

De tranen van onmacht springen in Rinekes ogen. O, nu te kunnen wegrennen van dit sombere huis. Weg van die norse man!

„Je weet je nog steeds niet te gedragen!" zegt zijn moeder zuchtend. „Kom, kind, ik help je in bed. Allard, bemoei jij je met Anoek. Sinds ze hier is, heb jij je er nog geen moment om haar bekommerd!"

Allard zet Rineke in de zijkamer op de rand van het bed, waarvan het dek half is opengeslagen. Zonder groet verwijdert hij zich.

„Hij is overgevoelig," verzucht zijn moeder. Ze wil haar om begrip voor zijn onwellevende gedrag vragen.

Rineke haalt haar schouders op. Hunkerend werpt ze een blik op het kussen. Ze is toch zo moe! Ze laat zich door mevrouw Hagedoorn in een roze flanellen nachtjapon helpen. „Moet je haar niet gevlochten worden? Het lijkt me zo lastig liggen."

Rineke schudt haar hoofd. Dat vindt ze te veel moeite.

Het bed is zoals een bed hoort te zijn, evenals het kussen.

Een lichte lavendelgeur prikkelt Rinekes reukorgaan.

Even glimlacht ze. „Ik voel me nu net een kleuter uit een verhaal van Van der Hulst: midden in de nacht verdwaald, en een lieve dame die je in een groot bed stopt."

Mevrouw Hagedoorn glimlacht stralend. „Het is dat je je niet goed voelt, want wat mij betreft mag het huis vol zijn. Ik houd er wel van. Zeker bij een woning als deze!"

Onverwacht glijdt er een verdrietige schaduw over haar gezicht. Ze schudt haar hoofd. „Kom, nu moet je eerst twee van deze tabletten innemen. Het schijnt dat die helpen tegen duizeligheid. Zo."

Rineke zou best een praatje met deze vrouw willen maken. Ze weet zeker dat ooit in een van haar illustraties dit vriendelijke gezicht terug te vinden zal zijn.

„Ik kom, voor ik zelf naar bed ga, nog even bij je kijken. En morgen babbelen we wat met elkaar, goed?"

Ze streelt even over Rinekes voorhoofd en verlegt een blonde haarsliert.

Als het licht uit is, zegent Rineke in stilte de duisternis.

Ze heeft slechts één verlangen: met rust gelaten te worden. Niet te hoeven denken. Tenminste: de eerstkomende uren!

„En?" Met die korte vraag wordt mevrouw Hagedoorn in de zitkamer, die aan de achterkant van het huis is gelegen, begroet.

Allard zit naast de open haard, weggedoken achter een krant. Hij heeft zojuist een paar houtblokken op het vuur gelegd, waar de vlammen meteen met begerige tongen omheen beginnen te likken.

Tegenover hem zit een jonge vrouw. Op haar schoot ligt een gesloten boek. Haar donkere ogen richten zich belangstellend op mevrouw Hagedoorn. „Hoe gaat het met de onfortuinlijke jongedame? Kunt u haar niet beter naar een ziekenhuis laten vervoeren? Me dunkt dat dit een extra belasting voor u is!"

Mevrouw Hagedoorn haalt haar schouders op. „Het ongeval is op ons grondgebied gebeurd en er wordt zo licht gepraat. Bovendien vind ik het niet erg een logeetje te hebben, Anoek. Het is hier toch al zo stil!"

Allard schijnt het gesprek niet te volgen. Af en toe ritselt zijn krant bij het omslaan van een pagina.

„Maar nu ben ik er, mevrouw Hagedoorn. Heus, ik verlangde zo ontzettend naar Madelon. Ik ben af en toe flink ongerust over haar. Ze is het enige familielid dat ik nog heb: het kind van mijn zuster."

Allard schraapt zijn keel. Driftig flapt het krantenpapier tegen elkaar.

„Hoe gaat het nu met haar, mevrouw Hagedoorn? Zes jaar is ze nu. Soms vraag ik me af..."

„Heb je niet genoeg aan je eigen werk, Anoek? Waarom kom je ons bespieden?" Allards stem klinkt ruw; hij ziet voorbij aan de gegeneerde blik van zijn moeder.

„Mijn eigen werk? Ik heb voor dit seizoen geen stuk, Allard. Ik sta voorlopig niet op de planken. Alleen wat hoorspelwerk. Eigenlijk wacht ik op een knaller van jouw hand, zoals je die vroeger uit je mouw kon schudden! Zo'n stuk dat voor mij persoonlijk was geschreven!"

„Vergeet het!" bromt Allard. Hij smijt de krant op de grond en beent richting deur. Bijna komt hij in botsing met Nellie, die de koffie binnenbrengt.

„Dat zou vandaag de tweede zijn!" zegt ze vrijmoedig gniffelend.

Niet begrijpend kijkt Allard op haar neer. „Nou, een tweede botsing!"

Nellie haast zich naar de salontafel. Haar wangen kleuren rood. Lieve help, meneer kan zelfs niet meer tegen een grapje, denkt ze. Je weet met hem niet wat je zeggen of zwijgen moet!

„Zet maar neer, Nellie. Je rekent er toch wel op dat we morgen twee eters meer hebben?"

Nellie kijkt een ogenblik naar de vrouw naast de haard. Je zou zweren dat de jonge mevrouw uit de dood weergekeerd was, zo sterk was de gelijkenis. Alleen was deze Anoek heel wat meer mans dan mevrouw destijds. Deze madam stond stevig in haar dure schoentjes en liet zich de kaas niet van het brood eten. En labiel was zij zeker niet! Echt gelukkig was meneer nooit met zijn vrouw geweest; daar kon ze over meepraten. Toch mocht hij blij zijn indertijd niet voor Anoek te zijn gevallen!

Nellie slaat haar ogen neer voor de scherpe blik uit Anoeks ogen.

„Ik schenk zelf wel in. Neem jij het er maar van; je hebt vandaag toch al zo'n drukke dag gehad!"

Nellie deint de kamer uit, een warme gedachte naar de oude dame zendend.

„Dit is voor een kind als Madelon toch geen omgeving? Hier wordt ze steeds herinnerd aan de dood van haar moeder. Allard is niet bepaald een vaderlijk type en u zult hier toch ook niet altijd willen vertoeven, met alleen die brutale Nellie als gezelschap!"

De hand waarmee mevrouw Hagedoorn de koffie inschenkt, trilt licht. Het is of ze haar schoondochter hoort spreken. „Ik vrees dat mijn zoon je bemoeienis niet op prijs stelt, beste kind!"

Anoek haalt diep adem voor ze tot de aanval overgaat. „Hoewel ik officieel geen rechten heb op Madelon, kom ik toch met een voorstel. In het belang van mijn zusters dochter, mevrouw Hagedoorn! Ik heb het volgende bedacht: Madelon zou bij mij in huis kunnen trekken. Nee, valt u me nu niet in de rede!"

Driftig roert Anoek in haar koffie. „Ik ga verhuizen. Naar het Gooi. Ik treed zeer binnenkort in het huwelijk!"

Ze noemt de naam van haar aanstaande man en kijkt mevrouw Hagedoorn vol verwachting aan.

Deze schudt haar hoofd. „Moet ik hem kennen?"

Ze heeft zichzelf weer in de hand; haar stem klinkt koel.

„Dat zou ik wel denken. Hij is een bekend producer! Hij kan mij – en het kind – het leven geven dat ik begeer. Ik zal u wat toevertrouwen: er is nog een reden waarom ik heel graag de zorg voor Madelon op mij zou nemen. Ik kan helaas zelf nooit moeder worden."

Mevrouw Hagedoorn verschiet van kleur. „Maar dat is nog geen reden om te proberen een kind bij de eigen vader weg te halen! Schaam je, Anoek!"

„Misschien komt er nog een tijd dat jullie me smeken haar in huis te nemen. Ze wordt ouder; als de vroegere gebeurtenissen tot haar doordringen, zal ze graag uit zichzelf bij me komen!"

Even is mevrouw Hagedoorn uit het veld geslagen. Ze wou dat ze hier vrouw des huizes was. Ze zou onmiddellijk de deur wijd opengooien en met veel pathos deze vrouw verzoeken te vertrekken en nooit meer een voet over de drempel te zetten. Helaas was haar rol in dit huis een onbelangrijke. En aan haar moederhart knaagt dat wat Anoek haar zojuist voor de voeten had gegooid, een spoor van waarheid in zich bergt. Boze roddels over Allard inzake het mysterieuze sterven van zijn vrouw konden altijd weer de kop opsteken. Het was net als een virus. Dat scheen te sluimeren, maar het was evengoed in staat tot een epidemie uit te groeien. „Ik verzoek je bij dezen, Anoek, je plannen voor je te houden en er Allard niet mee te belasten!"

Een fijn lachje is het enige antwoord.

Rineke merkt niet dat tegen elven een zorgzame hand het dek tot aan haar kin optrekt. Mevrouw Hagedoorn knikt de slapende persoon toe. „Jij bent vast en zeker niet zo'n haaibaai als die andere," mompelt ze.

Nu Anoek door klare taal te spreken haar vizier heeft laten vallen, is voor mevrouw Hagedoorn de aardigheid van de logeerpartij eraf. Ze is er oprecht dankbaar voor dat dit blonde meisje haar aandacht nodig heeft. Nu kan ze zonder excuses Anoek aan haar lot overlaten.

Ze verlaat de kamer net zo geruisloos als ze die binnen was gekomen. Moeizaam hijst ze zich de trap op, waar de overige slaapkamers zich bevinden. Oh, wat kan ze toch immens naar haar eigen bedoeninkje verlangen! Maar juist nu kan ze Allard niet in de steek laten. Ze zal ervoor zorgen dat dit huishouden op dat van een doorsneegezin lijkt!

In de kamer van Madelon verlicht een kleine lamp het hele vertrek. Zodra ze de knop van het licht zou omdraaien, weet mevrouw Hagedoorn, zou het nerveuze kind meteen wakker worden om de eerste uren niet meer te kunnen slapen. Mevrouw Hagedoorn zakt voor het bedje op haar knieën en merkt niet eens dat haar gewrichten protesteren, net als bij het trappen lopen. Ze vouwt haar handen en legt ze op het opgebolde dekbed. Even lijkt ze gehypnotiseerd door haar kleindochtertje.

Uiterlijk lijkt ze op Allard; hopelijk innerlijk ook. Alleen dat nerveuze en onstuimige gedrag herinnert haar aan de overleden Charlotte. Iedere avond bidt ze met Madelon een simpel gebedje. Maar veel blijft onuitgesproken. Het kind mag dan geen biddende moeder meer hebben, haar oma bidt voor twee.

Ze smeekt God het kind te beschermen en wijsheid te schenken aan degenen die haar opvoeden. Als vanzelf glijdt de boosheid omtrent Anoek en haar uitingen in een bodemloze put. „Vader, in

Uw grenzeloze wijsheid weet U wat het beste is voor dit kind. Daar dank ik U voor."

Het feit dat Allard en zij de verantwoording voor Madelon niet alleen hoeven te dragen, geeft haar kracht de nieuwe dag onder ogen te zien.

Droomloos had Rineke niet geslapen. En uitgerust is ze evenmin. Zodra de realiteit tot haar doordringt, zucht ze berustend. Misschien komen de dingen in het leven toch niet 'maar zo', peinst ze. Ze was eerst van plan een week vrijaf te nemen, om eindelijk tot rust te komen. Al maandenlang had ze tegen een opkomende overspanning gevochten. Ze kon en wilde geen enkele opdracht weigeren, want voor haar waren er tien anderen! Ze was doodsbang in het vergeet-boek te raken. Maar een weekje rust moet kunnen, had ze gedacht. Alle lopende opdrachten waren gereed en de deur uit. Voor ze zich-zelf kon ontspannen, hadden ook nog enkele verplichtingen de wereld uit moeten zijn, waaronder het bezoek aan Amanda en Cees.

En nu: nu ligt ze in een haar onbekende omgeving bij vreemden in een bed. In plaats van gezellig in Amsterdam te winkelen of een heerlijke strandwandeling te maken!

Rust; gedwongen bedrust. Tja, wie weet had ze dit misschien juist nodig!

In huis is het stil. Af en toe tikt een verwarmingsbuis of kraakt er een plank. En het is of buiten af en toe de wind langs het huis zucht en de klimop doet ritselen.

Rineke doezelt weg en geeft zich over aan ontspannende drome-rijen.

„Ben je het heus? Ben jij eindelijk gekomen, Estelle?" Ze ziet kaarslicht, en een klein meisje met lang loshangend ravenzwart haar staat naast haar. Rineke gluurt door haar wimpers.

„Estelle," aarzelt een stemmetje. Het kind doet een stap dichterbij en druppels glijden van de kaars op het bed.

„Pas op. Je maakt zo brand!" Nu is Rineke klaarwakker. Ze hijst zich ietwat rechtop, wat de wond aan haar slaap doet steken.

„Je bent Estelle!" zegt het ijle stemmetje.

Rineke houdt met moeite een schaterlach binnen. Dit kindje lijkt uit een sprookje te zijn geslopen. Een wit nachthemdje hangt tot op de grond en de donkere ogen in het gezichtje stralen als sterren. „En jij bent zeker Steroogje!" zegt Rineke vriendelijk.

Het kind schudt van nee. „Ik ben Madelon, en jij bent Estelle! Wat zullen ze opkijken dat je er eindelijk bent! Pappie, Nellie en oma geloven me nooit!"

Rineke staart bevreesd naar de kaars. „Zeg, als jij nu eens een lamp aandoet en die enge kaars uitblaast. Ik ben echt een beetje bang voor die vlam!"

Het kind lacht parelend. „Wanneer ben je gekomen?"

Rineke volgt het schimmetje, als ze een schemerlamp aanknipt en gehoorzaam de kaars uitblaast.

„En weet oma dat je hier in bed ligt?" Ze kruipt vertrouwelijk op het voeteneind, geen oog van Rineke afhoudend.

„Oma heeft dit bed voor me opgemaakt. Ik ben verdwaald in de mist en voor het huis uitgegleden. Gelukkig was je pappie thuis."

Het kind knikte. „Waarom ben je niet even bij mij komen zeggen dat je er eindelijk was?" zegt ze pruilend.

Rineke schudt haar hoofd. Ze raakt verlegen met de situatie. Ze beschikt zelf over een forse portie fantasie, maar wat dit kind uitkraamt is zelfs haar te bar. „Eigenlijk heet ik Rineke. En jij?"

„Gekkerd! Je bent Estelle. Rineke is zeker je tweede naam? Ik heet Madelon en ik ben zes jaar. Hoeveel jaar ben jij, Estelle?"

„Net zo oud als jij en dan twintig erbij. Kun je al rekenen?"

Madelon kijkt ernstig. „We maken sommetjes tot tien. Maar ik weet best dat zes en twintig zesentwintig is, hoor! Ik heb zulke koude voeten. Mag ik bij je onder het dek en vertel je me dan een verhaaltje?"

Alsof ze elkaar al heel lang kennen! Rineke is er verlegen mee.

„Ik wist wel dat je van dat mooie haar had, Estelle. Mag ik het eens kammen?"

Twee ijsklompjes glijden langs Rinekes benen en een smal lijfje drukt zich hunkerend in haar arm. „En wanneer trouwen pappie en jij? Dan komt jullie foto op de grote schoorsteen boven de open haard te hangen en gaat die van pappie en mammie weg. En dan haal jij me ook uit school hè, Estelle? En dan maak je een feestje voor mij en de andere kinderen, als ik jarig ben. Je hebt het beloofd!"

Rineke streelt het donkere kopje dat zo vertrouwelijk tegen haar aanleunt. „Eigenlijk ben ik een beetje ziek, lieverd. Ik mag het bed nog niet uit, weet je. Dat heeft de dokter gezegd."

Het kind lijkt te verstijven. „Hu, dokter Visser. Daar ben ik bang voor, Estelle. Hij kan je zo eng aankijken."

Rineke knikt. De glibber, herinnert ze zich. „Daarom ben ik ook nooit ziek, Estelle. Als ik hoofdpijn heb of een zere buik zeg ik niks. Dan hoeft-ie ook niet te komen. Nou, nu moet je een verhaaltje vertellen."

Het kind verandert vlot van onderwerp.

Rineke glimlacht. Ze voelt de spanning uit het kind wegebben, als ze begint te vertellen: „Er was eens…"

Geen van beiden merkt dat de deur opengaat. En dat is maar goed ook voor Allard Hagedoorn. Zijn gezichtsuitdrukking spreekt op dit moment boekdelen.

Madelon is ontspannen en vol aandacht voor wat de blonde vrouw in het bed vertelt. De stem klinkt nu niet verdedigend, zoals gisteren. Er is een lokkende klank in, die de personen over wie ze vertelt, doet leven.

De verwondering op Allards gezicht maakt plaats voor ergernis. Zit me die madam haar warempel sprookjes te voeren. „Madelon!" klinkt zijn stem onnodig ruw. „In je eigen bed jij, en gauw!"

Rineke voelt zich warm worden van agitatie: de onzinnige kreten van het kind schieten haar te binnen. „En wanneer trouwen pappie en jij? Dan komt jullie foto boven de open haard te hangen."

Madelon reageert niet op haar vaders commando. Integendeel! Ze knuffelt zich dicht tegen Rineke aan en roept blij: „Pappie, ze is er eindelijk: Estelle! Ik heb toch gezegd dat ze gauw zou komen?"

Achter Allard verschijnt een vrouwenfiguur en een hese, interessante stem zegt: „Kindje, kom eens gauw bij me, ik heb je ontbijt klaar!"

Maar ook op Anoek reageert Madelon niet zoals deze zou wensen. „Estelle is er, tante Anoek! En…"

Instinctief legt Rineke een hand over het kwebbelende mondje.

„Sst, niet alle geheimpjes verklappen," fluistert ze haar in het oor. En hardop: „Je weet toch dat ik nog rusten moet? Dat heb ik net verteld, Madelon. Kom later op de dag maar eens terug voor het slot van het verhaaltje!"

Gehoorzaam glijdt het kleine ding uit het bed en rent op haar vader toe, bewust de tante negerend. „Pappie, ik ben zo blij!" Ze laat zich door hem optillen en klemt haar armen stijf om zijn hals. Ze kust hem rechts en links op zijn ongeschoren wangen.

„Jongelui, dit is geen tijd voor bezoekjes. Weg wezen!"

Mevrouw Hagedoorn spreekt resoluut en knikt met haar hoofd, om de ernst van haar woorden te onderstrepen. Anoek wendt zich, zonder Rineke een tweede blik waardig te keuren, tot Allards moeder. „Ik hoop dat u na het ontbijt gelegenheid hebt met Allard en mij te spreken. U begrijpt wel waarover!"

Op haar hoge hakjes klikklakt Anoek richting eetkamer, langzaam gevolgd door vader en dochter Hagedoorn.

Nadrukkelijk sluit de oude dame de deur. „Zo, nu heb je meteen kennisgemaakt met de overige huisgenoten. Al zou ik Anoek daar niet onder willen rekenen, want zij is slechts een logee."

Mevrouw Hagedoorn snuift en maakt zo haar ongenoegen kenbaar. Op geheel andere toon vervolgt ze: „En hoe heb je geslapen? Nog klachten?"

Rineke glimlacht en verklaart dat ze zich een stuk beter voelt. „De wond steekt nog een beetje, maar het rechtop zitten gaat best. Ik ben niet duizelig of zo!"

Mevrouw Hagedoorn schuift de overgordijnen open.

„Kijk eens aan: de mist is opgetrokken! Alles is mooi wit berijpt! Je moet straks eens proberen of je vanuit je bed naar buiten kunt kijken. Het is net een sprookje!"

Rineke vindt Allards moeder met de minuut sympathieker: zo enthousiast als ze nu voor het raam staat, een beschrijving gevend van wat ze waarneemt!

„Een sprookje! Over sprookjes gesproken: Madelon heeft wel erg veel fantasie, nietwaar? Ze beweerde bij hoog en bij laag dat ik Estelle heette! En een toekomst heeft ze ook al voor me uitgestippeld."

Op slag heeft mevrouw Hagedoorn geen belangstelling meer voor de wonderschone pracht buiten. Traag keert ze zich om naar Rineke. „Kind, dat is een verhaal op zich. Estelle..."

Ze is vergeten dat ze kwam om te informeren wat Rineke als ontbijt wenste. Langzaam, alsof ze opeens doodmoe is, loopt ze naar het bed toe en gaat op de rand zitten. „Het doet me goed eens met een buitenstaander te kunnen spreken over wat me zo bezighoudt. Vreemd, ik ken je nog maar net, maar toch vertrouw ik je, Rineke."

„U moet geen dingen vertellen waar u later spijt van heeft!" weerstreeft Rineke, wetend dat een mens soms in een impuls te veel van zichzelf blootgeeft en dat later betreurt.

„Het gaat om het kind!" zegt mevrouw Hagedoorn wanhopig. „Die ellendige fantasie brengt haar nog eens in moeilijkheden. Het is niet een gewone kinderfantasie; het grenst aan het ziekelijke! Estelle! Weet je wie Estelle is? Toen mijn schoondochter nog in leven was, las deze het kind al heel jong veel te veel zwevende verhaaltjes voor, die niet geschikt waren voor een kind van vier of vijf jaar. Die misten hun uitwerking niet. Madelon begon nachtmerries te krijgen, zag overal elfjes en kabouters, was doodsbang in het donker, enzovoorts! Mijn schoondochter, zelf nogal een zweverig figuur, was niet in staat de aangerichte schade te herstellen. Als het kind haar nodig had, was ze niet thuis of stond ze op het punt te vertrekken. Maar als ze zin had in moedertje spelen, moest Madelon haar bezigheden staken en doen wat haar moeder zei! Ze beloofde altijd van alles; ze beloofde gouden dingen voor de toekomst."

Rineke kucht en zint op een manier waarop ze de oude dame kan bewegen op te houden met dit toch wel intieme familierelaas.

„Estelle?" Ze wijst naar Rineke. „Madelon heeft van haar moeder, vlak voor het ongeluk, zo'n Barbie-popje gekregen, met lang blond haar en een doos vol jurkjes. 'Als mammie weg is, Madelon, speelt Estelle zolang voor mammie en ben jij haar kleine meisje,' had ze tegen het kind gezegd! Misdadig, vind ik dat. Pure indoctrinatie! Voor Madelon werd Estelle geleidelijk een persoon; en het popje werd er een soort afgietsel van. Oh, als ik je alles vertel. Overal, te pas en te onpas, sleepte ze Estelle erbij. Estelle hielp haar bij het huiswerk, troostte haar toen ze een nachtmerrie had en liep uit school met haar mee."

Voor Rineke het weet, heeft ze er uitgeflapt: „En ze gaat trouwen met haar vader!"

Mevrouw Hagedoorn veegt met een hand langs haar ogen. „Haar moeder had gezegd dat Estelle zou komen. En nu noemt ze jou 'Estelle'."

Rineke lacht, maar niet van harte. Ze heeft weinig verstand van de kinderziel; niet meer dan wat ze af en toe oppikt uit een damesblad waar artikelen over opvoeding in staan. „Nou, ik ben zo weer vertrokken, mevrouw. Wat dat betreft hoeft u niet bezorgd te zijn. Kinderen vergeten snel!"

Mevrouw Hagedoorn had zo dolgraag meer verteld en heel haar hart uitgestort. Over de dood van Madelons moeder, de gemene verdachtmakingen zoals die van mond tot mond gingen en de uiteindelijke vrijspraak in verband met gebrek aan bewijs.

Al zou Allard met het kind naar de andere kant van het land zijn verhuisd, dit verleden bleef hem achtervolgen!

„Het spijt me dat ik nu juist een sprookje aan haar heb verteld; dat was dus voeding voor haar fantasie," zegt Rineke zuchtend.

Buiten wordt de motor van een auto gestart. Aan de manier waarop de wagen wegrijdt, raadt Rineke wie er achter het stuur zit.

„Allard brengt het kind naar school. Het zal nog wel glad zijn, denk ik. Maar kom, ik belast je te veel. Neem het een oude vrouw niet kwalijk. Ik kwam vragen wat je voor je ontbijt wilde hebben, kindlief!"

„Ik heb wel een geschikt adres uitgezocht voor mijn ongeval!" plaagt Rineke haar. Ze voelt zich na de nachtrust al tot meer in staat dan de vorige avond.

En als mevrouw Hagedoorn haar alleen heeft gelaten, knort haar maag van verlangen naar de beloofde thee met geroosterd brood.

Er komt die ochtend niets van een gesprek tussen Anoek, Allard en zijn moeder. Schuld daaraan is Allard, die onverwacht naar Amsterdam gaat, waar hij zijn plannen voor een toneelstuk wil voorleggen aan een relatie.

Anoek gaat ervan uit dat uitstel geen afstel behoeft te zijn. Ze laat zich aan Rineke voorstellen en biedt Nellie haar hulp aan onder het motto: ik maak me graag nuttig. Mevrouw Hagedoorn ervaart Anoeks aanwezigheid als storend en ontloopt haar waar ze kan.

Tussen de middag komt Madelon naar huis gerend. „Ik liep alsof ik vleugeltjes had, oma, omdat Estelle op me wacht!"

Anoek lacht fijntjes, als ze het kind hoort praten. Weer een wapen in handen! denkt ze. Dit kind moest nodig weg uit deze omgeving! Allard zou er begrip voor moeten opbrengen! Hij was niet in staat, evenmin als zijn gestorven vrouw, een kind op te voeden. Estelle! In Madelons kamer had Anoek enkele ogenblikken met de zo geliefde Barbie-pop in haar handen gestaan. Die fantasie van haar zuster Charlotte, en dat ziekelijke begrip voor Madelon! Nog was het niet te laat. Met een beetje goede wil kon er een sportief, vlot meisje uit het dromerige kind groeien!

Allard bleef die nacht bij kennissen en ontliep op die manier lafhartig de confrontatie met zijn schoonzuster, wat de sfeer in huis niet ten goede kwam. Anoek trachtte Madelon voor zich te winnen, maar verloor het op alle fronten van Estelle. Omdat Madelon van oma niet bij Rineke mocht komen, ging ze met haar pop op schoot vlak voor de kamerdeur zitten, waarachter ze 'Estelle' wist. Op het fijne gezichtje waasde een trek van geluk en de ogen straalden alsof ze koorts had.

„Het wordt tijd dat die juffrouw uit het voorkamertje vertrekt!" bitst Anoek, als Allard ook de nacht daarop niet thuiskomt.

„Morgen laat ik de dokter komen, Anoek. Zodra hij zijn toestemming geeft, vertrekt Rineke. Niet eerder!"

Voor mevrouw Hagedoorn Rineke van dit besluit op de hoogte brengt, zoekt ze een pen en papier bij elkaar. „Alsjeblieft, nog meer wensen?"

Ze legt de schrijfbenodigdheden op Rinekes bed.

„U bent een schat! Ik wil een paar regels aan mijn vrienden schrijven over waar ik op de dag van het ongeluk geweest ben. Ik vrees dat ze tevergeefs naar mijn huis hebben gebeld om te horen of ik goed was overgekomen."

Het aanbod te bellen slaat ze af.

„Dan moet ik zoveel uitleggen. Mijn vriendin zal me dan beslist komen opzoeken; zo is ze wel. En dat geeft maar weer extra drukte voor u."

Mevrouw Hagedoorn protesteert.

Rineke schudt kordaat haar hoofd. Ze wil Amanda noch Cees aan haar bed! Er is tijd nodig om aan het feit te wennen dat die twee bij elkaar horen. Ze moet en zal afstand bewaren!

„En," zo leidt ze mevrouw Hagedoorn af, „ik moet naar een uitgever schrijven in verband met een nieuwe opdracht. Ik wil er namelijk niet voor januari aan beginnen. Niet door het ongeval hoor, maar ik was toch al aan wat rust toe!"

Mevrouw Hagedoorn zegt dat ze de volgende dag de dokter zal laten komen. „Dan weten we waar we aan toe zijn. Ik hoop dat je nog een paar daagjes blijft, lief kind!"

Rineke lacht, toch gevleid door deze uiting van sympathie. „Ik vind dat doktertje maar een glibber!" zegt ze huiverend. Mevrouw Hagedoorn kan een glimlach niet onderdrukken. „Hij is ook niet geliefd in de omgeving. Eigenlijk is hij slechts een vervanger. Onze eigen arts is voor twee jaar naar Afrika en er wordt reikhalzend naar zijn terugkomst uitgezien. Aanvankelijk was dokter Visser slechts hier om stage te lopen. Wat dat betreft kwam het goed uit dat die samenviel met de plannen van onze eigen arts. Toen Charlotte nog leefde, kwam hij hier vaak over de vloer. Het kind was dikwijls ziek en Charlotte zelf leed aan migraine. Daar heeft hij haar fantastisch van afgeholpen."

Rineke knikt. Ze kijkt hunkerend naar het papier op haar schoot; ze zou graag aan de briefjes beginnen.

„Tja, weet je…" Berustend leunt Rineke achterover. Met haar gehoororgaan en hart luistert ze naar de ontboezemingen van mevrouw Hagedoorn.

De brieven worden pas in de nachtelijke uren geschreven en de volgende ochtend door de oude dame meegenomen om gepost te worden.

„Ik ga wel, Nellie!" roept Anoek, als aan het eind van de morgen de bel door de lange gang galmt. Nellies armen zijn tot aan haar ellebogen wit van het meel: ze is bezig brood te bakken volgens een eigen, geheim recept.

Verrast reageert de man op de stoep, als Anoek de deur opent. „Zo, dokter Remco Visser!" Ze weet dat haar verschijning associaties en herinneringen bij deze man oproept. Al is het niet als de bekende twee druppels water, de gelijkenis met haar zus Charlotte is op het eerste gezicht frappant.

„Ach zo, jij hier!" zegt dokter Visser stijfjes.

„Komt u verder! De patiënte ligt met smart te wachten op het bericht dat ze kan vertrekken!" spot Anoek.

Mevrouw Hagedoorn komt puffend van de trap af. Ze hijgt van het snelle lopen. „Laat maar, Anoek! Ik help de dokter wel verder!"

Zonder groet wendt Anoek zich af, wetend dat er nog wel een nieuwe kans in het verschiet ligt dat ze de dokter kan overhalen haar te helpen met het overreden van de familie, zodat die het kind aan haar zorgen toevertrouwt.

Chantage is een lelijk woord, maar het is soms erg handig als er daden moeten worden gesteld! denkt ze.

„Ik zie geen reden waarom u niet naar uw eigen huis zou kunnen vertrekken, als u zich maar in acht neemt. Dat betekent: rust houden, geen extra inspanning en bij klachten dadelijk naar uw eigen arts. En het lijkt me niet verkieslijk dat u zelf achter het stuur gaat zitten!"

Rineke betast de hoofdwond, waar een nieuwe pleister op aan is gebracht. „Goed nieuws."

Ze kijkt langs de man heen, niet in staat hem recht in de ogen te zien. Een rilling loopt over haar rug. Dokter Visser zou kans maken op een rol in een kinderfilm; die van de boef. Ze kan zich voorstellen dat kleuters en gevoelige kinderen zoals Madelon doodsbang voor hem zijn. „Bedankt voor uw goede zorgen. Ik zal mijn gegevens van het ziekenfonds zo snel mogelijk aan u opsturen."

Rineke haalt opgelucht adem, als ze de voordeur in het slot hoort vallen. Meteen staat mevrouw Hagedoorn weer voor haar neus. „Mooi dat je uit bed mag, lieve kind. Maar er komt niets van in dat je je reisvaardig zou kunnen maken. Een kind kan zien dat je daar nog niet toe in staat bent!"

Nu lacht Rineke voluit. „Lieve mevrouw Hagedoorn, ik heb nu al te lang gebruik van uw gastvrijheid gemaakt!"

Het ronde gezichtje betrekt. Opeens lijkt mevrouw Hagedoorn jaren ouder. Met een vreemde stem zegt ze: „Toe, blijf nog één dag. Of twee misschien! Doe het voor mij."

Rineke glijdt uit bed en slaat spontaan haar armen om de vrouw heen. „U bent een schat en reken maar dat ik u zal missen. Het is of ik weer een moeder heb!"

Op dat moment wordt de voordeur met een smak in het slot gegooid.

„Allard!" De stem van mevrouw Hagedoorn klinkt verheugd. Ze lacht Rineke toe. „Hij zal ervan opkijken dat je uit bed mag. Weet je wat: ik laat het bad vollopen, en dan maak je uitvoerig toilet. Nellie zal dan een heerlijke lunch bereiden, en ik weet zeker dat je ervan zult genieten. Vanmiddag heeft Madelon vrij, en als je wilt kun je met haar een eindje gaan wandelen."

Allard beent door de gang en blijft bij het kastje staan waar zijn post doorgaans wordt neergelegd. Zonder veel belangstelling bladert hij door de papieren: bankafschriften en rekeningen, maar niets persoonlijks. Dan valt zijn oog op de twee enveloppen waarop met een hem onbekend handschrift is geschreven. Uitgaande post. Puur uit nieuwsgierigheid, die hij niet kan beredeneren, leest hij de adressen. Er is er een aan Rinekes vrienden, die hier in de buurt woonachtig zijn; dat is duidelijk. De andere is gericht aan een uitgever. Nijdig smijt hij beide enveloppen van zich af. Had hij toch gelijk met zijn veronderstelling!

Die ellendige pers. Lieten ze je dan nooit met rust?

Een rood waas trekt voor zijn netvlies. Roddelpers; weekbladen met kletskoek waar niemand wijzer van wordt. Ze hebben deze keer dus een 'verse' journaliste op zijn spoor gezet! Tot in zijn huis is dit geraffineerde nest doorgedrongen, en ze palmt moeder en Madelon in. Estelle!

Allard balt beide handen tot vuisten. Even luistert hij naar het innerlijke stemmetje dat fluistert: maar toen je haar in je armen droeg, onderging je een vreemde sensatie. Bekend, en toch weer zo anders! Dat hulpeloze ding zag er niet naar uit dat ze vuile spelletjes zou kunnen spelen door zich expres tegen de auto aan te werpen, zodat ze letsel zou oplopen en bij hen binnen zou kunnen dringen. Langzaam komt Allard weer tot zichzelf. Hem staat maar één ding te doen: Estelle negeren. Woede helpt niet.

Het zou haar nog meer voeden om over hen te schrijven.

Pas als hij halverwege de trap naar boven is, realiseert hij zich de ongewenste gast in gedachten 'Estelle' te hebben genoemd. Een feit dat hem verontrust en hem helemaal niet aanstaat!

Allard mag dan ronduit onbeleefd tegen Rineke zijn, Anoeks gedrag laat ook te wensen over. De onverwachte gaste eist door haar situatie aandacht die ze zelf nodig heeft, wil ze haar plannen doen slagen.

Allard is echter haast niet te benaderen en met zijn moeder is Anoek uitgepraat. Rineke weet haarfijn hoe ze met Madelon moet omspringen en het kind moet stijven in haar fantasieën. En nog merken Allard en mevrouw Hagedoorn niet dat Madelon zich abnormaal gedraagt! vindt Anoek. Dat idiote Estelle-gedoe! Het wordt hoog tijd dat het kind uit deze omgeving wordt weggehaald.

Oh, ze had Allard op zijn gevoel willen werken en hem er fijntjes aan willen herinneren hoe de situatie was vlak na het verongelukken van Charlotte. Nu ze hiervoor de kans niet krijgt, zal ze met zwaarder geschut voor den dag moeten komen. Ze heeft de nieuwe plannen nog niet duidelijk in een vorm gegoten, maar zeker is dat Remco Visser haar van dienst kan zijn.

Na een paar dagen tamelijk gunstig weer wordt men verrast door een nieuwe koudegolf. Sneeuw en gladde wegen zorgen voor overlast voor het verkeer. Bovendien dreigt zich een griepepidemie uit te breiden.

„Het was gezellig uw gast te zijn, mevrouw Hagedoorn, maar morgen moet ik toch echt de terugtocht aanvaarden!" beslist Rineke, die moet toegeven dat ze genoten heeft van het gezelschap van oma en kleindochter.

„Morgen is het zaterdag, lieve kind. Blijf toch het weekend nog; ik zou het zo gezellig vinden. Ook voor Madelon; ze is dol op je. En als ik je nog iets in vertrouwen mag zeggen?"

Verwonderd luistert Rineke naar wat de oude dame vertelt: dat Anoek zegt rechten op het kind te hebben. „Dat is nonsens. Niemand kan Madelon bij haar vader weghalen!" stelt Rineke haar gerust.

„Ooit van psychische chantage gehoord? Ze voert wat in haar schild, al weet ik niet wat. Ze lijkt erg op haar zuster, met dit verschil dat Charlotte neurotisch was. Anoek lijkt innerlijk van staal!"

Rineke begrijpt dat zij als buffer wordt gebruikt. Eigenlijk zou ze zich beledigd moeten voelen, ware het niet dat de oude dame haar zo vol liefde aankijkt dat ze niet anders kan dan toegeven. „Maar uw zoon zal wel denken: die maakt misbruik van de gastvrijheid!"

Mevrouw Hagedoorn snuift; haar ogen versomberen. „Ik vraag me sowieso af of Allard ooit nog weleens denkt! Hij is voor zichzelf op de loop. Hij werkt als een paard en drinkt volgens mij stevig, ook al merk je dat nooit aan hem. Ik hoor vaak hoe hij 's nachts het bed uitgaat om zogenaamd te werken. Onder het mom van inspiratie die opwelt!"

Rineke heeft medelijden met mevrouw Hagedoorn. In plaats van te genieten van haar oude dag en ook van haar gezondheid, dient ze het gezin van haar zoon. Zou er ooit iemand 'dank je wel' tegen haar zeggen?

„Ik blijf tot maandagochtend. Tevreden? En ik beloof u dat ik contact met u en Madelon houd!"

Rineke kan de naam van Allard niet over haar lippen krijgen. Ze voelt zich klein en onbelangrijk worden, als Allard in haar buurt opdoemt. Zijn forse postuur en donker uiterlijk zijn daar ogenschijnlijk de reden voor. Ze had in zichzelf gegniffeld, toen ze zich realiseerde dat ze zich zo het Blauwbaard-type had voorgesteld vroeger. Met van die ogen die nooit lachen, fronsende wenkbrauwen en die typische manier van lopen, alsof het moeite kostte zich voort te bewegen in de beperkte ruimten van het huis. Oh, ze had nog meer superlatieven in petto: melancholiek en heerszuchtig. Ze moet toegeven dat het een andere man wordt, zodra Madelon zijn aandacht opeist, en het doet haar goed te zien dat ook de charmante Anoek nul op het rekest krijgt bij hem!

Mevrouw Hagedoorn omhelst Rineke. „Heerlijk! Nu zul je zien dat het een prettig weekend wordt. Misschien wil je me wel helpen met het doen van de boodschappen, want Nellie heeft haar lijstjes al klaar. Anders ben ik altijd afhankelijk van Allard, en die zou het karwei van het mij begeleiden nu zeker aan Anoek overgegeven hebben. Wat dacht je: zouden we met jouw wagentje kunnen gaan? Durf je alweer achter het stuur?"

Die zaterdagochtend is het bitter koud. Mevrouw Hagedoorn lijkt in haar bontjas net een beertje. Haar lieve gezicht gaat schuil onder een dito hoed.

Rineke huivert in haar korte jas. Ze had immers niet gerekend op een langer verblijf, en op het huidige weertype is ze nog niet ingesteld. Tot haar verrassing staat haar wagentje voor de huisdeur geparkeerd.

Allard komt uit een bijgebouw gelopen. De koude schijnt hem niet te deren. Een wollen sjaal is de enige concessie die hij aan de temperatuur doet. „Trek toch een jas aan, jongen! Straks word je nog ziek. Ik hoorde op de radio dat de griepepidemie een omvang heeft als nooit tevoren!" zegt zijn moeder.

Allard negeert zijn moeders smeekbede. Hij heeft een pantser om zijn hart laten groeien. Soms benauwt zijn eigen leven hem zozeer dat hij het gevoel heeft geen kant meer uit te kunnen. „Ik heb de bumper rechtgetrokken en ik ben zo vrij geweest de tank alvast vol te laten gooien, anders kom je nog eens hier in deze negorij vast te zitten!"

„Bedankt!" roept Rineke, blij met deze toenadering. „Ik zal u even betalen." Plagend voegt ze eraan toe: „U wilt er beslist van verzekerd zijn dat ik deze keer vlot wegkom, nietwaar?"

Allard neemt niet de moeite een antwoord te geven, werpt Rineke haar autosleutels toe en beent weg, nagekeken door de twee vrouwen.

„Ik heb toch soms zulke zorgen."

Een traan glibbert over de gerimpelde wang van mevrouw Hagedoorn. Gegeneerd wendt ze zich af.

Madelon komt naar buiten gestoven. Ze draagt een rood jack,

waarvan de capuchon met wit imitatie-bont is gevoerd. Een veelkleurige broek staat er grappig onder. „Dag, Roodkapje!" zegt Rineke lachend. Ze heeft gelijk spijt van deze begroeting. Een sprookjesfiguur aanhalen is taboe.

„Het sneeuwt, het sneeuwt," juicht Madelon. Ze klemt zich vast aan Rinekes middel. „En ik ga lekker met jullie mee. Tante Anoek zit te telefoneren en ik ben gauw van haar weggerend. Ze wilde een stom boek voorlezen!"

Het wordt een gezellig uitstapje. Het is de eerste keer dat Rineke weer in de bewoonde wereld is na haar onfortuinlijke val. Ze heeft geen last meer van de hoofdwond en een lichte hoofdpijn na te veel inspanning is haar enige klacht, die door de tijd zal moeten slijten.

Op Nellies boodschappenlijsten wordt minutieus alles afgestreept na iedere aankoop. „Ik krijg op mijn kop als ik wat vergeet!" zegt mevrouw Hagedoorn lachend. „Zullen we daar in dat café een kopje koffie drinken?"

Madelon krijgt de twee vrouwen zover dat ze meegaan naar een speelgoedzaak, die Rineke doet denken aan de winkels zoals zij die uit haar jeugd kent. Het is of hier de tijd stil is blijven staan. Zelf heeft ze geen behoefte aan wat de grote steden bieden, maar ze kan zich voorstellen dat een vrouw als Charlotte zich niet in de eenzaamheid had kunnen handhaven.

En Madelon krijgt nu helemaal haar zin: Rineke koopt voor haar een paar setjes kleertjes in Barbie-maten. „Allemaal voor Estelle. De namaak-Estelle. Je blijft bij ons hè, Estelle? Als tante Anoek weg is, zal het pas echt fijn worden."

Rineke kijkt bezorgd neer op het naar haar opgeheven snuitje. Het ene moment was Madelon een normaal kind, met een bij haar leeftijd passende reactie. Een ogenblik later leek het of ze zich hulde in een waas en onbegrijpelijke dingen zei. Ze trok zich terug in een droomwereld waar zij, 'Estelle', een hoofdrol in speelde.

Maar goed dat ze maandagochtend zou vertrekken. Arme oma Hagedoorn, die het kind zou moeten opvangen als ze bij thuiskomst uit school zou ontdekken dat Estelle met de noorderzon was vertrokken!

Zodra ze thuiskomen, rent Anoek hen tegemoet. Ze heeft een mantel aan en er staan koffers bij de voordeur. „Ik moet helaas vertrekken. Mijn verloofde is door de griep geveld en zit dringend om hulp verlegen. Ik kom terug zodra het mogelijk is. U weet wel waarom hè, mevrouw Hagedoorn, en ik raad u aan een en ander met Allard te bespreken."

Nellie maait het kleine gezelschap uiteen, opent ongevraagd de achterklep van Rinekes auto en trekt met boodschappen gevulde dozen naar zich toe. Zonder de vertrekkende Anoek te groeten sjouwt ze doos na doos richting keuken.

„Nellie, zie eens wat ik heb gekregen van Estelle."

Anoek kijkt als gestoken het kind na dat achter Nellie aan huppelt.

„Ga jij maar met Nellie mee, lekker diertje, dan maakt Nellie een lekker kopje chocolade voor je!"

De keukendeur valt met een smak in het slot en Rineke mompelt voor zich heen: „Einde scène."

Ze helpt Anoek met het dragen van de koffers.

Allard laat zich niet zien.

„Waar staat je auto?" vraagt Rineke over haar schouder.

Ze voelt zich lichtelijk duizelig worden. Zou ze toch te veel hooi op haar vork hebben genomen deze ochtend?

„In de garage. Dank je wel, en wie weet tot ziens."

Rineke heeft er geen behoefte aan te wachten tot Anoek wegrijdt, laat staan dat ze de neiging zou hebben haar uit te zwaaien!

Eenmaal binnen draalt ze bij de voordeur. Ze werpt een blik op de deur van Allards werkkamer. Wat zou ze deze man graag in andere omstandigheden ontmoet hebben, maar dan wel voordat het leven hem in de houdgreep nam! De deur lijkt door haar gehypnotiseerd te zijn. Geluidloos glijdt-ie open en doet Rineke verstijven van schrik. Ze verwacht dat iemand de gang op zal komen en waant zich betrapt.

Achter haar klinkt een korte, vreugdeloze lach. „Wat dacht je, juffertje, dat het hier spookte? Wees gerustgesteld. Hier leiden de deuren hun eigen leven. Er is niets griezeligs aan!"

Rineke keert zich snel om en grijpt zich vast aan het eerste het beste dat steun biedt. Zie je wel dat ze toch te veel van zichzelf had gevergd? De duizeling is van korte duur; de mist voor haar ogen trekt snel op. Ze staart naar haar beide handen, die een arm van Allard omknellen. De knokkels steken wit af tegen de rest van de huid; haar vingers doen pijn van het knijpen. „Neem me niet kwalijk," stottert ze.

Een ogenblik wordt haar blik vastgehouden door Allards donkere ogen: poelen van wanhoop. Ze meent duidelijk signalen om hulp op te vangen.

„Estelle, kijk eens."

Madelon komt uit de keuken gehuppeld en stevent recht op de twee mensen af.

Rineke beweegt haar vingers een voor een en trekt haar handen weg van Allards mouw.

Spottend kijkt hij nu. Alsof hij van haar walgt. Estelle! „Ik ga met je mee, ukkepuk. En als ik het goed heb, heeft Nellie iets heerlijks gebakken!"

De zondag wordt, wat Rineke betreft, onverwacht genoeglijk. Alleen waant ze zichzelf een bejaarde dame in de geleende japon van mevrouw Hagedoorn! Nellie had net haar rok en trui gewassen, zodat ze niet anders kon doen dan de geboden jurk in dank aanvaarden.

Madelon had haar wakker gemaakt. Aanvankelijk had Rineke zich nog in dromenland gewaand, toen ze lichte strelingen over het haar voelde. Glurend door de wimpers had ze Madelon ontwaard, die met kam en borstel gewapend stijf naast haar zat.

Helemaal ongelijk had Anoek niet wat het gedrag van Madelon betrof, moest Rineke bekennen.

„Estelle, je hebt de mooiste haartjes van de wereld. Eigenlijk ben je een prinsesje," had het stemmetje gedweept.

„Niks geen prinses!" had Rineke toen lachend uitgeroepen. „Volgende week knipt de kapper mijn haar kort!"

Madelon had zich niet laten intimideren. En Rineke vreesde dat Allard met zijn dochter voor grote problemen zou komen te staan. Ze wilde dat ze meer over kinderpsychologie wist!

Eenmaal aan de ontbijttafel gedraagt Madelon zich normaal. Wat

Rineke doet denken dat het misschien allemaal nog wel meevalt. In Allards wagen rijdt het gezelschap naar de pittoreske dorpskerk. Het is er koud en de Oudhollandse stoelen zitten ongemakkelijk.

Madelon weigert met de andere kinderen mee te gaan naar de kinderdienst. Ze klemt zich vast aan Rineke, die even verlegen is met de situatie.

Mevrouw Hagedoorn probeert fluisterend het kind over te halen. Dan slaat Allard een arm rondom de strakke schoudertjes en geeft het kind een bemoedigend knikje. „Laat haar toch, moeder."

Rineke werpt Allard een dankbare blik toe, die hij met een spottend trekje om zijn mond beantwoordt.

Rineke ervaart dit moment als een belediging. Ze dwingt zichzelf te luisteren naar wat de predikant zegt. Voor ze het weet, is ze geboeid. 'Liefde tot de naaste een goddelijke opdracht' is het thema van de preek. 'Maar waar men denkt de liefde te kunnen laten functioneren zonder de liefde tot de Heer, heeft men het mis! Verticaal is de weg naar Hem. Horizontaal is die naar de medemens. Zo zien we een kruis ontstaan'.

Aan het eind van de dienst fluistert Rineke mevrouw Hagedoorn in het oor: „Preekt deze man iedere zondag zo? In dat geval boffen jullie!"

Bij thuiskomst blijkt de koffie al klaar te zijn en ieder laat zich Nellies onovertroffen gebak smaken.

„Vertel nog eens wat meer over jezelf, Rineke. Over je werk en je hobby's," noodt mevrouw Hagedoorn haar.

Rineke kijkt onzeker de kleine kring rond. „Er is niet veel boeiends over mijn leven te vertellen," aarzelt ze bescheiden.

Allard staat op, gooit een blok hout op het vuur en zegt sneerend, zonder zich om te keren: „Het werk gaat voor alles; voor een eigen leven! Dat wint het van privé-relaties. Zo een ben je er, of heb ik het mis?"

Rineke kleurt diep en begrijpt deze bruuske en onverdiende aanval niet.

Allard wacht een berisping uit zijn moeders mond niet af, maar verlaat de kamer zonder nog een woord te zeggen.

„Fijn, nu kun jij me weer voorlezen, Estelle-Rineke!" zegt Madelons stemmetje zangerig. Ze heeft vlak bij het vuur van de open haard gezeten en haar gezichtje gloeit van de warmte. „Want oma gaat toch Nellie helpen hè, oma?"

„Ik geloof dat uw zoon me niet bepaald mag," mompelt Rineke.

„Hij is zichzelf niet, Rineke. We moeten veel door de vingers zien, maar dat is niet altijd gemakkelijk, kind. Madelon heeft gelijk: ik ga nu Nellie de helpende hand bieden."

Rineke leest voor, zonder de inhoud van het verhaal tot zich door te laten dringen. Ze begrijpt niet waarom de houding van Allard Hagedoorn haar zo'n pijn doet. Maar na morgen zal alles voorbij zijn. En ze hoopt, ondanks haar belofte aan mevrouw Hagedoorn, in de toekomst verschoond te blijven van ieder contact met deze man.

In de namiddag begint Madelon te zeuren. Ze klaagt over dorst en pijn in haar hoofd.

„Ik vrees dat ze koorts heeft!" zegt Rineke, als ze een hand op het gloeiende voorhoofdje legt.

Zonder morren laat Madelon zich naar bed brengen. „Bij me blijven, Estelle," piept ze met een zielig stemmetje.

Allard is de gehele middag weg geweest, maar zodra hij verneemt dat Madelon in bed ligt, rent hij de trap op. Hij negeert Rineke, buigt zich over het kind heen en fluistert lieve woordjes in haar oortje.

Dus zo kun je ook zijn, Allard Hagedoorn. Wat heb ik je misdaan dat je zo bits tegen mij doet? denkt Rineke.

Madelon valt in een rusteloze slaap, af en toe voor zich heen pratend.

„Het lijkt me griep, maar met een kind weet je het nooit," aarzelt mevrouw Hagedoorn met het stellen van de diagnose. „Morgen moet Visser maar even komen. Trouwens, ik voel me ook verre van lekker. Het spijt me voor jou, Rineke, maar ik kruip vanavond vroeg onder de wol. Als Madelon werkelijk griep heeft, wachten mij enkele vermoeiende dagen."

Rineke knikt. Ze voelt wat mevrouw Hagedoorn denkt, maar niet durft uit te spreken: ze zou graag willen dat zij, Rineke, haar verblijf nog wat rekte!

Omdat Rineke op de benedenverdieping slaapt, merkt ze niets van het heen en weer lopen op de overloop.

Madelon baadt in haar zweet, ijlt en heeft hoge koorts. Allard wijkt geen ogenblik van het bedje.

Almaar roept het kind om Estelle en het hangt vage verhalen op over sprookjesfiguren. Haar lachje, dun en schril, doet haar vader huiveren. Tegen de ochtend valt het kind eindelijk in een diepe slaap. Dan kan Allard zich verfrissen en een kop koffie zetten.

„Ben jij al op, jongen?" klinkt een schorre stem uit een der logeerkamers.

„Moeder toch, u hebt het ook te pakken! Ik bel dadelijk na achten de dokter!"

Hij trekt het laken van zijn moeders bed glad en streelt het klamme voorhoofd. „Nergens zorgen om maken, hoor. Ik zorg voor alles!"

Allard is blij Nellie zo vroeg aan te treffen. „Een ziekenhuis hebben we hier, Nellie. Als wij tweeën maar op de been blijven!" zegt Allard zuchtend.

Nellie knikt. Ze legt een hand tegen haar hals en fluistert: „Wij laten ons niet vellen, meneer!"

Allard heft beide handen op. „Ik hoor het al, Nellie. Zeg me alleen waar je de voorraad blikvoedsel hebt staan!"

Hij legt zijn handen op Nellies schouders en schudt haar zacht heen en weer. „Denk erom, mijn beste: wie ziek is, is vrijgesteld!"

Zo treft Rineke, gehuld in een duster van mevrouw Hagedoorn, de twee in de keuken aan. Ze was aanvankelijk gekomen om Nellie naar haar eigen kleren te vragen. Want ze kon moeilijk in een jurk van een bejaarde vertrekken.

„Hoe is het met Madelon?" vraagt ze zonder een groet te uiten.

Allard wendt zich om en ziet haar bij wijze van uitzondering recht in de ogen. „Ik heb Visser gebeld. En dan kan hij ook naar moeder kijken. En als ik het juist heb, houdt Nellie het ook niet lang meer vol!"

„En u?" informeert Rineke, hem dapper aankijkend zonder haar wimpers te bewegen.

Allard geeft geen antwoord, duwt Nellie op een stoel en vult een waterketel. „Ik hoop, juffertje, dat je voor je eigen ontbijt kunt zorgen! Ik ga nu de dokter bellen!"

Hij zet de ketel met een smak op het fornuis en laat de twee vrouwen alleen.

Nellie veegt met de punt van haar schort langs haar ogen.

„Ik ben nooit ziek. Nog niet eens verkouden," zegt ze met een schorre stem.

„Ik zet wel een pot thee. Zeg maar wat ik voor je kan doen!" biedt Rineke spontaan aan.

„Jij? Ach mens, je bent zelf nog maar half beter," doet Nellie amicaal.

Rineke doet wat haar hand te doen vindt. Ze zet thee, roostert brood, smeert beschuiten en perst sinaasappels uit.

„Tja, zo krijg je de kans gelijk wat terug te doen voor de gastvrijheid," merkt Nellie op. „Maar goed dat u nog hier bent. Als u uw eigen kleren wilt hebben: die hangen in de bijkeuken. Ze zijn al droog, en de rok is geperst."

„Ik..."

Rineke slikt een keer. Ik ga naar huis, had ze willen zeggen. Ze wil hier niet langer blijven! Bovendien kan men van haar toch niet verwachten dat ze haar diensten aanbiedt!

Mevrouw Hagedoorn drinkt dankbaar van de thee. Verder hoeft ze niets. Ze wil alleen met rust worden gelaten.

Madelon is ook ontwaakt en ligt zacht te jammeren om Estelle. Allard heeft haar voorraad poppen op het bed gelegd, maar met een nijdige beweging had het kleine ding de anders zo gekoesterde Barbies van zich afgeduwd.

„Mijn Estelle moet komen, pappie!"

Allard is zo goed niet of hij moet Rineke verzoeken bij het kind te komen. „Ik meen begrepen te hebben dat je vandaag vertrekt. Maak het ons niet moeilijk en zeg het haar zelf. Anders blijft ze zeuren!"

Rineke verwaardigt zich niet hem antwoord te geven. In haar eigen kleding voelt ze zich weer die ze was: een zelfstandige jonge vrouw. En dan ook nog een die niets te maken heeft met een Allard

Hagedoorn. Het is haar direct na binnenkomst duidelijk dat het kind zwaar ziek is.

Het borstje gaat hijgend op en neer en de ogen glinsteren als kooltjes vuur.

Ze strekt haar armen verlangend uit naar Rineke. „Nooit meer weggaan, Estelle!"

Het kind ontspant zich, zodra Rineke op de rand van het bedje is komen zitten.

Allard balt zijn handen tot vuisten. Machteloos voelt hij zich. Onzeker begeeft hij zich naar zijn moeders kamer, alsof zij hem op dit moment raad zou kunnen geven.

„Ik laat het afweten, lieverd. Je... je zult je nu zelf moeten redden."

Als de bel door de gang klingelt, hoopt Allard dat de dokter zijn komst aan heeft gekondigd. Hij haast zich de trap af en, ziend hoe Nellie naar de deur wankelt, ontvliedt hem de hoop op enige steun van haar kant. „Laat maar zitten, Nellie, ik doe wel open. Ga alsjeblieft naar je kamer!"

Het is inderdaad Remco Visser die, met zijn zwarte koffer in de hand, op de stoep staat. „Ik heb de familie hier maar boven aan mijn lijst gezet," is zijn begroeting. Zijn ogen gaan schichtig langs Allard heen. „Zijn de bewoners zelf nu ook al ziek geworden?" Allard gaat hem voor naar boven en vraagt zich af waarom er zoveel spanning in de stem van Visser klinkt. „Het meisje vertrekt straks, en mijn schoonzuster is naar huis geroepen. Het gaat nu om moeder en het kind. En waarschijnlijk geeft Nellie het ook op. Heeft u veel patiënten?"

Visser knikt. „Jullie zijn niet de enigen."

Madelon zet het op een zielig huilen, als ze de dokter ontwaart. Ze klauwt haar handjes om Rinekes armen. „Laat hem gaan, laat hem gaan, Estelle!"

Allard zegt op barse toon: „Nu flink zijn, jij! Je wilt toch beter worden? Vooruit, laat Rineke los!"

„Ga je niet weg? Niet weggaan," zegt Madelon snikkend, en Rineke haast zich te zeggen: „Ik blijf bij je tot je weer uit je bedje mag. Goed?"

Ze hoort Allard achter zich zwaar ademen. Hees klinkt zijn stem, als hij zegt: „En je werk? Er zal toch wel met smart op je gewacht worden?"

Rineke vraagt zich voor de zoveelste maal af waar ze het aan verdiend heeft zo onvriendelijk te worden behandeld.

„Ik werk freelance!" zegt ze kort.

„O, juist, zoiets vermoedde ik al!"

De wanhopige oogjes van Madelon trekken haar aandacht weg van de man die precies weet hoe hij haar kan sarren. Ze slaat zwijgend de verrichtingen van de dokter gade.

„Ziezo, kruip jij er maar weer lekker onder. Je boft dat je een privé-verpleegster krijgt! Misschien komt ze ook wel bij mij, als ik ziek word!"

Het grapje slaat niet aan bij Madelon. Diep duikt ze weg onder het dek, alsof ze zich moet verstoppen. Voorzover je haar nog kunt zien, kijkt ze Remco Visser bijna de kamer uit.

„Ik zal u moeders kamer wijzen!" zegt Allard kort.

En als de beide mannen het kindervertrek hebben verlaten, zucht Madelon van opluchting. „Een enge dokter," zegt ze zacht nasnikkend.

„Een glibber," zegt Rineke toonloos.

„Een betoverde kikvors, hè?" merkt Madelon op. Die gedachte stelt haar tevreden. Voor de dokter weer bij haar zou moeten komen, was hij vast veranderd in een gewone kikker, denkt ze.

„Probeer maar of je een beetje slapen kunt, dan blijf ik fijn naast je zitten!" zegt Rineke berustend. Haar reisplannen kan ze voorlopig vergeten.

Voor iemand die herstellende is van een – zij het zeer lichte – hersenschudding, viel het niet mee drie zieke mensen te verzorgen. Het zwaarst was de omgang met Madelon, die veeleisend is. In haar ijldromen kraamde ze nonsens uit en ze riep zelfs regelmatig om haar moeder. Rineke had stiekem in Allards werkkamer het portret van de overleden Charlotte bestudeerd. Ze had het sterke gevoel dat deze vrouw raadsels mee in het graf genomen had. Raadsels, en tevens antwoorden.

Wat zou ze zich opgelucht voelen wanneer ze eindelijk in haar eigen wagentje zou kunnen vertrekken! Het speet haar voor de oude dame, maar men zou er niet op kunnen rekenen dat ze ooit nog een voet over de drempel van dit huis zou zetten. Meer dan genoeg had ze van haar rol als Estelle. Voor ze vertrok, zou ze er bij Allard op aandringen dat hij professionele hulp voor het kind zocht. Ze leefde deels in een fantasiewereld, waarschijnlijk om de werkelijkheid te ontvluchten. Een leven waarin Estelle als goede fee rondwaarde en, als klap op de vuurpijl, ooit met haar pappie zou gaan trouwen.

Doodsbang was Rineke dat Allard de ijldromen ter ore zouden komen. Nijdig realiseerde ze zich dat het achter Cees aanrijden haar in de nesten had doen belanden. Zodra die gedachte in haar opkwam, drong nog een feit tot haar door: al dagen had ze niet één moment haar gedachten aan Cees gewijd. Het was of hij opeens geen rol meer in haar leven speelde. Terwijl ze vorige week nog meende vruchteloze gevoelens voor hem te koesteren! Dankzij die gevoelens had ze overigens nog gemeend afgerekend te hebben met de liefde! Haar slotconclusie was dat dat alleen al het waard was op het grondgebied van Allard Hagedoorn te stranden. Ze wilde haar gevoelens bevestigd zien.

Als Madelon op een middag vast in slaap is, zegt ze tegen Allard er even uit te moeten om enkele boodschappen te halen.

„Ik wip even aan bij mijn vriendin. Bij haar kan ik wat kleding en dergelijke lenen."

Allard schuift een portemonnee in haar richting. „Dit is de huishoudbeurs. Ik zal je op de een of andere manier moeten zien te bedanken!"

Even lijkt het of zijn stem wat vriendelijker klinkt en Rineke heeft de indruk dat hij zich normaal gesproken dwingt tot onhoffelijkheid.

De boodschappen zijn snel gehaald. De bittere koude houdt de meeste mensen binnen en bovendien is een groot gedeelte van de bevolking ziek.

Amanda is verrast haar vriendin te zien. „En ik dacht: die komt hier voorlopig niet meer! Rineke toch."

Ook Cees begroet haar verheugd.

Rineke biedt hun haar wang aan. Het doet haar niets meer Cees' lippen op haar zachte huid te voelen.

Pas als ze de terugtocht heeft aanvaard, klautert een vraag in haar omhoog die ze onbewust had willen wegduwen. Hoe is het mogelijk dat ze nu immuun is voor de charmes van Cees? En dat ze hem nu van harte aan Amanda gunt?

Een rilling loopt over haar rug als ze voor zichzelf bekent dat ze hopeloos verliefd is; zeker zo hopeloos verliefd als eerst op Cees. Op de man die haar veronachtzaamt en haar liever zou zien gaan dan komen!

Mevrouw Hagedoorn liet geen moment onbenut zich uit te putten in dankbare kreten aan het adres van Rineke.

„Ik weet niet hoe ik je moet danken."

„U moet ophouden met zich zo te vermoeien. Het is nu mijn beurt, lieverd. Bedenk eens wat u vorige week voor mij hebt gedaan. Heus, het is niet meer dan vanzelfsprekend."

's Nachts waakte Allard bij Madelon, en Rineke durfde er niet aan te denken wat hem tijdens die stille uren ter ore zou komen. Hij liet echter niets los. Wel werden zijn opmerkingen minder stekelig. Vaker en vaker betrapte Rineke hem erop dat hij haar stiekem obser- veerde, als ze met Madelon bezig was. Zelfs als ze in de keuken simpele maaltijden bereidde, kwam hij af en toe binnen om zijn hulp aan te bieden; hij bracht een dienblad met voedsel naar boven of vroeg om een kopje koffie. Rineke voelde hoe haar lichaam zich spande als hij in haar buurt kwam.

Wanhopig trachtte ze zich te verweren tegen zijn aantrekkings- kracht. Het was niet alleen zijn mannelijke uitstraling die haar ver- warde. De onverklaarbaar droevige blik in zijn ogen maakte haar week. Ze voelde de wildste verlangens in zich opkomen. Ze zou dat donkere hoofd tegen haar borst willen drukken en hem willen beschermen tegen… ja, tegen wat?

Tegen de roddels die nooit zouden sterven? Tegen het geleden ver- driet? Tegen de pijn die ze zou willen verzachten? Een kopje koffie mocht ze voor hem maken. Ze mocht eten koken en zorgen voor de twee enigen die hij nog liefhad.

Door al deze gedachten werd Rineke afgeleid van haar eigen spanningen, die opeens onbelangrijk schenen. Ze popelde zelfs om weer aan het werk te kunnen gaan. Vooral de strip voor kinderen die ze voor een dagblad mocht maken, lag lokkend in het verschiet. De hoofdpersoon die al leefde in haar denken, ging meer en meer gelijkenis vertonen met Madelon!

Van de drie zieken was Nellie de eerste die het waagde uit bed te komen. „Dat u zelf niet ziek bent geworden! We hebben geboft met uw ongelukje!" zei ze waarderend tegen Rineke, die niet wilde toegeven doodmoe te zijn.

„Ik stap op, zo gauw mevrouw aan de beterende hand is. Op het moment dat ze de zorgen om het kind uit handen kon geven, ging het bergopwaarts!" stelde Rineke met voldoening vast. „Maar jij, Nellie, zult naderhand nog wel op mij mopperen. Ik heb vast en zeker niet alle spulletjes op de juiste plaats teruggezet!"

Nellie maakte een breed armgebaar. „Als een mens gezond is, kan-ie knap zeuren en precies zijn. Maar als je koortsig in bed ligt te woelen, denk je: ach, wat is er nou toch belangrijk? Gezondheid; ja, dat meen ik!"

Na een paar dagen was mevrouw Hagedoorn in staat rechtop in bed te zitten. Ze had strenge regels opgelegd gekregen van dokter Visser. Per slot van rekening had ze een zwak hart en was rust geboden.

Madelon werd, zoals dat met de meeste herstellende kinderen het geval is, ontzettend lastig zodra de koorts week.

Ze was erg verzwakt en maakte, telkens als Remco Visser kwam, een drama.

„Als je nu de volgende keer dat de dokter komt erg lief bent, zal ik je voorlezen uit het boek dat pappa heeft gekocht. Tot zolang leg ik het boven op je boekenkast!" zei Rineke streng. Het kind mocht dan overgevoelig zijn, zij weigerde over zich te laten lopen. Consequent hield Rineke zich aan deze belofte, en ze was blij dat het werkte. Dokter Visser wist niet hoe hij het had. Hij was toch opgelucht, toen hij de kinderkamer kon verlaten.

Rineke moest een schaterlach bedwingen. Ze wilde zich ten overstaan van het kind niet laten gaan.

„Nu lezen!" commandeerde Madelon.

Rineke pakte het boek en samen verdiepten ze zich in de belevenissen van twee hedendaagse kindertjes.

„Toch zijn sprookjes mooier!" zei Madelon zuchtend, toen Rineke het boek dichtklapte.

„Malle jij!" zei Rineke lachend.

„Mag ik de plaatjes nog eens bekijken?" vroeg Madelon.

Rineke legde het boek op het dekbed. Ze zou graag beneden in de keuken een en ander doen, maar Madelon kon ze moeilijk alleen laten. „Kijk jij maar plaatjes, dan zal ik je boekenkast eens uitruimen. Wat heb jij veel prentenboeken voor een klein meisje, zeg!"

Enthousiast deelde Madelon haar mee dat er ook heel oude bij waren. „Sommige zijn van pappie geweest, en van mijn mammie staan er ook een heleboel. De sprookjes waren van mammie!"

Terwijl het kleine ding zich verdiepte in de kleurentekeningen die zo mooi waren dat Rineke de inspiratie in haar vingers voelde tintelen, nam ze peinzend een paar haar onbekende boeken uit de kast en bekeek ze belangstellend. Een smal boekje trok haar aandacht. Ze plukte het versleten werkje van de plank. Hier had ze niet met een kinderboek te doen, maar met een poëziealbum. Lieve Charlotje, las ze. Het ontroerde Rineke. Arme Charlotje, wier leven zo triest moest eindigen. Tot haar verbazing kwamen er na een paar onbeschreven velletjes versjes, waarboven stond: lieve Madelon. Ze wierp een haastige blik op het kind, alsof ze iets ongehoords deed. Oma had erin geschreven, en tante Anoek en Nellie. Maar ook mensen met haar onbekende namen. Achterin trof ze een paar vellen ouderwetse poëzieplaatjes zoals die in grootmoeders tijd werden gedrukt. Maar nergens een versje van moeder Charlotte voor haar dochter.

„Geef eens," riep Madelon onverwacht.

Even aarzelde Rineke. Het boekje haalde ongewild zoveel herinneringen op. Toch vroeg ze: „Heeft je mamma er nooit in geschreven, Madelon?"

Madelon strekte een arm uit en bewoog haar vingers ongeduldig. „Jawel, bijna."

Rineke gaf het album aan het kind. Later, zo vermoedde ze, zou het meisje blij zijn met dit bezit. „Jij moet er een versje inschrijven; een sprookje. En pappa ook. Kijk, dit is mamma's versje. Ze had het op een los velletje geschreven en eruit gescheurd. Dom, hè?"

Tussen de vellen poëzieplaatjes dwarrelt een los blad.

„Lijm jij het er voor mij in? Dan kan mijn juf van school er ook in schrijven. Die kan het heel mooi!"

Rineke raapte het blaadje op en las nieuwsgierig de aanhef. Er stond geen 'Lieve Madelon' boven. Onthutst nam ze kennis van de inhoud. Het was bij lange na geen kinderrijmpje: „Allard, als dit schrijven je onder ogen komt, zal ik niet meer in leven zijn, en het kind dat in mij groeit ook niet. Je hebt nooit gemerkt, want daarvoor ben je te veel met jezelf bezig, dat ik geestelijk allang niet meer bij je hoor. En lichamelijk ook niet. Ik…"

Rineke voelde zich duizelig worden. De wereld draaide om haar heen.

„Kijk eens, wat een mooie plaatjes! Daar mag jij er een van gebruiken," babbelde het kind.

Rineke liep met het albumblad in haar hand naar het raam en ging met haar rug naar het bed toe staan. Ze dwong zich tot kalmte. De regels dansten voor haar ogen: „Ik ben langer dan een jaar het eigendom van een ander, beste Allard. En vandaag ga ik hem vertellen wat hij op zijn geweten heeft. Het zal je ego strelen als je hoort dat hij mij niet langer begeert! Hij zal zijn straf niet ontgaan. Hij, die zijn ogen niet van mijn zuster kan afhouden, terwijl ik een kind van hem draag! Ik houd zoveel van hem dat ik liever met hem sterf dan dat ik met jou leef. Zorg voor Madelon. Ch."

„Lijm je het blad erin?" vroeg Madelon.

Hakkelend vroeg Rineke: „Madelon, weet je nog hoe dit losse velletje in het album tussen de blaadjes is gekomen?"

Het voorhoofd van het kind rimpelde en Madelon haalde haar schouders op. „Het is toch voor mij? Mijn naam staat erop: onderaan. En niet zoals bij de andere versjes bovenaan. Mijn eigen naam kan ik lekker al heel lang lezen. Een kind in mijn klas kan zijn eigen naam nog niet eens schrijven!"

Rineke knikte. Ze liet het velletje in haar rokzak glijden.

Waarschijnlijk was het Madelon zelf geweest die de afscheidsbrief van haar moeder ongewild had verborgen.

Het blad hoorde immers bij het album? Het was een brief die Allard vrijsprak en tevens een ander beschuldigde.

Want als Rineke het allemaal goed had begrepen – men had haar het hele verhaal verteld – was Charlottes lijk alleen gevonden. De onbekende minnaar was de dans ontsprongen. Rinekes hart lag als lood in haar borstkas.

Ze liep op het kind toe en nam het voorzichtig het album uit handen. „Zo, jongedame, nu wordt het tijd voor een slaapje. Je bent een kraan geweest door zo flink te zijn toen de dokter er was. Ik ben trots op je, weet je dat?"

Ze schudde de kussens op en stopte Madelon lekker in.

„Verzin maar een verhaaltje. Dan mag je het mij straks vertellen!"

Allard was niet thuis. Het albumblad brandde in Rinekes zak. Ze moest zich dwingen er niet met de oude mevrouw over te spreken, maar ze begreep dat deze nog te zwak was na de griepaanval om dit te kunnen verwerken. Even speelde ze met de gedachte Allard het briefje anoniem te doen toekomen. Haar conclusie was evenwel, dat dat lafhartig zou zijn. Ze moest lang wachten tot er eindelijk een gelegenheid was om Allard te spreken. Een gelegenheid die ze bovendien zelf moest scheppen!

Toen Allard thuiskwam, was zijn houding ongenaakbaar.

Zijn uitstraling deed Rineke huiveren. Ze hoopte dat hij, net als de vorige avonden, de open haard zou aanmaken, haar een glas wijn zou aanbieden en een uurtje achter de krant zou doorbrengen.

Hij stevende echter regelrecht naar zijn eigen werkkamer, sloot de deur nadrukkelijk en zei geen behoefte te hebben aan koffie of wat dan ook.

Tegen tien uur, toen de patiënten haar niet meer nodig hadden, kon Rineke het niet langer uithouden. Ze sloop naar de deur waarachter ze Allard wist. Geluidloos boog ze zich in de richting van de knop.

Net toen ze haar hand uitstak, gleed de deur vanzelf open. Een nijdige kreet van Allard was het gevolg, en voor Rineke wist wat er gebeurde, knalde de deur onzacht tegen haar hoofd. „Auwa," riep ze kinderlijk en ze legde beide handen op haar voorhoofd.

Allard kwam te voorschijn gesprongen. „Wat krijgen we nou? Ik dacht dat die beroerde deur vanzelf openging. Wat doe je ook hier?"

Het klonk zo onvriendelijk dat Rineke, van wie alle vezels gespannen waren, in snikken uitbarstte. "Naarling, bruut," stotterde ze.

Allard trok haar aan een arm naar binnen. "Ik bied je mijn oprechte verontschuldigingen aan. Zo goed? Laat me je hoofd eens zien. Dat wordt een buil. Lieve help, heb je hoofdpijn?"

Rineke schudde van nee. Ze was verlegen met de situatie. Allard bleef haar arm vasthouden.

"Ik wilde je spreken. Het is belangrijk."

Abrupt liet hij haar los. "Dat dacht ik al! Ik heb een gave voor zulke dingen. Ik zag je wel kijken! Wanneer ga je weg en verslag uitbrengen?"

Niet begrijpend schudde Rineke haar hoofd. "Mag ik even zitten? Hier, lees dan. Ik had het op een zachtmoedige manier willen vertellen! Maar je geeft me de kans niet!"

Ze verstopte haar hoofd in beide handen. Ze wilde en kon niet zien hoe Allard zou gaan reageren.

De stilte was om te snijden.

"Waar heb je dat vandaan?" vroeg hij hees.

"Uit het poëziealbum van je dochter. Ik vond het vanmiddag. Ze dacht dat het erin hoorde. Haar naam stond alleen onder in plaats van boven het 'versje'. Ik moest het er van haar inlijmen."

Allards adem ging zwaar. "Een afscheidsbrief. Ze is opzettelijk in het water gereden. Ik had het kunnen weten; ze zond genoeg signalen uit. Maar ik kon niet meer met haar communiceren! Een baby! Charlotte! Hoe kon je?"

Die laatste zin brulde Allard eruit.

Rineke gluurde bang tussen haar vingers door. Ze zag tot haar ontsteltenis hoe de grote, schijnbaar sterke man huilde. Tranen liepen over zijn wangen en zijn brede schouders schokten onbeheerst.

Met een zachte kreet veerde Rineke van haar plaats op.

De bult op haar eigen voorhoofd was vergeten. Ze sloeg haar armen om Allard heen, trok zijn hoofd omlaag en veegde met de rug van een hand zijn wangen droog.

Het lichaam bleef beven, en het ontroerde haar ten diepste. Allard hield Rineke stijf tegen zich aan, als zocht hij steun bij haar. Na geruime tijd kwam hij tot rust. Sidderend legde hij zijn donkere hoofd op het blonde van Rineke. „Estelle! Ik begin warempel te geloven dat je Estelle bent. Een niet reëel persoontje dat hier de boel recht komt zetten, de harten steelt en er weer vandoor gaat op een mistige dag."

Rineke glimlachte met haar hoofd tegen de grove trui.

Hier sprak de toneelschrijver, signaleerde ze. „Misschien moet je me wel wegjagen," fluisterde ze gedurfd.

Allards armen trilden. Het maakte Rineke onzeker en bang. „Kind, je weet niet wat je teweeg hebt gebracht."

„Je moet gaan zitten," zei Rineke op een toon alsof ze het tegen Madelon had. „Heb je niet een of ander sterk slokje staan?"

Allard wees op een muurkast en ging gehoorzaam op de bank zitten waar Rineke de eerste uren van haar verblijf in dit huis had doorgebracht. In één slok gooide hij de inhoud van het glas dat Rineke voor hem had volgeschonken, achterover.

„Piraat," fluisterde Rineke. Ze voelde zich koortsig, maar niet door verhoging.

Allard strekte zijn handen uit. „Kom hier, kind, dan zal ik je alles vertellen wat je nog niet weet. Daar heb je recht op."

Geleund tegen zijn borst, alsof het de gewoonste zaak van de wereld was, luisterde ze ademloos zonder hem in de rede te vallen.

Heel zijn trieste huwelijk met Charlotte passeerde de revue. Haar labiele persoonlijkheid had hem dagelijks voor problemen gesteld. Door hun vertrouwde huisarts was ze uitstekend begeleid. „Als meisje heeft ze eens een ernstig auto-ongeluk gehad waardoor de hersenen zijn beschadigd. Ze kon niet buiten bepaalde medicijnen. Liet ze die staan, dan werd ze roekeloos, en ook depressief."

Even zweeg Allard. „Ook al wil Anoek me dat laten geloven: het labiele gedrag van Charlotte is niet door het kind geërfd. Alleen de opvoeding speelt een rol; we zitten nu met de brokken die Charlotte heeft veroorzaakt."

De stilte die viel, was niet hinderlijk. Rineke voelde dat haar ademhaling gelijk ging met die van Allard.

„Ik ben blind geweest! Een naïeve sukkel! Uit dat briefje komt naar voren dat Anoek roet in 't eten gooide en Charlottes plannen dwarsboomde. Iedereen in de buurt wist dat Anoek achter Remco Visser aan zat!"

Rineke kreeg het gevoel te zullen stikken. „Dokter Visser? Was hij...?"

Allard zei sneerend: „Hij is niet voor niets zo schuw als hij met een van ons wordt geconfronteerd. Hij wist Charlotte van haar migraine af te helpen! Het mocht wat! Hij maakte haar zwanger! De rest kunnen we slechts raden. Of Anoek een en ander vermoed heeft, weet ik niet. Aan hem had niemand gedacht. Hij had toen een vrije dag!"

Rineke sloot haar ogen. Zou Allard ooit in staat zijn de hem aangedane krenkingen te vergeten? Zouden de littekens blijven steken?

„Zelfs mijn eigen dochter belastte onwetend mijn naam, Rineke. Ze was van huis weggelopen. Haar pop werd gevonden. Dat was het bewijs dat ze de waarheid sprak. Ze had mij met haar moeder in de auto gezien. Nu weten we dat ze ervan uitging dat het niemand anders kon zijn dan ik die naast Charlotte zat. De mist was zo dik dat een juiste waarneming moeilijk was."

„Remco Visser, de glibber!" zei Rineke huiverend en schurkte zich dichter tegen Allard aan.

„Ik wil mijn naam gezuiverd hebben, Rineke. Voor Madelon en moeder."

De stilte die nu viel was geladen. Rinekes hart ging tekeer; het bloed suisde in haar oren.

„Voor moeder en Madelon, maar in de eerste plaats voor de vrouw van wie ik ben gaan houden. Die zal ik vragen het leven met me te delen, als de mist is opgetrokken!"

Eén ellendig ogenblik dacht Rineke dat hij een haar onbekende naam zou uitspreken. Schuw keek ze op.

Toen nam Allard, alsof het de gewoonste zaak van de wereld was, Rinekes bleke gezichtje in zijn grote, warme handen. „Estelle, waarom heb je me zo bedrogen? Waarom kwam je niet hier met een open vizier, een potloodje en een opschrijfboekje? Voor mijn part met een cassetterecorder? Goed, je zou nul op het rekest hebben gekregen, net als je voorgangers. Veel dingen zouden dan ook nooit aan het licht zijn gekomen! Zeg me, dat je er spijt van hebt. Kus het af! Dan beginnen we samen opnieuw, kleine persmuskiet!"

Tranen vertroebelden Rinekes zicht. Allards gezicht werd een wazige vlek. Ze bleef hem dapper aankijken. „Ik begrijp je niet. Wat bedoel je toch, Allard?"

Voor het eerst gebruikte ze zijn voornaam.

Hij hoorde het en er kwam een zachte trek om zijn anders zo strenge mond. Hij boog zich naar haar over; donker van verlangen was zijn blik.

Rineke wilde zich terugtrekken. Ze wrikte aan de sterke handen. „Ik een persmuskiet? Ik die het nog niet verder gebracht heb dan een eenvoudig tekenaresje? Ik maak illustraties en stripverhalen voor de krant!"

Onverwacht liet Allard haar los; zijn schaterlach deed Rineke naar haar oren grijpen. De daaropvolgende stilte was een soort verwachten. „Estelle, ik bied je mijn verontschuldigingen aan. Ik ben een achterdochtig monster! Wacht, ik zal boete doen; het afzoenen!"

Voor Rineke wist wat er gebeurde, waren de handen weer om haar wangen en was er een mond die de hare vond. De intensiteit van die kus deed beiden voelen dat dit weliswaar wel de eerste, maar niet de laatste zou zijn.

Allard had een zware gang te gaan. Het recht moest zijn loop hebben. Medelijden met de nerveuze, jonge arts deed hem bijna beslissen de zaak na een gesprek in de doofpot te stoppen. Maar doordat hij van het bestaan van een Rineke afwist, liet hij die gedachte toch maar varen.

„Ik had u allang verwacht, Hagedoorn!" zei Remco Visser. Hij scheen opgelucht te zijn dat de waarheid aan het licht was gekomen.

Allard klemde zijn kaken op elkaar. Als een muur stond hij voor de ander in diens spreekkamer. Allard straalde minachting uit. „Mijn vrouw heb je bedrogen. Ze droeg een kind van je! Naderhand prefereerde je haar zuster. Had zij soms door dat er wat gaande was tussen jou en Charlotte?"

Visser gaf toe dat Anoek hem onlangs had benaderd. „Ze wilde dat ik eraan meewerkte om het kind te krijgen, zodat zij het kon opvoeden. Ze wist dat Charlotte een baby verwachtte. Meer niet."

Allard kon de waarheid bijna niet verdragen. Het sneed hem door de ziel. Remco Visser was op de dag van het ongeluk door Charlotte gebeld. Ze had een abortus geweigerd en ze had hem willen dwingen met haar verder te gaan. „Zo niet, dan zul je er spijt van krijgen, dwaas die je bent!" had ze gezegd. „Ik gun je niet aan mijn zuster. Die heeft me altijd alles al af willen pakken! Ik wil een gesprek met je en kom naar je toe."

Ze had hem volgens afspraak opgehaald in de buurt van de garage, waar Remco zijn eigen wagen ter revisie had gegeven. Ondanks de dichte mist had ze met grote snelheid gereden, hem telkens en telkens opnieuw bedreigend. „Nog één kans krijg je, Remco Visser!" had ze geroepen. „Blijf je bij je besluit…?!"

Kort daarna had ze het stuur omgegooid. De wagen was in de vaart beland. Remco had met grote moeite zichzelf en Charlotte weten te bevrijden. Voor haar was de hulp echter te laat gekomen. „Ik had maar één gedachte: weg wezen en mijn reputatie redden. Haar kon ik niet meer helpen, Hagedoorn!"

Meer hoefde Allard niet te weten. Beiden waren de mening toegedaan dat nu het recht zijn loop zou hebben.

Medelijden met de ander had Allard niet meer. Het was zo koud in zijn hart.

Een dichte mist sloot de heersende vorstperiode af. Een periode waarin de levens van enkele mensen drastisch waren veranderd. Het kon niet anders, of in het dorp en de naaste omgeving werd druk over het geval Charlotte Hagedoorn gepraat. En zij die Allard met een vinger hadden nagewezen en zich achter de aanklagers hadden geschaard, hadden nu het hoogste woord. Men had altijd wel geweten dat die Hagedoorn een integere vent was. En wat dat doktertje betrof: men was blij dat de oude huisarts spoedig terug zou komen. Tja, schuld werd gestraft. Zo hoorde het. Er was weinig belangstelling voor het lot van Remco Visser, die met mensen gespeeld had.

Mevrouw Hagedoorn kon haar geluk niet op. „Ik ben geneigd met Madelon in sprookjes te gaan geloven, Estelle. Je kwam, zag en overwon!"

Rineke, nuchter als ze was ondanks de gave dat ze goed kon tekenen, sprak zulke kreten tegen. „Estelle moet terug naar af. Ze is niet meer dan een levenloze pop van kunststof. En we zullen moeten samenspannen om Madelons leven in vaste banen te gaan leiden, zodat ze duidelijk met twee voeten op de grond komt te staan." Waarop mevrouw Hagedoorn niet anders dan glunderend ja kon knikken.

Voor Madelon was het niet meer dan logisch dat pappa met Estelle ging trouwen. Ze wist het toch al.

„Weet je waar je aan begint, Rineke?" vroeg Allard, toen ze na een lange dag waarin veel van hen was geëist in zijn werkkamer zaten. Een kleine schemerlamp zorgde voor een intieme sfeer. „Ik ben geen vrijgezel, maar mijn liefde voor jou is puur, ook al kennen we elkaar nog maar kort. Maar Madelon zul je nooit weg kunnen denken. Ik blijf behalve man ook vader. En het kind heeft veel meegemaakt!"

„We hebben allemaal gedoold in de mist, maar die is nu opgetrokken, Allard. Ik moet er niet aan denken dat ik de goede weg naar huis had genomen. De verkeerde weg bleek mijn bestemming te zijn. Zo zie ik het; het was geen toeval. Ik kan me nu nog niet voorstellen binnenkort mevrouw Hagedoorn te zijn! En wat Madelon betreft: we mogen elkaar graag. Het is een uitdaging. En eh, Allard, ik vermoed dat ze in de toekomst veel moet leren. Bijvoorbeeld haar vader te delen met een vrouw en broertjes en zusjes!"

Het zou nog een tijdje duren voor Rineke voorgoed haar intrek in het oude, inmiddels vertrouwde huis zou nemen.

Maar goed dat ik nog even de tijd heb aan alles te wennen, dacht ze geregeld.

Maar nu, heel even, gunde Allard haar die tijd niet. Hij schoof alle negatieve herinneringen van zich af en trok Rineke met zoveel vuur in zijn armen, dat ze van schrik kreunde.

Ze gaf voor liever met zachte hand behandeld te worden.

Allard overdekte haar gezicht met zoenen, tot zijn mond het fijne litteken van de hoofdwond raakte. „Jij, mijn meisje uit de mist; mijn bruid. Dit witte lijntje zal me er altijd aan herinneren wat je voor mij hebt gedaan. Kus me, liefste."

Gewillig gaf Rineke gehoor aan dit verzoek.

En geen van beiden merkte dat de kamerdeur geluidloos opengleed en een lichtbundel de twee in een zoeklicht plaatste. Twee mensen die hun weg wilden zoeken: in goede en kwade tijden. De eerste gezamenlijke passen hadden ze reeds gedaan. Beiden waren ervan doordrongen dat ze aan het begin stonden van een nieuw leven. De pas ontloken liefde was pril en het waard gekoesterd te worden, zodat er ruimte vrijkwam voor een groeiend verlangen elkaar gelukkig te maken.

In de voorzomer vond in alle stilte het huwelijk tussen Rineke en Allard plaats. Slechts enkele goede vrienden en familieleden deelden deze dag met hen.

Het jonge paar hanteerde enkele vuistregels, waaronder eerlijkheid tussen hen beiden een belangrijke plaats innam.

Toch was de bruid van een recent voorval niet op de hoogte.

Daags voor het huwelijk was Allard naar het kerkhof gegaan, waar zijn eerste vrouw ter aarde was besteld. Lang had hij geknield gezeten naast de kleine steen, voor zich uit murmelend. Soms was het of hij het woord tot haar gericht had. Dan weer had Allard zich tegenover God, voor Wie niets verborgen was, geuit. Van één ding was hij overtuigd: Charlottes schaduw mocht de relatie met Rineke niet beïnvloeden. Zijn hart was, na een lange strijd, mild ten overstaan van de dode. Stijf van het krampachtig zitten stond Allard op. „Heer, wees goed voor haar," mompelde hij.

Een ongekende rust doorstroomde zijn wezen, alsof pijnlijke wonden spontaan genazen. Nu pas wist hij zich vrij. Vrij om Rineke lief te hebben en samen met haar de toekomst onder ogen te zien.

Staand voor het altaar, naast de bruid, wist Allard het met diepe zekerheid: de mist was opgetrokken in zijn leven. Een ogenblik zag hij zijn aanstaande vrouw door een floers van tranen. Toen werd het zicht helder, en vol overtuiging gaf ook hij zijn jawoord.

Annie Oosterbroek-Dutschun

GELUKKIG NIEUWJAAR... MOEDER

De zon was juist ondergegaan, toen de jongen de weg naar huis insloeg. Hij liep langzaam, met gebogen hoofd, en zag niets van het prachtige winterse landschap om hem heen.

In de verte was de hemel bloedrood gekleurd, op de sparren en dennen aan weerskanten van de zandweg die door het bos liep, lag nog een klein laagje sneeuw. Het grootste gedeelte was door de warmte van de zon ontdooid, net als de sneeuw op de wegen die er smerig en modderig uitzagen.

Maar tussen de stammen, waar de zonnestralen niet hadden kunnen doordringen, lag de sneeuw nog ongerept en maakte van het bos een waar sprookjeswoud.

Een late vogel liet zijn roep horen en steeg de hoogte in, een konijn vloog ineens de weg over, vlak langs de voeten van de jongen en verdween in het kreupelhout.

Vanuit de verte kwam nauwelijks hoorbaar de roep van een vrouwenstem: „Bástiaan!"

Dat wekte de jongen uit zijn gedroom en hij richtte zijn hoofd op en begon vlugger te lopen, want hij had gehoord dat tante Anne alweer ongerust was en hoopte dat hij bij de hond of de tamme konijnen zou zitten.

Hij kwam aan een plek waar het bos ophield en overging in veld, met weilanden en akkers. Midden in die vlakte stond een huisje, een vriendelijk huisje met lage ramen en een rood pannendak.

Er straalde licht uit twee ramen, aan de voor- en zijkant, en op de hoek van het huis stond een vrouw uit te kijken.

Toen ze de jongen zag, kwam er een lach op haar fris, rond gezicht en vriendelijk wenkte ze hem dichterbij.

„Kom Bas, we moeten eten, oom moet vanavond nog naar een vergadering." Hij wás te lang bij zijn vriend in het dorp gebleven, dat ze vroeg zouden eten, wist hij, tante Anne had het hem gezegd, maar ze mopperde niet, ze was niet eens boos.

Hij veegde zijn voeten op de mat en volgde de vrouw naar binnen, waar op de tafel met het geblokte zeiltje de stapels brood al klaar lagen.

Toen zijn oom voorging in gebed, gluurde Bastiaan door zijn oogharen naar het gezicht van zijn tante.

Hoe zou ze zijn besluit opvatten?

Zou ze kwaad wezen, of verdrietig?

Om kwaad te zijn had ze geen reden, bedacht hij koppig, maar als ze verdrietig was…

Hij kon haar niet goed verdrietig zien.

Zou hij het hele plan uit zijn hoofd zetten en hier blijven?

Nee, hij had er zich zoveel van voorgesteld, niks kon hem meer van gedachten doen veranderen en hij verlangde naar zijn moeder.

Het was toch heel gewoon dat hij naar zijn eigen moeder verlangde?

Per slot van rekening was hij de kerstdagen bij tante Anne en oom Roelof gebleven, hij wilde oud en nieuw bij zijn moeder vieren, eerlijk verdeeld de feestdagen, vond hij zelf.

Vanavond ging oom weg, dan zou hij er met tante over praten, maar hij ging wél.

Toen Roelof Breedveld die avond laat zijn woning binnenstapte, zag hij tot zijn verwondering dat zijn vrouw nog op was.

„Ben je niet naar bed gegaan?" vroeg hij, met zijn gedachten nog bij de roerige vergadering die hij had bijgewoond.

Het was geen gewoonte van welke vereniging ook, om tussen kerstmis en nieuwjaar een vergadering te beleggen, maar er was bij de leden van de coöperatieve melkfabriek onenigheid ontstaan en daar hij in 't bestuur zat, moest hij aanwezig zijn.

Hij was maar een klein boertje, tevens boswachter, zijn grond was niet best, zo tussen de heide en het bos, maar om de een of andere, voor hem onbegrijpelijke reden, zochten ze hem altijd aan om zitting te hebben.

Anne had gezegd dat ze best begreep waarom ze hem altijd erbij wensten, hij had zo'n goed verstand, zo'n heldere kijk op de dingen en overdacht eerst alles voor hij zijn mening ten beste gaf.

Bovendien bekeek hij de zaken van beide kanten, woog het een en het ander tegen elkaar af en nam dan een beslissing én hij wist anderen met weinig woorden duidelijk te maken waarom hij er zus of zo over dacht.

Ze had gezegd dat het jammer was, dat zijn ouders niet genoeg geld hadden bezeten om hem te laten leren, hij zou het beslist ver gebracht hebben.

Ach Anne…

Een vrouw zag de man waarvan ze hield, door een roze bril en plaatste hem (vaak ten onrechte) op een voetstuk, waarop hij totaal niet thuishoorde.

Het drong tot hem door dat hij geen antwoord kreeg van zijn vrouw en toen hij was gaan zitten en ze koffie voor hem neerzette, keek hij naar haar gezicht en zag dat ze had gehuild.

„Wat is er Anne?" vroeg hij bezorgd. „Is er iets wat je dwarszit? Iets met de jongen misschien?"

„Ja… nee…" hakkelde ze. „Och, het is misschien kinderachtig dat ik het me aantrek, maar hij wil met oud en nieuw naar zijn moeder. Hij heeft het me vanavond verteld. Hij verlangt naar haar en nu wil hij bij haar de jaarwisseling vieren. Het is natuurlijk gewoon dat een kind naar zijn eigen moeder verlangt, maar ik weet niet… ik kreeg zo'n raar gevoel… Ik wil niet jaloers zijn… ik geloof ook niet dat het dat is… Ik ben geloof ik bang… dat is het."

„Zo zo," Roelof klopte nadenkend zijn pijp uit op de rand van de asbak en gaf niet direct antwoord.

„We hadden het nooit goed moeten vinden," ging zijn vrouw verder, „ik bedoel, vroeger al niet, dat ze hier kwam. We hadden hem gewoon onze naam moeten geven, helemaal als ons eigen kind opvoeden, hem vader en moeder laten zeggen… Maar tóén wist ik niet hoe ze was… toen vond ik, dat wij geen recht hadden op de naam vader en moeder. Maar nu… we hebben er niets dan narigheid van. Ze troggelt hem van ons af met haar mooie verhalen over de stad en de haven. Ze maakt dat hij niet meer tevreden is met ons eenvoudige leven. Het is nog een kind en kent geen onderscheid tussen goed en kwaad. De grote wereld lokt hem en zij wakkert het aan. Ik wou dat ze hier nooit bij hem was geweest. Ik kan de jongen niet afstaan… ik kan het niet, Roelof. Ik hou zo van hem, van mijn eigen kind zou ik niet meer houden dan van hem."

Roelof antwoordde niet veel, hij wist ook niet wat hij zeggen moest, hij wilde er eerst over nadenken.

Anne Breedveld kon die nacht niet slapen.

Haar gedachten gingen terug naar de dag, veertien jaar geleden, toen de kleine Bastiaan bij hen gekomen was.

Zijn moeder, een ongetrouwde vrouw, kamermeisje op een van de landhuizen langs de grote weg, had hem gebracht, nadat ze onder tranen had gesmeekt of Anne zich over haar kind wilde ontfermen, daar ze anders geen uitweg meer zag.

In die tijd ging Anne nog weleens helpen bij die rijke lui, daar in die paleizen van huizen waarin een eenvoudig mens zich de ogen uitkeek. Als ze met een feest of met de schoonmaak handen tekortkwamen, vroegen ze haar dikwijls.

Anne en Roelof hadden hun pasgeboren zoontje verloren en de komst van dit kind leek een vingerwijzing Gods. Ze had ook diep medelijden met het bedrogen meisje, een wees bovendien, zelf bijna nog een kind, dat er zo onschuldig uitzag en smeekte of ze zo nu en dan het kind mocht komen zien.

Als Anne en haar man van hem gingen houden, zou ze nooit weer aanspraak op de jongen maken, ook niet als ze een goeie man vond en trouwde, maar of ze hem dan alsjeblieft wel zo nu en dan mocht komen bezoeken.

Ontroerd had Anne toegestemd.

Dat mocht ze een moeder toch niet weigeren?

Was het al niet erg genoeg dat ze zo te pas was gekomen en het kind weg moest doen, omdat ze in haar eigen onderhoud moest voorzien?

Later, toen Bastiaan groter werd en zijn eerste woordjes stamelde, had ze hem geleerd 'oom' en 'tante' te zeggen.

Ze had immers geen recht op de moedernaam?

Ze wist dat ze zelf geen kinderen zouden hebben en ze had niets liever gewild dan het woord 'mamma' uit zijn mondje te horen en ze had het Roelof zo van harte gegund hem met 'pappa' of 'vader' te horen aanspreken door het wezentje dat hen allebei zo dierbaar was geworden.

Maar ze mocht het hem nu eenmaal niet leren, nee, ze leerde hem dat de jonge vrouw die zo nu en dan op bezoek kwam, 'mamma' was en het deed haar zeer, elke keer als hij die naam uitsprak.

De tijd had geleerd dat het onschuldige meisje, waarvoor Anne haar in goed vertrouwen had aangezien, zo onschuldig niet was.

Nadat Bastiaan in een ziekenhuis was geboren en zijn moeder hem op een avond laat bij hen had gebracht, kreeg ze opnieuw een betrekking bij een deftige familie. Ze had goede getuigschriften van de vorige mevrouw, want toen het zichtbaar begon te worden hoe het met haar gesteld was, had ze die dame wijsgemaakt dat ze een zieke tante moest gaan verplegen.

Waarvan ze geleefd had die maanden, wist Anne niet, het ging haar ook niet aan, maar ze had wel dikwijls aan haar gedacht en eraan getwijfeld, of ze werkelijk het kind zou brengen, zich afgevraagd of het een jongen of een meisje zou zijn.

Ze had het inderdaad gedaan en huilend gesmeekt of Anne goed voor het kind wilde zorgen, ze was zo bang geweest dat zij en Roelof zich ondertussen hadden bedacht, ze zou niet weten wat ze moest beginnen.

Ja, of ze zich over haar kind wilden ontfermen, dat had ze gezegd en als ze van hem gingen houden, zou ze het nooit terughalen, als ze 't maar zo nu en dan mocht zien.

Al gauw daarna was ze door haar nieuwe mevrouw op staande voet ontslagen, waarom, dat hoefde men zich niet af te vragen, zeiden de mensen in het dorp.

Zij had niet begrepen wat ze bedoelden, maar nadat ze herhaaldelijk aan Roelof gevraagd had waarom ze zo dubbelzinnig lachten en praatten, als ze het over Bastiaans moeder hadden, vertelde hij haar dat er gezegd werd, dat ze zowel de echtgenoot als de zoon van de vrouw het hoofd op hol bracht.

Verontwaardigd was ze geweest, mensen waren toch laaghartig om altijd het slechtste van iemand te denken, de vader én de zoon, zoiets bestond toch niet.

En hoe kwamen ze erbij? Die meneer noch zijn zoon zouden iets bekend hebben en mevrouw zweeg natuurlijk ook, vanwege de schande, als het waar was, hield ze de vuile was vanzelfsprekend binnen de deur. Niemand wist dat het kind dat bij hen in huis was en doorging voor het zoontje van een overleden nicht, het zoontje was van Bertha, dus ze konden niet snel hun oordeel klaar hebben omdat ze eenmaal een misstap had begaan.

Het was maar zo gelaster dat nergens op sloeg.

Roelof had haar aangekeken op zo'n vreemde manier en toen heel fijntjes geglimlacht, haar ineens tegen zich aangetrokken en een kus gegeven en haar zijn 'goed, dom gansje' genoemd.

Ja ja, dat was ze toen nog geweest ten opzichte van Bertha die naar de stad was vertrokken, waarvan ze later zo nu en dan eens iets vernamen, wat niet zo mooi was.

De mensen vertelden dat argeloos, omdat ze niet wisten dat ze Bastiaans moeder was en zo had eens iemand gezegd: „Het schijnt dat ze een kind heeft ook, misschien wel van die meneer waar ze diende, voor ze een tijd weg was. Ze krijgt geld van hem voor de opvoeding, maar het kind heeft ze niet bij zich, dat zal ze wel in een gesticht gestopt hebben, dat is haar te lastig. Nou ja, wie weet moet ze dat tehuis betalen."

Anne had gevoeld dat ze eerst bleek en toen rood werd en ze was naar de geute gesneld, zogenaamd om koffie te zetten en had daar gestaan met kloppend hart en tranen in de ogen.

Ze móést langzamerhand wel geloven wat er verteld werd, dat kon men niet allemaal uit de duim zuigen en later wist ze dat het waar was, want een tante van een van de dorpelingen had een winkeltje in de stad en Bertha woonde daar vlakbij, de neef kreeg het nieuws uit de eerste hand.

Bertha was langs de winkel gekomen, toen hij bij zijn tante op bezoek was en hij had gezegd: „Hé, daar gaat de mooie Bertha," want zo noemden ze haar in het dorp, ze was ook mooi.

De tante had gevraagd of hij die vrouw kende en toen hij daar een bevestigend antwoord op gaf, kwamen de verhalen los.

Ze zag er zo onschuldig uit, maar o lieve mensen, zo braaf was die Bertha niet, dat wist de hele buurt.

Vrienden bij de vleet en ze moest een kind hebben en ze streek geld op van de vader en ging er nog prat op ook, ze kon het goed gebruiken, had ze gezegd.

Nou ja, móést ze gezegd hebben, want of dat nu wel waar was, daaraan twijfelde Anne nog steeds, het leek haar wel sterk, dat een vrouw zulke dingen van zichzelf bekende.

In ieder geval was het waar, dat Bertha de naam 'moeder' niet verdiende en het was hard te ondervinden dat het verlangen van de jongen uitging naar zo iemand.

Er was een tijd geweest dat ze hoe langer hoe minder kwam, maar de laatste tijd werden de bezoeken wat veelvuldiger, al overliep ze hen gelukkig niet.

Ze kwam ook nooit lang en ze werd gebracht en gehaald met een auto en altijd in de schemering of als het al donker was, ze wilde in het dorp niet herkend worden. Dat was gelukkig een troost.

Wat had ze in de zenuwen gezeten dat Bertha op een kwade dag zou vertellen wáár haar kind was en dat dan het hele dorp zou weten wie Bastiaans moeder was, hij zou erop worden aangekeken.

Ze noemden hem altijd Bastiaan van Roelof, of Bastiaan Breedveld, alleen op het gemeentehuis wisten ze zijn werkelijke naam en de hoofdonderwijzer van zijn school natuurlijk.

De meester van de dorpsschool en van de mulo in het naburige stadje, maar Roelof was met hem gaan praten voor hij op school kwam en had uitgelegd hoe het kwam dat niemand Bas bij zijn werkelijke achternaam noemde, hij had vertrouwelijk gesproken en ze waren gelukkig vol begrip geweest. Als het nodig was zijn achternaam te noemen, zeiden ze: Bas Breedveld, de onderwijzers van de mulo ook, want er waren nog meer kinderen uit het dorp op school en stel je voor dat die neef Bastiaan en Bertha met elkaar in verband bracht, als hij hoorde dat ze hetzelfde heetten.

Dat bewees natuurlijk nog niets, hoeveel Biesterbossen, Eykelbooms, Van der Beeks en noem maar op, woonden er niet in de omliggende streek, maar je kon nooit weten.

Bas zelf praatte tegen anderen nooit over zijn moeder, ze had hem gezegd, dat hij het beter niet kon doen.

Mensen waren zo nieuwsgierig en zouden hem allerlei vragen

stellen, onder andere waarom hij niet bij zijn moeder woonde.

Ze had hem verteld dat zijn vader bij zijn moeder was weggegaan, dat zijn vader dood was, nee, dat had ze niet over haar lippen kunnen krijgen, hoewel het voor de jongen wel gemakkelijker zou zijn, dat te aanvaarden.

Zijn moeder moest werken voor de kost en daarom kon ze geen kind opvoeden, dat begreep hij wel.

Op een avond was ze met Bertha mee naar buiten gelopen en had haar verteld, wat ze Bas gezegd had en gevraagd of Bertha hetzelfde wilde zeggen, als Bas het haar vroeg.

Hij was toen nog zo jong geweest en gelukkig begreep zijn moeder dat het niet nodig was hem volledig in te lichten, integendeel, het scheen haar te bevallen dat Anne met de jongen gesproken had, wat eigenlijk de taak van de móéder was. Nadien had ze geen vrees meer gekoesterd, dat Bertha in een van haar loslippige buien: dingen zou zeggen die niemand aangingen en tot het dorp zouden doordringen.

Maar nu had ze een andere angst: dat Bertha bezig was, Bas van haar af te troggelen, en waarom begreep ze niet.

Roelof had haar altijd gerustgesteld, Bertha kon de jongen helemaal niet gebruiken, een kind om zich heen hebben was veel te lastig, maar de laatste tijd kon zelfs Roelof haar niet meer overtuigen.

En nu wilde hij naar zijn moeder toe, ja, ze had hem nu ook gevraagd of hij eens kwam. Hij had, toen hij kleiner was, weleens aan haar gevraagd of hij mee mocht naar de stad, maar dan had ze altijd geantwoord dat dát niet ging.

Ze moest immers werken? Nu scheen het ineens te kunnen, ze kwam vaker en praatte maar over de stad.

Het was in haar opgekomen het te verbieden, maar dat zou aan de zaak niets veranderen. Hij had gezegd dat hij naar zijn moeder verlangde en dat bleef zo, of ze hem verlof gaf te gaan of niet.

De volgende dag sprak ze er weer met Roelof over toen ze zaten koffie te drinken.

„We moeten hem laten gaan," zei Roelof, „het zou weleens heel goed voor hem kunnen zijn haar te zien, in haar gewone leven. Hij komt op de leeftijd des onderscheids, Anne, we moeten dit wagen, want we kunnen het nú nog verbieden, maar later toch niet meer. We kunnen hem niet tegen zijn zin aan ons binden, vrouw. Ik heb vanmorgen al een expressebrief weggestuurd, dat hij oudejaarsdag komt. Ik was toch in het dorp en heb gevraagd hoe laat de treinen lopen, ik heb de tijd vermeld dat hij aankomt en gevraagd of ze hem van 't station wil halen."

Anne keek verbaasd naar Roelof, zo eigenmachtig optreden, zonder haar erin te kennen, was zijn gewoonte niet.

Hij zag haar verwonderde en ietwat bezeerde blik en glimlachte weer tegen haar.

„Op weg naar het dorp, wist ik opeens wat ons te doen stond: hem laten gaan. Ik had geen tijd meer om terug te gaan om met jou te overleggen, maar ik was er zeker van, dat jij ermee zou instemmen. Hij moet zelf kiezen, Anne."

Ze sprong op en liep door het vertrek heen en weer.

„Kíézen?" vroeg ze, „kíézen? Hoe bedoel je dat? Tussen haar en ons? Je hebt altijd gezegd dat ze hem toch niet om zich heen wilde hebben, dat hij te lastig voor haar was. Ik begrijp jou niet en haar evenmin. De laatste tijd probeert ze de stad aanlokkelijk te maken, vroeger praatte ze er nooit over dat hij eens bij haar moest komen, nu wel. Ik begrijp er echt niets meer van."

„Begrijp je het niet?"

Roelofs stem klonk heel ernstig en hij keek zijn vrouw meewarig maar ook liefdevol aan.

„Ik begrijp het heel goed. De jongen wordt ouder en zij ook... Ze zal een keer te oud worden voor het werk dat ze doet... tenminste, om er goed geld mee te verdienen... er zijn altijd wel oudere mannen die voor een wat oudere vrouw... betalen... Maar dat zijn niet degenen die veel geld hebben... díé kopen zich een jonge... Anne, dát begrijp je toch wel, niet? Ze wil hem in de stad hebben, als hij dan straks gaat verdienen, kan ze daar voordeel uit trekken... Je weet niet half hoe gewiekst zulke vrouwen zijn."

Ze zeeg weer neer op haar stoel en zei: „Ik begrijp het, Roelof... je hebt me eens een domme gans genoemd... je had gelijk, ik bén het... Dat ik daar niet aan heb gedacht... Je hebt óók gelijk als je

zegt dat we hem moeten laten gaan... Dat hij zelf moet kiezen...
Heb je... heb je vertrouwen in hem?"

„Het volste vertrouwen."

„Ik bid God dat het niet beschaamd mag worden."

„Nog één ding," zei hij, toen ze in bed lagen en hij haar in zijn
armen trok, „je zei dat ik je eens een 'domme gans' heb genoemd,
dat is wel iets bezijden de waarheid. Ik noemde je 'm'n goed, dom
gansje', en uit die goedheid komt je argeloos vertrouwen van de
mensen voort. Dat 'dom' neem ik terug, je bent m'n goedgelovig,
lief gansje. Is het nu goed?"

„Ja," zei ze en nestelde zich in zijn armen, „zolang ik jou heb, is
alles goed, wat er ook gebeurt, ik zal het kunnen dragen, zolang jij
bij me bent."

De hele nacht had het gesneeuwd en voor de middag was de lucht
loodgrijs geweest. Nu, na de middag, losten de nevels op en brak de
zon door. Het oude jaar wilde zeker voor 't laatst zijn vriendelijkste
gezicht laten zien en stralend afscheid nemen.

De weg door het bos was bijna onbegaanbaar door het dikke pak
sneeuw, maar Bastiaan hinderde het niet, al zakte hij er op sommige plaatsen tot zijn enkels in. Hij stapte flink door en floot een vrolijk wijsje en zwaaide met zijn koffertje.

Daar ging hij voor 't eerst van zijn leven alleen op reis.

O, het was geen grote reis, ruim een uur, maar het was toch een
hele gebeurtenis. Hij was al weleens een keer met oom Roelof naar
de stad geweest, toen hij naar de markt ging en twee keer met tante
Anne om boodschappen te doen, maar nu was het toch heel wat
anders.

Eigenlijk had hij niet verwacht dat hij gaan mocht, tante Anne had
zo bedenkelijk en ook verdrietig gekeken, toen hij zei dat hij zo
graag naar zijn moeder wilde, omdat hij naar haar verlangde.

Even had hij spijt gevoeld en was hij zichzelf ondankbaar voorge-
komen, maar het verlangen was toch sterker.

Hij wou zo graag naar de stad en moeder had het over de haven en
de bioscoop gehad, hij wist wel zeker dat ze er met hem heen zou
gaan.

Thuis bij oom en tante was het altijd stil; wat viel er voor een jongen te beleven? Toen hij de laatste keer dat ze er was, even met haar alleen was, zei ze dat hij later maar werk in de stad moest zoeken, dat was veel gezelliger voor hem.

Hij wist dat zijn vader zijn moeder in de steek gelaten had, ze moest daar wel veel verdriet van hebben gehad en misschien nog. Z'n moeder moest werken en daarom was hij bij tante Anne gekomen.

Hij hield ook van haar, ze was goed en hartelijk.

Hij bracht even zijn linkerpols dichtbij zijn gezicht en bekeek nog eens aandachtig het horloge dat hij erom droeg.

Dat had ze hem met Kerstmis gegeven, hoewel hij met Sinterklaas ook een geschenk had gekregen.

Waarom deed ze dat?

Omdat het kerstmis was en omdat hij op school zo goed zijn best deed en het hele jaar zo'n lieve jongen was geweest.

Ze had het níét voor hem gekocht om hem te laten merken dat zij ook veel van hem hield, want toen wist ze nog niet dat hij naar z'n moeder wilde.

Hij had er tranen van in zijn ogen gekregen en even gedacht dat hij het bezoek aan zijn moeder maar moest vergeten, later had hij toch het besluit genomen te gaan.

Hij streek het uurwerk tegen zijn wang en hoorde het fijne tikken, hij keek hoe laat het was, o, hij had nog tijd genoeg.

Zijn moeder zou aan 't station zijn, oom Roelof had geschreven hoe laat hij kwam, oom had hem ook gezegd dat ze geen bezwaar hadden tegen het bezoek en dat er al een brief weg was.

Zo met allerlei gedachten stapte hij door de witte wereld het avontuur tegemoet.

Krassend en piepend stopte de trein op het grote station, meteen werden de deuren geopend en verdrongen de mensen elkaar.

Bastiaan, een beetje beduusd door de drukte, stond even besluiteloos midden in het gedrang. Waar was de uitgang?

Was moeder er niet?

Iemand pakte hem van achteren bij de jas en toen hij zich

omdraaide, keek hij in het lachende gezicht van zijn moeder. Was ze het? Hij moest nog eens goed kijken.

Ze leek een beetje vreemd, een beetje anders dan wanneer ze bij hem op bezoek kwam, ze had zulke rode wangen en ook gekleurde lippen en ze zag er deftiger uit dan hij haar ooit gezien had.

„Dag Bas, dag lieve jongen," ze kuste hem op beide wangen, hij kuste haar losjes terug. Ze rook naar parfum, hij vond het een zoete, weeë lucht en voelde zich opeens verlegen en onhandig.

Ze nam, druk pratend, zijn arm en loodste hem door de drukte, ze gaf zijn kaartje af en buiten het station stapten ze in de tram.

De drukte, het lawaai, het vreemde van alles verbijsterde hem en stil zat hij voor het raam naar buiten te kijken.

„Jullie brief kwam een beetje laat," praatte zijn moeder, „ik moet vanavond uit, ik kon het niet meer afzeggen. Ik werd uitgenodigd om met kennissen oud en nieuw te vieren, maar je kunt best mee- gaan, het is er gezellig. Je zult het best leuk vinden, je wordt al zo groot. Ik heb Max gevraagd of hij eerst met je naar de bioscoop gaat, anders is de avond zo lang."

Het huis waar zijn moeder woonde, viel tegen.

Hij klom achter haar aan drie schemerige trappen op, die kraakten bij iedere stap, overal klonken stemmen door tot in het trappenhuis en er hingen etensgeuren.

De kamer waarin hij terechtkwam, was niet ongezellig, maar zo vreemd, zo vol kleuren en hij was rommelig en het rook er ook weer naar die nare parfum.

„Ik vind het fijn dat je gekomen bent," zei z'n moeder en ze pakte hem nog eens.

Wat deed ze aanhalig, heel anders dan tante Anne, die toonde maar zelden haar genegenheid in een gebáár, je las het alleen in haar ogen of in haar glimlach.

Hij beantwoordde die aanhaligheid niet, er was iets vreemds aan haar en aan de kamer, iets wat hij niet onder woorden kon brengen, maar wat hem beklemde.

Hij probeerde iets te vertellen over oom Roelof en tante Anne, nadat hij hun groeten had overgebracht, maar hij wist niet goed wat hij zeggen moest, thuis leek zo ver weg.

„Als je over een paar jaar werk zoekt, moet je maar hier komen, begraaf je maar niet in die negorij. Oom Roelof wil zeker dat je bij hem blijft, helpen op de boerderij en in het bos, bomen omhakken en zo."

„Nee, dat zegt hij nooit. Hij vindt dat ik worden moet wat ik zelf graag wil." Hij kon de minachting in haar stem opeens niet meer verdragen.

„Wat heb je een mooi horloge," praatte zijn moeder verder. „Van wie heb je dat?"

„Van tante Anne en oom Roelof… maar zij gaf het mij."

„Laat eens zien… nou, dat is een dure, hoor! Hij is wat groot, maar ik zou hem best kunnen dragen, ik heb de mijne verloren."

Hij hield er beschermend zijn hand overheen, alsof hij bang was dat ze 't hem zou afpakken. „Iets wat je krijgt, mag je nooit weggeven," zei hij en ze lachte, het was geen erg aardige lach.

„Wees maar niet bang, hoor, tante-Anne-jongetje, en praat als je hier bent een beetje behoorlijk, Bas, niet met zo'n accent. Wil je?"

De avond was vol vreemde, verwarrende dingen.

Hij zat in de bioscoop met een jonge vent die een vriend van zijn moeder bleek te zijn. Hij droeg een licht jasje, had leren handschoenen aan en een grote flaphoed op. Hij deed erg beschermend tegen Bastiaan, die daardoor nog verlegener werd dan hij al was.

De film was een spannende liefdesgeschiedenis, waarin ook nog een moord voorkwam, hij snapte er niet veel van en het bezorgde hem hoofdpijn.

Toen het afgelopen was bracht 'Max' hem naar zijn moeder.

Het was een soort café waar ze binnenkwamen, in een achterzaaltje werd een feest gehouden.

Toen de aanwezigen hem zagen, keken ze hem allemaal aan en begonnen hem luidruchtig te begroeten, ze lachten en riepen naar zijn moeder. „Há, Bettie, is dat je zoon? Waarom heb je die zo lang verstopt voor ons, stiekemerd die je bent. Je hebt een knappe boy op de wereld gezet, hoor! Onbegrijpelijk dat je zo'n grote zoon hebt, je zou een zuster van hem kunnen zijn."

De één riep dit, de ander dat, al die stemmen brachten hem in verwarring en hij keek waar zijn moeder was, maar hij zag eerst niet waar ze zat. Opeens ontdekte hij haar, ze rookte een sigaret uit een lang pijpje en ze had een jurk aan met een erg lage hals.

Er zat een man naast haar, die zijn arm om haar blote schouders had gelegd, er stonden glazen, glaasjes en flessen op tafel en allerhande lekkers en er schetterde muziek uit een in een hoek staande radio.

Bastiaan keek naar dit alles en leunde een beetje doezelig tegen de muur.

Wat moest hij hier doen?

Wat moesten al die mensen?

Wat had hij zich voorgesteld?

Een kamer met een brandende lamp boven de tafel, een snorrende kachel, een ketel chocolademelk daarop, een schaal oliebollen op tafel. Aan die tafel een vrouw, zijn moeder, hij tegenover haar.

Zij met hun beiden in dat vredige vertrek, wat praten, een spelletje doen…

Oud en nieuw wilde hij bij zijn moeder vieren.

Was zij dat?

Dit was een andere moeder dan hij kende en naar wie hij verlangd had.

Het was niets dan een droombeeld, de eigen moeder.

Deze ene avond had ze nog niet kunnen opofferen voor hem, moest ze haar 'vrienden' om zich heen hebben.

„Ja, knappe zoon heb ik, hè?" zei ze tegen hem knipogend, „en goed bij de pinken. Ik hoop dat hij in de stad komt werken, het is toch zonde dat zo'n knul zich begraaft in zo'n boerennegorij, niet?"

Het was een vreemde vrouw die het zei, een vrouw met geverfde lippen, die dronk en rookte en hard lachte, die haar hoofd tegen de schouder van een man vlijde, die haar man niet was, net als de andere vrouwen in het gezelschap deden.

De muziek zette opnieuw in, ze stonden op, stoelen en tafels werden opzijgeschoven, ze zei: „Max, zorg jij voor Bastiaan, zorg dat hij wat te drinken en te eten krijgt, jij bent toch alleen en houdt niet van dansen." Daarna scheen ze hem vergeten te zijn.

De paren zwierden langs hem heen, Max zei dat hij moest gaan zitten en bracht hem wat te drinken en te eten, praatte nog even met hem, maar werd toen aangeklampt door een meisje – tenminste het leek nog een meisje – en vergat hem toen ook.

Wat deed hij hier?

Wat zocht hij bij zijn moeder?

Hij keek op zijn horloge, het cadeau van tante Anne.

Ja, tante Anne, dat was zijn werkelijke moeder, bij haar en oom Roelof hoorde hij, hier niet.

Er zou beslist nog wel een trein gaan, aan een agent vroeg hij wel, welke tram hij naar het station moest nemen, in de roes van het feest hoorde niemand de deur open en dicht gaan.

Toen hij op straat stond herinnerde de gure wind hem eraan, dat hij zijn overjas had laten hangen.

„Wou je opblijven tot twaalf uur, Roelof?"

„ Ach nee. Jij wel? Het is morgen weer vroeg dag en we kunnen elkaar morgen een gelukkig nieuwjaar wensen."

„Laten we maar naar bed gaan, 't is zo stil nu de jongen er niet is. Verleden jaar zijn we voor 't eerst opgebleven voor hém. Weet je nog? Het leek hem zo fijn."

„Ja, ik weet het nog."

Anne ruimde de kopjes weg, zette de stoelen recht, haalde de vaatdoek van de geute om de tafel schoon te vegen, Roelof was al naar de slaapkamer verdwenen.

Ze keek rond, deed het licht uit en volgde haar man.

Toen ze zich had uitgekleed en in bed wilde stappen, hoorde ze de hond aanslaan. Het was meer een vreugdegehuil wat hij aanhief, hetzelfde half jankende, half blaffende geluid dat hij liet horen, als ze een van drieën huiswaarts keerden.

Wat betekende dat nu?

Ze liep op haar blote voeten terug naar de kamer en deed het licht weer aan, toen hoorde ze een stem die haar hart met luide slagen deed kloppen.

Haastig liep ze naar de zijdeur en trok die open: „Bastiaan!" Hij kwam als een slaapwandelaar binnen.

Tegen de avond was het weer gaan sneeuwen en hij was helemaal wit, verkleumd en buiten adem van het harde lopen. Hij was al zo laat, de laatste trein had hij op 't nippertje kunnen halen, het bos met zijn nachtelijke geluiden had hem beangstigd.

Ze trok hem in de keuken als een klein kind op haar schoot en na al de emoties verborg hij snikkend zijn hoofd tegen haar borst.

„Ik kon daar niet blijven... het was er... zo naar... heel anders dan thuis... er was feest... en ze dronken... en ze was geverfd en danste zo wild... Ik ga er nooit weer heen... nóóit weer... Ik blijf altijd bij jullie... altijd... al moet ik m'n hele leven bomen hakken."

Waar dat laatste op sloeg begreep Anne niet goed, maar dat deed er niet toe. Ze kuste hem en streek door zijn natte haar.

Roelof kwam in zijn nachtkleren kijken wat er aan de hand was, hij lei zijn grote hand op de smalle jongensschouder en zei: 't Is goed, m'n jongen, 't is goed."

„Hij is helemaal verkleumd, hij heeft zijn jas vergeten."

„Ik zal wat warms te drinken maken en water opzetten voor kruiken, lekker onder de wol, anders wordt hij nog ziek," en terwijl hij daar mee bezig was, dacht hij: „Ik maak er nu werk van, ik wil de jongen op mijn naam, de kinderbescherming zal geen bezwaar maken, ze is een publieke vrouw... Ik heb de gok gewaagd... het was goed... de jongen heeft deze avond zijn moeder verloren... dat is erg voor hem... arme stumper... Maar het moest toch een keer gebeuren. Hij móést haar zien, zoals ze ís... Ik heb me niet in hem vergist."

Tante Anne bracht hem naar bed, Roelof had er de kruiken al ingelegd.

Ze stopte hem onder net als toen hij nog klein was.

Ze kuste hem goedenacht, hij was háár jongen, vanavond voor 't eerst helemaal.

„Je hebt je horloge nog om," zei ze, „moet je dat niet afdoen?"

„Nee," zei hij, „ik hou het om vannacht," en hij keek erop, het was precies twaalf uur.

Op datzelfde ogenblik bimbamde de klok in de keuken zijn twaalf slagen en Anne boog zich weer over het bed: „Ik wens je een gelukkig nieuwjaar, jongen."

Twee armen strengelden zich om haar hals, ze trokken haar hoofd naar beneden, hij kuste haar op beide wangen.

„Dank je wel en ook een heel gelukkig nieuwjaar."

Ze liep naar de deur, zei nog een keer welterusten en deed het licht uit; toen kwam zijn stem uit het donker, klein en een beetje trillerig: „Gelukkig nieuwjaar… moeder."

W.G. van de Hulst

HET POESJE IN DE SNEEUW

Het sneeuwt maar, het sneeuwt maar…
En buiten, op de vensterbank voor het raam, zit een poesje.
Een klein wit poesje. Och!
De dolle sneeuwvlokken slieren en zwieren door de hele wereld.
Ze zoeken een plekje om te gaan liggen. Ze willen gaan slapen.
Ze dalen ook neer op het kleine witte poesje, op zijn kop, op zijn
rug, op zijn ogen… Dat is een mooi zacht plekje. Daar kunnen ze
fijn slapen. Och!
Het poesje zit heel stil. Het bibbert. Het knijpt zijn oogjes dicht.
Het schudt met zijn kopje. Het miauwt zacht: „Mie-ieuw!" Och!
Wie zou het horen?
En het sneeuwt maar, het sneeuwt maar.
Er komt een kleine jongen over de stoep.
De dolle sneeuwvlokken plagen hem ook. Ze maken zijn jas aan
de voorkant helemaal wit, en zijn muts. Ze plakken zich op zijn
wangen en op zijn neus. Ze kruipen in zijn mond en ze gaan mee-
rijden op het randje van zijn oor.
Hij schudt zijn hoofd… Prrssst!
Maar – hij ziet opeens het poesje op de vensterbank en hij ver-
geet die lelijke sneeuwvlokken. Och!
Hij blijft staan. Hij kijkt en hoort het zachte gemiauw. „Mie-ieuw!"
Hij ziet hoe het poesje met zijn kopje schudt. Hij ziet hoe twee
dikke sneeuwvlokken aan de lange haren van zijn snor kleven. Het
jongetje krijgt zo'n medelijden. Hij strijkt voorzichtig met zijn hand
over de rug van het poesje – al die nare sneeuwvlokken weg. Het
diertje wipt een klein eindje op…
„Mie-ieuw!" En het jongetje gaat nog dichterbij staan. Hij streelt
het witte kopje. Dan, opeens, dan veert het poesje op. Het springt
omhoog en het haakt zich met zijn fijne nageltjes vast in de das van

het jongetje. Het lijkt wel of het zeggen wil: „Ik wil met jou mee!"
Het jongetje schrikt. Méé? Meenemen? Maar dat kan toch niet?
Dat mag toch niet. Dat poesje is toch niet van hem. 't Is misschien
van een mevrouw. 't Is misschien wel van de mevrouw van dit huis.
Hij probeert eens door het raam te kijken, maar hij ziet niets.
En de poes duwt zijn kleine koude kopje stijf onder de kin van het
jongetje. Het jongetje drukt het diertje tegen zich aan. Dan is het
opeens of het toch zijn poesje is. Zou hij op de ruit bonzen en roepen: „Mevrouw, uw poesje!"
Of... zou hij aanbellen? Aanbellen? Ja! En als er dan iemand de
deur opendoet, zal hij vragen: „Mevrouw, is dit poesje van u? Het
zat in de vensterbank, in de sneeuw!"
O ja, en dan zou het poesje weer lekker binnen mogen bij de
kachel. Ja, dat zal hij doen.
Maar de bel zit zo hoog. Hij kan er niet bij. Hij heeft maar één
hand. De andere hand moet het poesje vasthouden. Hij rekt zich zo
hoog als hij maar komen kan met zijn ene hand.
Nee, hoor! Het lukt niet. Hij kan niet bij de bel...
Wat nou? Die nare dolle sneeuwvlokken plakken op zijn neus, op
zijn ogen, op zijn mond.
Het poesje meenemen naar zijn eigen huis? Maar dat mag toch
niet.
Zou hij er toch hard mee weglopen? Nee!
Het diertje dan maar weer op zijn oude plekje in de vensterbank
zetten, en dan maar alleen hard naar huis hollen? Dan is hij het poesje kwijt. 't Is toch ook eigenlijk maar een vreemd poesje... Nee, dat
wil hij ook niet.
Kijk, daar, beneden bij de deur, is een stenen richel in de muur. Als
hij daar op gaat staan met zijn ene voet, dan zou hij wel bij de bel
kunnen komen. Ja, maar dan moet hij zich ergens aan vasthouden en
dat kan hij niet, want hij heeft maar één hand. Nee, 't kan niet.
Weet je wat? Even het poesje op de stoep zetten, in de sneeuw, en
dan gauw op het richeltje klimmen en snel aanbellen en dan gauw
het poesje weer pakken!
Ja, vooruit! Hij doet het al.
Och!

Het poesje staat in de sneeuw.

Zijn kleine witte pootjes zakken er een eindje in. Dat vindt hij helemaal niet lekker. Hij gaat lopen, maar die nare sneeuw is overal. Hij gaat hoe langer hoe hárder lopen. Hij holt. Het sneeuwen is opgehouden.

Het jongetje klimt op de richel. Hij probeert zich vast te houden met zijn ene hand aan het houten kozijn van de deur.

Hij wil met zijn andere hand gauw aanbellen.

Maar zijn voet glijdt van de smalle richel af... Mis!

Hij probeert het nóg eens. Wéér mis! En nog eens... Hè, nou had hij de bel bijna te pakken!

„Een ijsbeer! Een ijsbeer! Houd hem! Pak hem!"

Het zijn grote jongens, die dat roepen. Ze hebben het kleine witte poesje zien hollen door de sneeuw. Die sterke, wilde jongens schreeuwen: „Houd hem! Een ijsbeer!"

Ze spelen samen in de sneeuw. Ze hebben al een hoge witte berg van sneeuw gemaakt. Ze schreeuwen dat die berg nog veel hoger en nog veel dikker moet worden. Ze rollen dikke ballen van sneeuw over de witte grond en die dragen ze naar de berg toe. Een jongen, de wildste, de sterkste, ligt op zijn knieën voor de berg en hij graaft er met allebei zijn handen een diep hol in. Hè ja! Nog dieper. Nog dieper!

Dat wordt mooi!

Dan...

Dan hoort hij opeens het roepen van de andere jongens: „Een ijsbeer! Een ijsbeer!"

Hij kijkt om. Hij ziet het poesje ook. Het holt zijn kant op. Recht naar de berg toe.

En dan opeens... De ogen van die grote jongen schitteren. Dan opeens weet hij iets heel moois!

Een witte ijsbeer? Ja, ja! Een witte ijsbeer in een witte ijsberg. In het hol. Ja, ja!

Hij vliegt al overeind. Hij ziet het poesje komen. Hij grijpt het met zijn wilde handen. Hij steekt het hoog op in de lucht.

„Een ijsbeer. Een ijsbeer. Ik heb 'm!"

De andere jongens komen aanhollen. Ze vergeten even de dikke sneeuwballen die ze moeten rollen.

„Een ijsbeer! In het hol, zeg!"

„Ja, in het hol!" roepen ze. „In de ijsberg!"

„Och, joh, daar springt hij toch zeker meteen weer uit?" zegt er een.

„Niks hoor!" lacht de grote jongen. Hij ligt alweer en duwt het poesje terug in het hol...

„Niks, hoor! Ik maak het hol toch dicht! Niet helemaal. Ik laat een klein gaatje open voor de lucht. Geef maar gauw een heleboel sneeuwballen aan. Die stapel ik op als een muur. Vooruit dan!"
Och!

Het poesje weet niet wat er allemaal met hem gebeurt. Het weet niet waarom die grote jongens zo schreeuwen en lachen. Het weet helemaal niet waarom het zo donker wordt in het hol.

Het krieuwt met zijn pootjes tegen de muur van sneeuw. Het wil over die sneeuwballen heen klimmen. Het wil over die muur heen kijken. Het wil dat nare hol weer uit.

Och! De muur van sneeuw wordt hoe langer hoe hoger!

Het kleine jongetje, dat op de richel klom om aan de bel te trekken is er alweer afgegleden. Zijn schoenen zijn zo glad en de richel ligt vol sneeuw. Hij is op zijn buik in de sneeuw gerold. En toen... O, verschrikkelijk! Toen heeft hij gezien dat het poesje wegholde. Toen heeft hij gehoord dat die grote sterke, wilde jongens schreeuwden: „Een ijsbeer! Een ijsbeer!"

Toen heeft hij ook gezien dat ze het poesje wegstopten in de ijsberg. Hij is er heel erg van geschrokken. Arm poesje! Ja, maar... Maar dat mág niet. Hij zal... Hij zal zijn poesje terughalen. Hij zal...

Och, maar wat moet dat ene kleine jongetje beginnen tegen al die grote sterke, schreeuwende jongens?

Hij holt toch naar hen toe. Hij dringt toch tussen hen in. Hij kan het poesje niet eens meer zien in het hol achter die muur van sneeuwballen. Hij huilt en zijn stem beeft van bangheid en van kwaadheid: „Nee, dat mag niet! Ik móét mijn poesje hebben! Ik móét mijn poesje hebben!"

De grote jongens pakken het kleine jongetje. Ze duwen hem wild weg. Ze joelen en ze lachen: „Jóúw poesje? Wat moet jij, kleine krielkip? Schiet op! Wij hebben die ijsbeer zelf gevangen en het is jouw poesje helemaal niet! Maak dat je wegkomt, of we stoppen jou ook in het hol, klein joch!"

Het jongetje schuifelt huilend weg. Het moet wel. Och!

Ring-ring-ring…! Rrrring!

Wat is dat?

De jongens kijken. Hun ogen zoeken. O, ze weten het al! Daar, ergens om de hoek van het plein – Rrrring! Ring-ring! – daar moet ergens een arreslee aankomen. O ja, daar komt hij al. Een paard met allemaal bellen en met een rode pluim op zijn kop. En mensen in de arreslee, en de koetsier achterop. Móói! Gaan kijken! Dadelijk gaan kijken! Ze hollen het plein over. Allemaal.

Het kleine jongetje hoort ook de bellen van de arreslee. Zijn ogen zoeken ook, door zijn tranen heen.

Maar dan ziet hij dat al die grote, nare jongens het plein over hollen… weg!

Hij schrikt. Hij kijkt bang om naar de ijsberg, naar het hol met de muur van sneeuwballen ervoor.

Hij bijt op zijn lip. Als die jongens weg zijn, dan kan hij…

Zou hij het doen?

Zou hij het durven?

Maar als die jongens terugkomen? Als ze het dan zien uit de verte? Ze kunnen zo hard lopen. Ze hebben zulke lange benen. Als ze hem pakken!

O, zijn kleine hart bonst van bangheid. Maar hij gaat! Hij gaat tóch!

Hij vliegt naar de witte berg. Hij trapt ertegen. Hij trekt het muurtje van sneeuwballen stuk. Zijn kleine handen grijpen en zoeken in het hol… Ja? Ja! Hij voelt iets zachts.

Het is een poot van het poesje. Hij trekt!

„Mie-ieuw!" zegt het poesje.

Hij trekt het uit het hol en hij stopt het gauw, gauw weg, weg onder zijn jas! Want áls... áls...

Och!

Een van de grote jongens heeft omgekeken. Hij heeft het kleine jongetje bij het hol gezien. Hij heeft hem zien weghollen.

„Houd hem! Houd hem! Houd de dief," schreeuwt hij.

Dan kijken de andere jongens ook om. Ze vergeten de mooie arreslee. Ze rennen het plein weer over, de kleine jongen achterna.

„Houd hem!"

Het jongetje hoort hen schreeuwen. Hij hoort hen komen, al heel dichtbij. Maar: hij geeft zijn poesje niet. Nee! Hij holt door, de straat weer in waar het huis is van het poesje. Maar die jongens? Als ze hem grijpen? Kijk, een donker steegje! Gauw, gauw dat donkere steegje in. Daar staat een grote ton, rechtop. Gauw, gauw wegkruipen achter die ton.

Hij zit al weggedoken, op zijn hurken. Hij maakt zich héél klein. Hij drukt zijn poesje stijf tegen zich aan. Nee, nee, ze mogen het niet hebben, want dan stoppen ze het weer in het hol. Oei, als ze hem nou maar niet vinden in de steeg!

De grote sterke jongens komen de straat in.

Ze schreeuwen en roepen. Ze doen heel dapper en ze lopen heel hard. Ze hollen het steegje voorbij. Ze weten niet dat de kleine slimmerd daar zit weggedoken.

De kleine slimmerd zelf zit te bibberen van bangheid in zijn donkere hoekje. Hij hoort dat de jongens voorbij hollen... Gelukkig, ze weten niet waar hij zit. Als ze nou maar niet terugkomen!

Even wachten nog. Nee, hij hoort ze helemaal niet meer.

Vooruit, vooruit! Nu gauw het steegje uit en dan gauw naar het huis van het poesje.

Maar hij kan niet bij de bel. Vooruit! Vooruit maar!

Want als die jongens terugkomen...

Hij staat al op de stoep en in zijn bangheid bonst hij met zijn ene vuist heel hard op de ruit. Hij klemt met zijn andere hand het poesje tegen zich aan. Bons, bons, bommerebons.

Er kijkt een mevrouw door het raam. Ze schrikt en ze loopt vlug naar de voordeur. Die doet ze open. Het jongetje heeft het poesje al onder zijn jas vandaan gehaald.

„Och," zegt de mevrouw. „Och, mijn poesje."

Het jongetje zegt niets. Hij duwt het poesje gauw in haar handen. Dan vliegt hij weg. Naar huis, naar zijn moeder. Want als de jongens komen…

Och!

Nu is het jongetje opeens weer alleen. Zonder poesje.

Jammer, zo jammer. En het was niet eens zijn eigen poesje. 't Was maar een vreemd poesje.

Nu heeft hij niets meer.

Maar heel diep in zijn kleine hart is hij toch erg blij. Hij heeft het poesje tóch gered!

Henny Thijssing-Boer

ONTHULLING IN DE WIND

D ie zaterdagmiddag hing er in de huiskamer een ietwat gespannen sfeer, vond Nieske Dalstra. Het boek dat ze in handen had, was boeiend, maar desondanks kon ze haar gedachten er niet bijhouden. Die waren bij haar moeder, die in een tijdschrift zat te bladeren zonder een letter te lezen. Dat was overduidelijk, want Nieske zag dat ze de bladzijden werktuigelijk omsloeg, terwijl haar ogen rusteloos door het vertrek dwaalden. Arme mam; ze wist heus wel waar zij in gedachten mee bezig was. Volgende week ging zij, Nieske, trouwen met Bart Visser en daar zag mam als een berg tegenop. Om haar wat op te monteren en een gesprek te openen, zei Nieske zacht: „Je moet niet zo treurig kijken, mam. Je raakt me niet kwijt!"

Anna Dalstra schrok op uit haar overpeinzingen, glimlachte en antwoordde: „Dat weet ik wel, lieverd. Maar het zal zo anders zijn als jij het huis uit bent. Jij was pas vijf jaar toen je vader overleed en ik alleen jou overhield. Je was zo lang mijn kleine meisje, mijn alles. Neem het me maar niet kwalijk dat ik de laatste tijd wat sentimenteel ben. Dat gaat weer over, want vóór alles gun ik jou het geluk. En met een man als Bart zul jij gelukkig worden, daar ben ik van overtuigd, hoor!"

„Ik kan jouw gedachtegang wel een beetje volgen," zei Nieske en ze keek haar moeder warm aan toen ze verderging: „Je was pas achttien jaar toen je mij kreeg. Je moet het ontzaglijk moeilijk hebben gehad, want in die tijd werd er volop schande gesproken van een ongehuwde moeder. Je hebt alles eerlijk aan mij opgebiecht en geloof me mam, ik heb diep respect voor jou!" Anna's blik kreeg iets dromerigs, om haar mond speelde een flauw glimlachje.

„Jij was twee jaar toen ik de man ontmoette die begrip toonde voor mijn situatie omdat hij zielsveel van me hield. Hij werd voor jou een vader, helaas duurde die gelukkige tijd maar drie jaar. Toen stond ik er weer alleen voor."

„Ik zal jou straks ook missen, hoor mam. We hadden het altijd zo fijn samen, hè?"

Anna's stem klonk afwezig. „Ja, ja... wij tweetjes hadden het samen goed. Door jouw lieve aanhankelijkheid vergat ik soms voor even het verleden..."

Nieske stond er niet bij stil wat Anna met dat laatste kon bedoelen. Ze zei enthousiast: „Dankzij jou was mijn jeugd één groot feest! Ik had geen treurende, maar een altijd vrolijke moeder die mij elke avond een verhaaltje vertelde. Die momenten waren zo intiem dat ik ze nooit zal vergeten. Je vertelde al die boeiende verhaaltjes zomaar uit je hoofd, ik snap nog niet waar je ze vandaan haalde!"

Anna lachte geamuseerd. „Dat was voor mij echt niet zo moeilijk, hoor. We leven nu zo anders dan toen ik kind was. In die tijd zag alles er beduidend anders uit! Dat we het thuis bitter arm hadden, raakte me eigenlijk niet, maar dat ik geen boek mocht lezen, was voor mij een regelrechte ramp. Mijn ouders beschouwden het lezen van een boek als tijdverspilling. Bij ons in huis was dan ook geen boek te bekennen."

Nieske huiverde: „Ik zou doodgaan als ik geen boek mocht lezen! Een huis zonder boeken is voor mij hetzelfde als een tuin zonder bloemen!"

Anna knikte bevestigend. „Zonder goede boeken verschrompelt je geest. Dat beeld hield ik me vroeger al voor ogen, het maakte me soms gewoon bang. Om het 'verschrompelen' te voorkomen, ging ik fantaseren, zelf verhalen bedenken. Zo zijn mijn zelfverzonnen verhaaltjes ontstaan."

Nieske zei bewonderend: „Dat vind ik zó goed van je! Ik hoop later kinderen te krijgen en dan ga ik wis en zeker al jouw verhaaltjes aan ze doorvertellen. Ik zal er niet één vergeten!"

Anna schonk haar dochter een lieve blik, maar in haar binnenste was een stemmetje dat niet overeenkwam met haar gelaatsuitdrukking. Het laatste en belangrijkste verhaaltje heb ik je nog niet verteld, kindje... Dat zit nog in mijn hoofd opgesloten. Ik durf het je niet te zeggen. Omdat de harde werkelijkheid geen aandoenlijk sprookje is.

Er viel een stilte die Nieske op een gegeven moment verbrak. En zij wist niet hoe dicht zij de harde werkelijkheid benaderde met haar vraag.

„Mam…? Er zit mij de laatste tijd iets heel erg dwars. Ik weet dat jij in 1945, het laatste oorlogsjaar, zwanger werd van een Canadees en dat hij dus mijn biologische vader is. Al die jaren was dat voor mij niet meer dan een gegeven. Maar nu ik binnenkort ga trouwen, denk ik er anders over. Nu wil ik weten wie mijn vader is. Zoals je weet, willen Bart en ik het liefst een heel stel kinderen. Maar iedere keer als we het daarover hebben, stuiten we op dezelfde vragen. Die hebben te maken met erfelijkheidsfactoren. Het is toch niet meer dan onze plicht om te weten te komen welke risico's we eventueel aan onze kinderen zouden kunnen doorgeven?"

Anna boog haar hoofd toen ze mompelde: „Hij was gezond, recht van lijf en leden…"

„Dat is voor Bart en mij niet voldoende, mam," zei Nieske en onverstoorbaar voegde ze eraan toe: „Je hebt me verteld dat hij Brian heet. Je zult nu met meer details op tafel moeten komen. Het spijt me voor jou, maar Bart en ik willen zijn adres. We zijn van plan hem te gaan opsporen. Met jouw hulp hoeft het geen eindeloze zoektocht te worden. Help je me, mam…?"

„Ach… kind toch." Anna had er geen idee van hoe verschrikt haar ogen stonden en hoe verdacht haar mondhoeken beefden.

Ze kregen geen gelegenheid om verder te praten, want op dat moment stormde Nieskes verloofde de kamer binnen.

Hij keek verbaasd van moeder naar dochter, liet zich op een stoel neervallen en vroeg verbijsterd: „Wat zitten jullie hier rustig bij elkaar! Heb je niet in de gaten dat het hele dorp zowat op zijn kop staat?"

Anna schudde verbouwereerd haar hoofd, Nieske informeerde: „Wat is er dan aan de hand? Wij weten van niks."

„Onbegrijpelijk!" vond Bart en hij verduidelijkte: „Zonet was het in het dorp een tumult van jewelste! De brandweer raasde met gierende sirenes door het dorp, gevolgd door politieauto's en de ambulance. Iedereen rende naar buiten en in een ommezien was het bekend dat de boerderij van Berend Bouwstra in lichterlaaie stond. En jullie zitten genoeglijk samen te teuten!"

Bart zag niet dat zijn aanstaande schoonmoeder als verstijfd op haar stoel zat, dat ze lijkbleek wegtrok. Hij luisterde naar Nieske die zei: „Het zal wel heel dom zijn, maar we hebben echt niets gehoord, hè mam?"

Anna schudde haar hoofd, haar mond bleef gesloten.

Bart vertelde over de toedracht: „Tjonge, het was een waar gekkenhuis. Iedereen haastte zich naar de polder om maar niks van de brand te hoeven missen. Ik was ook zo'n oen om te gaan kijken, je laat je met zoiets gewoon meeslepen. De anders zo verlaten polder zag zwart van de mensen die het blussen bemoeilijkten. Ik ben op mijn fiets gestapt en teruggegaan toen ik een paar brandweerlieden in paniek hoorde schreeuwen: 'Achteruit! In vredesnaam, mensen, maak ruimte voor de ambulance!' Vlak voordat ik op mijn fiets stapte," vervolgde Bart, „zag ik dat boer Bouwstra naar buiten werd gedragen. Bedekt met een wit laken en dat voorspelt volgens mij niet veel goeds!"

„Bouwstra is dus dood," concludeerde Nieske. „Bah, wat vreselijk om in een vlammenzee om te komen…"

„Dat zijn dingen die gebeuren…" Anna had zelf niet in de gaten dat ze dat hardop had gezegd.

Nieske reageerde erop. „Dat zeg je nu wel zo lauw, maar ondertussen zie je zo wit als een doek!"

„Is dat zo…?"

Het leek alsof Anna in verlegenheid was gebracht en gejaagd voegde ze eraan toe: „Jij beschikt over een grote verbeeldingskracht, kindje! Ik schenk gauw koffie in…"

„Een bakje troost kan ik gebruiken," zei Bart, „foei, wat een consternatie. Ik zie die prachtige hoeve nog in brand staan. Een enorme rookontwikkeling, gretige vuurtongen, die hoog naar de hemel grijpen. De arme man, die niet meer levend werd weggedragen… Hij zal niet weten dat zijn eens zo machtige hoeve met de grond gelijk is gemaakt en niets meer is dan een smeulende ruïne. Ik hoorde zeggen dat boer Bouwstra net zeventig jaar was."

Bart kon niet verdergaan, want op dat moment liet Anna een pas ingeschonken kop koffie pardoes uit haar handen vallen. Het kopje viel in scherven op de grond, de inhoud vloeide in een bruine straal over het kleed. Anna sloeg van schrik een hand voor de mond en starend naar de ravage op de vloer, prevelde ze: „Kijk mij nou toch… ik tril helemaal."

Nieske sprong van haar stoel op en terwijl ze de boel opruimde, praatte ze tegen Anna: „Wat heb jij opeens, mam! De afschuwelijke brand, de dood van een mededorpeling trekt iedereen zich aan, maar ik vind dat jij wel erg ver gaat, hoor! Van de doden niets dan goeds, maar wat Bouwstra betreft, ligt het een tikkeltje anders, want volgens je eigen zeggen, heeft die man jou nooit een blik waardig gekeurd!"

Als in trance zei Anna: „Nee… hij keek me niet aan. Nooit recht in mijn ogen. Dat kon niet…"

Bart en Nieske wisselden een snelle blik, maar voordat ze ook maar iets konden doen of zeggen, barstte Anna in een huilbui uit. Ze stond abrupt op en terwijl ze naar de deur liep fluisterde ze: „Sorry kinderen… ik kan het niet aan. Ik moet een poos alleen zijn."

Anna had de deur nauwelijks achter zich gesloten of Bart vroeg aan Nieske: „Wat is er met je moeder? Zo ken ik haar helemaal niet."

Nieske haalde in een hulpeloos gebaar haar schouders op. „Je hebt het gehoord, ze wil alleen zijn. Mam doet aldoor al wat vreemd, maar ik vermoed dat dat komt omdat ik haar van streek heb gemaakt. Het is niet vanwege boer Bouwstra dat ze over haar toeren is, maar omdat ik haar gezegd heb dat wij willen weten wie mijn natuurlijke vader is. Maar dat kan ze toch gewoon tegen ons zeggen? We hebben haar er immers nooit op aangekeken?"

Bart sprak bedachtzaam: „Je moeder heeft een nare jeugd gehad. Ze was niet veel meer dan een kind, toen ze zich in onwetendheid aan die Canadees verslingerde. Ik heb met haar te doen, Nieske."

„Ja, ik ook. Mam mocht vroeger echt niets, Bart. Ze was de oudste van het grote gezin, maar ze werd verschrikkelijk klein gehouden. Ze mocht de deur amper uit, vooral niet naar jongens omkijken. Tot de bevrijding kwam, de Canadezen ook in ons dorpje verschenen. Toen was het groot feest en mocht mam ook de straat op en meedoen. Het is toch begrijpelijk dat een jong meisje als mam toen was, zich uit het veel te strakke keurslijf loswrong en het leven omarmde? Ze leerde voor het eerst de liefde kennen en gaf zich eraan over. Groen als gras, was ze een poosje gelukkig, tot de ontgoocheling kwam. Toen ze besefte dat ze zwanger was, zat haar eerste grote liefde allang weer veilig in zijn eigen land. In sommige gevallen kan liefde vreselijk wreed zijn. Ik vind het sneu dat juist een lieverd als mam dat moet ervaren."

„Moet je niet even bij je moeder gaan kijken?" vroeg Bart bezorgd.

Nieske knikte. „Je hebt gelijk en je bent een schat dat je zo begaan bent met het lot van mijn moeder."

„Volgende week is ze ook mijn moeder, ga nu maar gauw. Ik hou van dat lieve mens, maar het meest van jou!"

Voordat Nieske de kamer verliet, kroop ze eventjes bij Bart op schoot.

En nadat ze hem hartstochtelijk had gekust, zei ze zacht: „Misschien moeten we, terwille van mams gemoedsrust, maar liever niet op onderzoek uitgaan, Bart. De man in kwestie doet me niks en als mam nou zegt dat hij gezond van lijf en leden was?"

„Komt tijd, komt raad," vond Bart, waarna hij haar nogmaals adviseerde naar Anna toe te gaan.

Nieske opende de deur van Anna's slaapkamer en was blij toen ze zag dat haar moeder niet op bed lag te huilen – zoals ze verondersteld had – maar met de rug naar haar toe voor het raam stond.

Anna keerde zich naar Nieske om. Haar dochter vroeg zacht: „Wat is er nou met je, mam? Is het dan opeens zo moeilijk om alles gewoon tegen mij te zeggen? Tot nu toe hebben we immers nooit geheimen voor elkaar gehad?"

Anna keek bedrukt. „Toch wel, kindje. Ik draag al heel lang een geheim met me mee. Dat verhaaltje heb ik je nog niet verteld. Mijn allerlaatste verhaaltje heb ik niet zelf verzonnen en het heeft evenmin een happy end…"

Nieskes betrokken gezichtje klaarde op, ze lachte en riep: „Is dat alles! Zit je met een achtergebleven kinderverhaaltje in je hoofd? Malle, malle mam! Moet je je daarvoor schamen, erdoor overstuur raken? Ik wil met alle plezier nog een keertje naar je luisteren en, net als toen, als een kind aan je lippen hangen, hoor!"

Anna schudde haar hoofd en zei somber: „De afloop is om te huilen, Nieske. Maar voordat jij gaat trouwen, behoor je het te weten. Dat vreselijke, dat me al zo heel lang hinderlijk achtervolgt."

„Vertel het me dan," drong Nieske aan, „wat let je? Ik ben één en al oor en Bart zal ons heus niet komen storen. Zo fijngevoelig is hij wel, de lieverd!"

„Morgen..." zei Anna. Ze wist zelf dat het uitstel van executie was en bedeesd voegde ze eraan toe: „Ik moet er nog een nachtje over slapen. Je hebt vierentwintig jaar op je laatste verhaaltje moeten wachten, gun me dit ene nachtje nog."

„Het is goed," zei Nieske berustend, „maar begrijpen doe ik je niet, mam! Misschien helpt het je als ik zeg dat Bart en ik hebben afgesproken om voorlopig niet naar Canada af te reizen? Ik wil je niet onnodig kwetsen, alleen maar heel veel van je blijven houden."

Ik hoop dat je dat laatste morgen nog even lief zult zeggen, maar dat betwijfel ik sterk, dacht Anna. Haar gezicht betrok weer. De warme, behoedzame kus die Nieske haar gaf, legde een schaduw van een lachje om haar mond en een traan in haar ogen.

De volgende ochtend aan het ontbijt zei Nieske: „We spelen stommetje, mam, en volgens mij was dat juist niet de bedoeling."

„Je hebt gelijk, maar het is zo verdraaid moeilijk. Een moeder wil zich jegens haar dochter niet hoeven te schamen en dat doe ik bij voorbaat al..."

Anna zweeg even voordat ze verderging: „Vraag me niet naar het waarom, maar hier in huis kan ik het je niet zeggen. Ik wil graag een lange wandeling met je maken, in de buitenlucht zal het me gemakkelijker vallen."

Nieske keek bedenkelijk en wees met een hoofdknik naar buiten. „Heb je nog niet gezien wat voor weer het is? Gisteren waaide het al hard, maar nu staat er een storm!"

„Dat geeft niets, het is droog. Ik ben blij met de wind, hopelijk kan die mijn verhaal, nadat het verteld is, voorgoed wegblazen..."

Niet lang daarna zei Nieske: „Zou je niet eens van wal steken, mam?

Hier, een flink eind buiten het dorp, zijn we alleen met de wind en de zeemeeuwen hoog in de lucht."

Anna knikte en vertelde. „Mijn allerlaatste verhaaltje gaat over een heel jong meisje. Ze had zeer strenge ouders, geen rechten, wel heel veel plichten. In het grote gezin moest ze hard aanpakken, ze had ruwe werkhanden en een veel te ernstig snoetje."

Nieske onderbrak haar, zei wat lacherig: „Het begint droevig, heel anders dan de verhaaltjes die je me al verteld hebt!"

Anna was de ernst zelve. „Je moet stil naar me luisteren, me niet onderbreken. Beloof me dat."

Na een stilte waarin alleen hun voetstappen te horen waren, de wind en het krijsen van de zeemeeuwen, nam Anna uit eigen beweging de draad weer op. „Het meisje had geen tijd om te spelen, ze is nooit jong geweest, nooit kind. Thuis was ze een sloofje en bovendien moest ze twee middagen in de week op het zoontje van een herenboer passen. De boerin deed dan vrijwilligerswerk voor de kerk en had oppas nodig. Het meisje vond het heerlijk, ze verdiende een paar dubbeltjes en was er eventjes uit. Ze hield veel van het kleine boerenzoontje, maar voor de boer was ze doodsbang. Hij kwam telkens onverwacht kijken of ze wel goed op het kind paste en dan zat hij aldoor aan haar. Dan was het meisje heel bang, maar de boer zei dat het heel gewoon was. Het hoorde bij oppassen. Ze mocht er echter met niemand over praten, want dan zou hij haar heel erg pijn moeten doen. Nog veel meer dan hij al had gedaan. Later wist het meisje niet wat er met haar aan de hand was. Ze moest bijna lachen toen de dokter zei dat ze een kindje verwachtte. Het was toen in het laatste oorlogsjaar, de Canadezen hadden het dorp in een feestroes gebracht. Het meisje vroeg er niet om, maar ze werd door haar ouders gedwongen de straat op te gaan. Naderhand moest ze bekendmaken dat ze het met een Canadees had gedaan. Voor die bekentenis zou de boer haar ouders rijkelijk belonen. Vanaf die tijd hadden ze thuis geen armoede meer. Moeder lachte vaker dan voorheen, pa knipoogde dan naar haar.

Het jonge meisje werd moeder en de jaren verstreken.

Het zoontje van de boer werd man en emigreerde naar Amerika. De boerin overleed enkele jaren geleden.

De boer…" – Anna's stem stokte even – „was een oude man toen zijn kapitale hoeve afbrandde en hij niet meer levend uit de vuurzee gered kon worden. Hij heeft mij nooit een blik waardig gekeurd, maar hij heeft al die jaren geweten dat hij jouw… biologische vader was. Je hoeft niet naar Canada, je natuurlijke vader is gisteren gestorven…"

Ze bleven ter plekke stilstaan. De wind nam Anna's gefluister mee: „Vergeef me…"

Tranen biggelden langs Nieskes wangen. Ze sloeg haar armen om Anna heen en zei gesmoord: „Jouw laatste 'verhaaltje' zal ik zeker aan mijn toekomstige kinderen vertellen. Telkens en telkens weer. En geloof me, mam, ze zullen van je gaan houden zoals ik van je houd. Liefde en haat… Hoe dicht liggen die twee naast elkaar. Zoals ik van jou houd, zo haat ik de man die mijn moeder haar jeugd heeft ontstolen."

„Je veroordeelt me niet…?" vroeg Anna met bibberende lippen.

„Ik ben je dankbaar voor je onthulling, waarvan de wind getuige was. In de toekomst zullen Bart en ik er voor je zijn en als het in ons vermogen ligt, zullen we zelfs de gekneusde plekken op je ziel uitwissen. Neem je het me niet kwalijk dat ik voortaan altijd het kleine meisje in je zal zien dat geen rechten had? Alleen plichten die haar werden opgelegd door de boze wereld om haar heen?"

„Nieske, mijn dochter… wat ben ik blij dat ik jou kreeg," prevelde Anna en het was lang geleden dat ze zo overgelukkig lachte.

ADVENT

Ben je eenzaam? Méér dan anders?
Zijn je dagen eens zo grauw?
'n Fel contrast met Licht en Vrede,
dan behoor ik dicht bij jou.
Want hoe kan ik Kerstfeest vieren,
als jij bang en eenzaam bent?
Zwervend door de lege straten,
anoniem, aan elk ontwend?

Laat ons samen verder lopen,
ik moet ook de wereld door.
Geef je hand, het duurt wel even,
maar er is een duid'lijk spoor.
Het is heel diep uitgesleten,
slepend zwaar was soms de tred,
van de velen, die hier liepen,
eeuwenlang klonk hun gebed.

Welke angsten zij ook leden,
al het leed waar wij voor staan,
is op niet te noemen wijze,
door de Christus heengegaan.
Het verleden, heden, toekomst,
staan gegrift in Zijn gezicht,
wat ontkend werd, is bewezen,
treedt door Hem in 't Eeuwig Licht.

Onaantastbaar is Zijn Wezen
en toch ook zo zeer nabij,
dat je vrijuit durft te bidden;
Heer, U kwam toch ook voor mij?
Anoniem ben je gekomen,
in Zijn Naam ga je naar huis,
met de moed om door te leven,
van Zijn Kribbe naar Zijn Kruis.

Gerda van Wageningen

TWEESTRIJD

*Z*e zag hem voor het eerst toen ze opkeek van het dampende bord erwtensoep. Donkerbruine ogen die haar aandachtig opnamen, een vage glimlach om de goed gevormde lippen en raven-zwart golvend haar, dat in zijn nek misschien net wat te lang was, maar dat zo aardig omhoogkrulde. Toen hij haar blik ving pakte hij zijn glas Glühwein op en proostte spottend in haar richting. Blozend keek ze weer snel van hem weg. Ergerlijk, dat eeuwige blozen! Maar na zeven kilometer langlaufen waren haar wangen mis-schien wel zo rood dat het niet meer op zou vallen.

Ontzettend, wat had ze daarvan een honger gekregen!

Zonder verder nog op of om te kijken at Mara haar bord leeg.

Ziezo, nu voelde ze zich weer warm en behaaglijk. Haar hele lichaam gloeide na de inspanning van die ochtend. Buiten schitterde de zon uitbundig op de sneeuw. Ze zou een uurtje blijven zitten om uit te rusten en dan een andere loipe nemen om nog een tochtje te maken.

Mara was met haar ouders en haar jongere broer Erik voor het eerst op wintersport. Zijzelf en haar vader wilden langlaufen, haar broer nam zijn eerste lessen op de alpine ski's en haar moeder hield het veilig en wel bij wandelen met de hond. Twee dagen lang had Mara les gehad en vanmorgen had ze helemaal alleen haar eerste loipe afgelegd, dwars door de glooiende velden en donkere bossen van het Schwarzwald. Nu was ze terug op haar uitgangspunt. In de jagershut die bij het bungalowpark lag waar ze logeerden, verza-melden de skiliefhebbers zich om weer op verhaal te komen na een inspannende morgen. De rest van de familie liet zich nog niet zien, maar het was halfeen en Mara rammelde van de honger. Misschien aten de anderen beneden bij de skischool?

„Mag ik je een glas Glühwein aanbieden?" De stem sprak puur Hol-lands, zonder accent. Nog voor ze opkeek wist ze dat hij het was.

„Waarom niet," zei ze nonchalant, alsof ze zo'n vrouw was die dagelijks van alles aangeboden kreeg van hordes bewonderaars.

Hij trok een stoel bij en ging zitten, na de ober een wenk te hebben gegeven. „Mag ik me even voorstellen? Ik ben Adam."

Hij stak haar zijn hand toe. Een bruine, goed gevormde hand met lange, gevoelige vingers. Hij omsloot de hare met een prettige, warme druk.

„Ik heet Mara." Net als hij noemde ze geen achternaam.

„Wij komen hier al jaren," legde hij gemoedelijk uit. „Zowel 's zomers om te wandelen als 's winters om te skiën. Volgens mij ben jij hier voor het eerst."

„Ja, is dat zo duidelijk?"

Hij grinnikte een tikje brutaal, maar toch wel aardig. „Als ik je al eens eerder had gezien, zou ik dat beslist nog weten."

Nu bloosde ze overduidelijk. Gelukkig bracht de ober redding. Voorzichtig nipte ze van de warme wijn.

Adam begon een geruststellend praatje over dat wat alle mensen hier bezighield: het weer en de kwaliteit van de sneeuw, het gestuntel van de nieuwelingen en de capriolen van een paar jonge honden in de sneeuw, die van pure levenslust niet wisten hoe gek ze zich aan moesten stellen in dat vreemde witte goedje.

Tenslotte hing ze slap van het lachen in haar stoel.

„Zo is het beter," zei hij en zijn ogen hadden een bewonderende uitdrukking gekregen. „Kom je vanavond ook naar het dansen, Mara? Ik zou heel graag met je willen dansen."

„Goed," beloofde ze gul.

Toen stond ze op om haar ski's te gaan zoeken. Door de geheimzinnige ogen kwamen haar gedachten geen moment tot rust. Nog nooit had ze een man ontmoet die haar zo intrigeerde als Adam. Zodra ze haar ski's onder had en haar stokken in de hand, zocht ze het spoor van de loipe weer op. Adam stond in de deuropening van de jagershut naar haar te kijken. Hij stak een hand op en zij zwaaide terug. Hij was lang en atletisch gebouwd. Ze schatte hem een jaar of vijfentwintig; in ieder geval een paar jaar ouder dan zijzelf was.

Toen richtte ze resoluut haar aandacht weer op de schitterende natuur die haar hier zo uitbundig omringde en die het langlaufen wat haar betrof tot zoveel meer maakte dan louter een sportieve gebeurtenis.

Het Schwarzwald had iets geheimzinnigs, vond Mara, toen ze die avond zo rond halfnegen diep weggedoken in haar jack naar de schuur van de oude Schwarzwalder boerderij liep die tegenover de skischool lag. Ze hoefde niet ver te lopen. Vanaf het bungalowpark was het hooguit driehonderd meter; de boerderij lag iets lager aan de weg naar het dorp in het dal. De inktzwarte lucht liet weliswaar een overvloed aan sterren zien, maar het was nieuwe maan en de sneeuw weerkaatste alleen het schaarse lantaarnlicht. Om haar heen zongen de hoge stammen van de dennen in de zachte wind. Zo nu en dan viel er een sneeuwlast van de bewegende takken met een plof naar beneden. In de meeste huisjes van het park brandde licht.

Alle mensen waren moe na een lange dag in de frisse buitenlucht. Buiten het park was het werkelijk aardedonker. Mara huiverde eens en ditmaal niet enkel van de kou. Er was iets, al wist ze niet wat. Wacht eens, nu hoorde ze het: voetstappen. Voetstappen vlak achter haar. Ze begon sneller te lopen, maar de voetstappen werden met haar mee versneld. Haar hart begon plotseling als een razende te bonken. Toch vond ze de moed haar stappen weer te vertragen. De voetstappen hoorde ze nu niet meer. Voor haar lag het donkerste stuk: het pad dat langs de rodelbaan liep en recht naar de boerderij en de skischool, maar niet langs de verlichte openbare weg ging. Het voerde wel dwars door een stukje bos. In de verte kon ze de vrolijke lokale muziek al horen. Mara voelde hoe haar handen ijskoud werden in haar heus wel warme wanten. Onwillekeurig begon ze weer sneller te lopen. De neiging dit donkere stuk flink te gaan rennen bedwong ze slechts met een uiterste wilsinspanning. Ze moest zich niet aanstellen. Er waren immers overal mensen? Het was hoogseizoen. Wat kon haar hier nu gebeuren?

Ineens voelde ze een hand. Een angstkreet ontsnapte onwillekeurig aan haar stijve lippen. De hand omvatte haar arm. Het was een smalle, bruine hand. Net zo'n hand als de hare vanmiddag nog omsloten had. ,,Adam?" prevelde ze, hoewel ze niet wist of er wel enig geluid uit haar keel naar buiten kwam. Ze hoorde hem hijgen van het snelle lopen. O, het was zeker geen verbeelding. De warme stroom van zijn adem gleed over haar wang, hoewel hij achter haar bleef staan. Even keek ze om. Het verbaasde haar niet eens dat ze de lange atletische gestalte zag, die zich vaag in het donker aftekende. „Je jaagt me de stuipen op het lijf," zuchtte ze, terwijl ze weer wat ontspande.

Hij zweeg.

Ineens voelde ze hoe zijn andere hand in haar nek gleed; om haar nek naar haar keel. Hij had geen handschoenen aan; de ijskoude vingers lagen zo op haar blote huid.

„Niet doen," protesteerde ze. „Adam, waarom doe je toch zo eng?"

Er klonk iets dat op een lach of een kreet leek, maar verstaan deed ze het niet. Toen begonnen de vingers te knijpen.

„Laat me los," zei ze, ineens nog veel banger dan tevoren.

Ze kreeg het benauwd, en toch sloten de vingers zich strakker en strakker om haar keel. Mara begon vanuit een primitieve reactie om lijfsbehoud te schoppen en om zich heen te slaan. De hand sloot zich intussen strakker en strakker om haar keel. Ze snakte naar lucht. Ze werd niet langer beheerst door verstand of angst. Er kwam iets in haar naar boven dat ze nog nooit eerder had gekend: het pure, naakte instinct om in leven te blijven. Ze begon te vechten als een wilde, krabbelde en beet. Haar eigen hijgen en vechten om lucht mengden zich met de adem van haar aanvaller.

Even plotseling als de nachtmerrie begonnen was, was die ook weer voorbij. Snelle voetstappen klonken opnieuw, maar nu verwijderden ze zich naar boven, terug naar het park. Zonder er verder nog bij na te denken, vluchtte ze in de richting van de muziek.

De boerenschuur was feestelijk verlicht en boordevol mensen. Op een geïmproviseerd podium speelde een bandje, gestoken in klederdracht. Een achttal vrouwen voerde, eveneens in klederdracht, een soort polka uit op de dansvloer vlak voor haar. Eromheen klapten de mensen mee. Toen een van de muzikanten de omstanders uitnodigde mee te doen, vulde de aangestampte lemen dansvloer zich met kronkelende en wriemelende mensen, die allemaal hard hun best deden iets te laten zien dat op een ouderwetse polka leek.

Mara werd langzamerhand weer wat rustiger. Ze fatsoeneerde haar kleren, deed haar muts af en kamde haar haar. Haar benen trilden nog steeds van de schrik. Haar keel voelde een beetje rauw aan na de angstaanjagende wurggreep van even tevoren. Ze moest moeite doen weer zichzelf te worden. Voor geen goud ging ze meteen weer terug door dat enge stuk bos. Stel je voor, dat hij haar opwachtte. Wat zou hij haar wel niet doen, als hij haar nog eens te pakken kreeg? Ze zou zich later wel bij een paar andere mensen aansluiten als die teruggingen, maar eerst moest ze zichzelf weer meester worden. Ze moest maar liever proberen die angstaanjagende ogenblikken in het bos te vergeten.

Onwillekeurig zocht ze met haar ogen de mensenmenigte af. Nee, hij was er niet. Had ze dan iets anders verwacht?

Natuurlijk was hij er niet. Hij was immers de andere kant uit gevlucht?

Had ze nu toch maar haar broer meegenomen. Maar zestienjarige jongens konden behoorlijk te veel zijn, als je dacht een leuk afspraakje te hebben!

„Hoi, ik heb al een tijdje op je gewacht."

Ze keerde zich als door een adder gebeten om.

„Voel je je wel goed, Mara? Je ziet lijkbleek. Kom, ik zal wat warms voor je halen. Hier in de deuropening vat je snel kou, als je niet uitkijkt."

De lange vingers omsloten haar arm, bijna op dezelfde plek als nog geen kwartier tevoren.

„Laat dat," zei ze geschrokken, en wanhopig rukte ze zich los.

Hij liet haar gaan, en als ze niet beter wist zou ze zeggen dat hij haar stomverbaasd aankeek. „Zeg, wat heb je eigenlijk, Mara? Kom maar mee. Daarginds in de hoek is net een plaatsje vrijgekomen."

Overal waren lange tafels op schragen geplaatst met aan weerszijden lange banken. Dorpelingen en toeristen zaten broederlijk door elkaar aan de tafels geschaard, dronken bier en aten worst. De onmisbare Glühwein vond ook hier gretig aftrek.

Toen Mara weer een beetje tot zichzelf kwam, zat ze in een schemerig hoekje en zette Adam twee volle glazen voor hen neer. Kom, hield ze zichzelf voor. Stel je niet langer aan. Je bent veilig. Hij heeft je dan wel de stuipen op het lijf gejaagd, maar hier kan hij je niets doen.

„Gaat het weer?" Zijn kalme stem had een warme, prettige klank. Als je niet beter wist tenminste, dacht Mara bitter. Maar ze zou zich niet laten kennen!

„Uitstekend," jokte ze en nam een flinke slok. Het warme goedje brandde in haar slokdarm.

„Volgens mij heb je spoken gezien." Waarachtig, hij had het lef erbij te lachen.

„Misschien wel." Ze keek hem strak aan, maar hij keek terug zonder verblikken of verblozen. Ze nam opnieuw een slok.

„Doe je soms je best zo snel mogelijk dronken te worden?" Nu lachte hij werkelijk geamuseerd. Voor het eerst zag ze hoe de lach zijn ogen bereikte en hoe een hele serie rimpeltjes om zijn ogen te voorschijn kwam. Die gaven zijn gezicht iets heel aantrekkelijks. O, als ze die akelige gebeurtenis vergeten kon, waren hier alle ingrediënten aanwezig voor een romantische vakantieliefde. Ze nam hem wat aandachtiger op. Eigenlijk zou je zeggen dat hij een prettig gezicht had. Niet echt knap misschien, maar een gezicht met karakter. Zijn sterke kin en scherpe kaaklijn leken kracht uit te drukken, en zijn ogen vriendelijkheid. Zijn handen waren gevoelig. En toch!

Hij had haar kort tevoren proberen te wurgen, hij had haar de doodsschrik op het lijf gejaagd en nu zat hij hier volkomen op zijn gemak, alsof hij van niets wist. Soms hoorde je van mensen die schizofreen waren; die twee persoonlijkheden in een lichaam hadden: een goede en een kwade genius. Zou Adam zo zijn? Een psychiatrische patiënt?

„Nu je je hele glas bijna in een teug hebt leeggedronken, kunnen we maar beter eerst wat gaan dansen," grapte hij, maar ze lachte niet.

Hij stond op. „Ik heb er de hele middag aan gedacht hoe het zou zijn met je te dansen, Mara."

Zou het? maalden haar gedachten door. Ze was nog steeds behoorlijk over haar toeren. De sterke handen die zich om haar middel legden, voelden bijna prettig aan.

Aarzelend legde ze haar handen op zijn schouders. Ze voelden hard en vierkant aan. Als ze niet beter wist, zou ze zeggen dat Adam een prettige en betrouwbare man was. Als! „Toen ik kwam, kon ik je zo gauw niet vinden," merkte ze zo nonchalant mogelijk op. Nu had ze eindelijk de moed gevonden hem aan te kijken; echt aan te kijken.

Hij keek terug zonder verblikken of verblozen. „Ik was er al een halfuur. Mijn moeder plaagde me nog vanwege de haast die ik had om weg te komen, en mijn broer was jaloers."

„Ben je hier dan ook met je hele familie?"

Ze ademde verlicht. Dat klonk immers zo gewoon: op vakantie gaan met het gezin.

„Jawel, dat doen we elk jaar. Naar de wintersport gaan we nog steeds met zijn allen, maar in de zomer gaat alleen mijn broer nog met mijn ouders mee. Ik ga dan alleen. Afgelopen zomer ben ik naar Zweden geweest om op een vlot een rivier af te zakken. Ik hou van de natuur. En jij?"

„O ja. Hier vind ik het zo prachtig!"

De polka was afgelopen en werd gevolgd door een gewone quickstep. Adam danste met groot gemak en leidde haar feilloos door de drukte.

„Je danst goed."

„Ik doe het graag, en jij kennelijk ook. Ik ben blij dat we zoveel gemeen blijken te hebben, Mara."

„Zoveel?"

„De natuur, het skiën en nu ook nog het dansen! Mag ik je uitnodigen morgenavond met me mee te gaan op een sledetochtje?"

„Alleen jij en ik?"

„Wilde je je vader meenemen om die tussenin te laten zitten?" spotte hij.

Misschien wel, dacht ze. Jij bent een gevaarlijke jongeman. Je bent aantrekkelijk, maar er is iets met je. Waarom zei ze niet gewoon nee?

„Ik moet erover nadenken," mompelde ze.

„Natuurlijk. Kom mee, ik heb er dorst van gekregen."

De muziek zweeg opnieuw. De jongemannen in klederdracht

maakten plaats voor een paar anderen in spijkerbroeken en leren jacks, met gitaren en drums. Ze hadden een piepjong zangeresje bij zich in een rokje dat zo kort was dat het op niet meer dan een omgeslagen sjaal leek.

„Nog een glaasje, Mara?"

„Mineraalwater, alsjeblieft."

Terwijl hij het gevraagde ging halen, volgden haar ogen hem. Eindelijk begonnen haar zenuwen tot rust te komen. Hij deed zo gewoon. Als je niet beter wist, zou je zeggen dat hij inderdaad op haar gewacht had, haar aardig vond en graag een nieuw afspraakje met haar wilde maken.

Toen hij terugkwam zette de muziek opnieuw in; oorverdovend was het geluid nu. De aanwezige jongelui stortten zich met overgave op de dansvloer en anderen trokken zich terug om te praten, al moest je bijna schreeuwen om je aan je buurman verstaanbaar te kunnen maken.

„Laten we naar buiten gaan," stelde Adam voor. Hij pakte haar bij haar elleboog en rillend volgde ze hem. Ze was ineens weer doodsbang. Maar Adam leidde haar een stukje de straat op, vertelde onbekommerd over de vele vakanties die hij hier had doorgebracht en praatte open over zijn ouders, van wie zijn moeder niet erg gezond leek te zijn. „Ze heeft het in sommige opzichten vaak heel moeilijk," vertelde hij eerlijk zonder er evenwel verder op in te gaan. „Krijg je het nog niet koud?"

„Een beetje." Ze voelde zich slecht op haar gemak, zo samen met hem. Ze bemerkte zijn teleurstelling, omdat ze zo'n haast had om bij de andere mensen terug te komen.

Normaal zou ze zich vanavond kostelijk hebben geamuseerd. Onder andere omstandigheden had ze waarschijnlijk helemaal geen haast gehad. Hij was een man zoals ze die nog nooit had ontmoet. Een man die haar aantrok als een magneet, maar tegelijkertijd iets voor haar verborg; iets dat haar angst aanjoeg en haar bedreigde. Er was iets duisters, dat ze niet verklaren kon. Ze zou er wellicht beter aan doen te vergeten dat er een Adam bestond en ze zou zeker geen nieuw afspraakje met hem moeten maken. De oorverdovende herrie binnen hield op. Er klonk nu weer rustiger muziek. „Laten we nog wat gaan dansen," stelde Adam voor, omdat hij haar veranderende stemming voelde.

„Goed dan." Ze was blij weer tussen de mensen te zijn.

Als hij maar niet zo gewoon deed; zo aardig. Te midden van al die mensen was ze niet bang voor hem. Zijn handen hielden haar prettig en stevig vast, zonder opdringerig te zijn.

De avond vloog om. Voor ze het wist was het een uur of elf en stelde hij voor naar het bungalowpark terug te lopen, omdat hij morgen een lange skitocht van een hele dag wilde maken. Zonder haar plotselinge en nauw verholen angst op te merken, hielp hij haar in haar jack, vatte hij haar losjes bij de elleboog en liep hij enthousiast vertellend naast haar door het donker, pratend over de oude skivrienden met wie hij de tocht zou gaan maken.

Voor ze het goed en wel besefte, waren ze terug op de verlichte paden tussen de huisjes van het bungalowpark. Ze wees hem bevend aan waar ze moest zijn.

„Ik hoop dat ik je niet met mijn verhalen heb verveeld," zei hij een beetje schuldbewust.

„Nee hoor," stelde ze hem met een bibberig stemmetje gerust. Voor het eerst begon ze te twijfelen. Het kon Adam niet geweest zijn. Ze moest zich hebben vergist. Was ze misschien overwerkt en begon ze zich dingen te verbeelden die helemaal niet gebeurd waren? Wel nee, de ervaring was echt en angstaanjagend genoeg geweest. Nee, de fout lag bij haarzelf. Ze was zo onder de indruk van hun kennismaking geweest dat ze de hele middag aan hem had moeten denken. Daarom had ze haar bedreiger met hem verward. Ja, zo moest het beslist zijn!

„En, Mara, wat doen we nu morgenavond?" vroeg hij, en zijn mooie bruine ogen keken smekend in de hare.

„Jij wilt vast alleen maar vroeg naar bed na zo'n vermoeiende tocht," probeerde ze wat te plagen.

„Er is natuurlijk een kleine kans dat ik in die slee in slaap sukkel," zei hij onbekommerd grinnikend. „In jouw armen, als het meezit."

„Wel ja!" sputterde ze.

„Morgenavond om acht uur wacht ik hier op je, Mara. Je bent toch niet bang voor me, is het wel?"

„Welnee, waarom zou ik?" mompelde ze.

„Inderdaad, waarom zou je?"

Bliksemsnel bukte hij zich voorover en kuste haar vlinderlicht op de lippen. De aangename tintelingen stormden nog door haar heen, toen ze al in de verlichte woonkamer van hun huisje stond.

„Zo te zien heb je je best geamuseerd," plaagde broerlief haar, en ze wist bijna zeker dat hij had gezien hoe Adam afscheid van haar had genomen. Erik verzon ter plekke een liedje: „Liebe und Schnee", en kreeg van zijn zus een muts naar zijn hoofd geslingerd.

„Kleine broertjes zijn een nagel aan mijn doodkist." Maar in bed kon ze niet slapen en voelde ze opnieuw de ijzige, koude vingers die zich wurgend om haar keel hadden geklemd, tot ze zich los had geworsteld.

Op scherp gezette paardenhoeven tikten in regelmatige cadans op de sneeuw en de slee gleed er krakend en knerpend achteraan. Het paardentuig was opgesierd met belletjes, die lustig meeklingelden met de bewegende paardenruggen. De voerman zat diep weggedoken in zijn dikke jas op de bok.

In de slee zat Mara en ze genoot van de brandende fakkels die de weg door het bos in een romantisch licht hulden. Ze waren eerst dwars door de velden gegleden en daarna in het bos gekomen; de donkere bomen torenden hoog boven hen uit. Mara was blij met de zwijgende voerman vlak voor haar. Ze had die nacht bar slecht geslapen.

Adam schoof een beetje in haar richting. „Wat jammer dat we over een paar dagen alweer terug moeten, hè?" vroeg hij en legde ondertussen een arm om haar heen.

Zijn andere hand greep de hare onder de beschutting biedende deken. Ze wilde zich instinctmatig terugtrekken, maar toch was ze nu niet echt bang voor hem. O, het had allemaal zo anders kunnen zijn. Ze moest zich verbeeld hebben wat in het bos was gebeurd. Zou ze het hem brutaalweg vertellen en dan kijken hoe hij reageerde? In een impuls keerde ze zich naar hem toe.

„Voel je je niet op je gemak?" vroeg hij half glimlachend en half ernstig.

„Nee, niet erg."

„Ik bijt niet."

„Dat niet, nee. Misschien doe ik dat."

„Wat bedoel je in vredesnaam?"

„Weet je dat echt niet?"

„Toe Mara, vertel op. Wat zit je nu eigenlijk dwars?"

En ineens vertelde ze. Als vanzelf stroomde een hele woorden-vloed over haar lippen. Ze hield niets verborgen: de ijzige vingers niet, de gestalte die haar zo sterk aan hem had doen denken niet, haar angst dat ze zou stikken en misschien wel dood zou gaan niet en zelfs niet de manier waarop ze zich in haar grenzeloze wanhoop had verdedigd.

„Je denkt dus dat ik het was," zei hij en ze voelde hem naast zich verstrakken.

Zijn hand liet de hare los en zijn arm lag niet langer om haar schouders, maar ergens verder weg op de slee.

„Ja."

„Toen je binnenkwam na die angstige momenten was ik er niet. Dat had je dus al verwacht."

„Precies."

„Durfde je dan toch met me mee te gaan, vanavond?" Zijn stem droop nu van het sarcasme.

Eerlijk ging ze verder. Dit was niet leuk, maar het moest.

„Ja en nee. Ik wilde me niet aanstellen. Ik kon me aan de ene kant gewoon niet voorstellen dat jij zulke enge dingen zou doen. Je lijkt zo aardig."

„Dus tartte je moedig het noodlot en wat denk je nu dat ik je zal aandoen?" Zijn stem klonk bijtend.

„Adam, ik weet het echt niet. Ik weet niets meer zeker."

„Ik wel. Je zegt zelf dat je als een razende gekrabd en gebeten hebt. De persoon die jou aanviel had toch zeker wel kleren aan?"

„Ja natuurlijk, doe niet zo gek."

„Heb je in die kleren gebeten?"

„Nee."

„In een gezicht dus, of in handen?"

„Ja."

„Heb ik de sporen van die beten en krabben op mijn gezicht?"
„Eh, nee."
„Gisteravond ook niet?".
„Nee. Oh Adam, ik voel me zo stom."
Ze verontschuldigde zich wel vijf minuten lang, maar hij bleef koel en afstandelijk en ze keerden terug van een rit die nu niets romantisch meer had. Hij kuste haar niet toen hij afscheid nam en maakte ook geen nieuwe afspraak. Ze voelde zich vreemd leeg toen ze thuiskwam en kon die avond opnieuw niet in slaap komen.

De rest van de week liet Adam zich niet meer zien, en Mara voelde wroeging en spijt in zichzelf om de voorrang twisten. Stel je voor, ze wist alleen hoe hij heette; niet eens waar hij woonde of wat hij deed. Ze zou hem beslist nooit meer zien. 'Ships that pass in the night'; meer niet.

Van haar skitochtjes genoot ze nauwelijks meer. De prachtige natuur maakte niet meer zo'n overweldigende indruk, vervuld als ze was van de blunder die ze had begaan.

Zo brak de laatste dag voor het vertrek aan. De dag waarop gewoontegetrouw wedstrijden gehouden werden waaraan alle vakantiegangers mee konden doen. In het begin van de week had Mara zich, nog vol enthousiasme, in laten schrijven voor de categorie vrouwelijke beginnelingen langlaufen, en hoewel de lol er voor haar eigenlijk een beetje af was, besloot ze zich niet te laten kennen en toch mee te doen.

De langlaufwedstrijden werden gehouden voor de alpine skiwedstrijden en tussendoor kon er ook gerodeld worden. Het terrein was feestelijk versierd met bontgekleurde vlaggetjes en aan een sneeuwbar werden de niet weg te denken Glühwein en andere versnaperingen verkocht.

Ondanks het vroege uur vond alles al gretig aftrek. De wedstrijden zouden om elf uur beginnen.

Zonder werkelijk enthousiasme legde Mara haar rondjes af. En omdat ze er niet echt met haar hoofd bij was, presteerde ze ook niets. Vlak voor de finish, toen haar ogen even over het publiek gleden, zag ze hem.

Met een paar felle bewegingen gleed ze over de eindstreep. Snel klikte ze haar bindingen los en ondertussen zochten haar ogen al naar de lange gestalte met het donkere haar. Zonder zich te bedenken liep ze naar hem toe, al wist ze zelf niet waarom ze dat deed. „Hallo."

Ineens voelde ze zich verlegen en herinnerde ze zich zijn stugheid. Wat was er toch met hem? Hoe kon het, dat een man je aan de ene kant aantrok als een magneet en aan de andere kant angst bij je opwekte. Ja, nog steeds. „Ik hoop niet, dat je ziek geweest bent," hakkelde ze ongemakkelijk om toch maar iets te zeggen, terwijl ze met haar figuur eigenlijk geen raad wist.

„Nee, ik heb een paar flinke tochten gemaakt."

„O. Kom je naar alle wedstrijden kijken?"

„Straks doe ik mee met de wedstrijd voor gevorderden."

„Ik zal naar je blijven kijken."

Eindelijk brak de spanning op zijn gezicht. „Fijn. Ik zal mijn best doen te winnen."

„Ben je dan zo goed?"

„Wie weet, Mara. Wil je misschien wat drinken?"

„Warme wijn."

„Natuurlijk. Maar ik hou het liever bij koffie."

Alsof er nooit sprake was geweest van mateloze aantrekkingskracht, van angst en spanningen, en van verwijdering en andere raadselachtige dingen die ze niet benoemen kon, liepen ze als oude vrienden naast elkaar naar de sneeuwbar.

Erik verscheen vanuit het niet en neuriede pesterig zijn zelfverzonnen liedje. Ineens bedacht ze dat ze niemand van Adams familie had gezien. De twijfels over hem bekropen haar toch weer.

„Je spullen," zei Erik grinnikend, die uitgekookt genoeg was om Adam een glas Glühwein voor hem te laten kopen. Mara ving haar tas op en zocht naar een kam om haar haar, dat onder de muts totaal uit model was geraakt, een beetje op te kammen. Ze praatte met Adam over allerlei nietszeggende dingen, maar ze besefte best dat zijn hoofd er zo vlak voor de wedstrijd niet echt bij was.

„Ben je er zo op gebrand die wedstrijd te winnen?" plaagde ze hem tenslotte met een vreemd soort wanhoop in haar hart. Stel je voor: hij zou haar hier straks achterlaten. Morgen gingen ze naar huis en ze zou hem nooit meer zien. Was het gek, verliefd op iemand te worden die je nauwelijks kende en voor wie je zelfs een beetje bang was? Het kon kennelijk, en ze werd nooit zo snel verliefd.

Mara vond het allemaal erg verwarrend.

Adam glimlachte raadselachtig. „Er zijn vandaag heel wat dingen die me bezighouden, Mara," zei hij toen.

Zie je wel, dacht ze. Weer die geheimzinnigheid. Of werd ze juist daarom zo tot hem aangetrokken?

„Wat dan?" vroeg ze langs haar neus weg, alsof het haar eigenlijk niet eens interesseerde.

„Krijg ik een kus als ik win?"

Ineens was hij de oude Adam. Haar hart sloeg een roffel.

„Natuurlijk," beloofde ze grif, en plagerig ging ze verder: „Er zijn zoveel goede skiërs hier dat ik dat rustig beloven kan."

„Wacht maar af." Hij knipoogde, en Mara dacht dat ze hem nooit, nooit meer vergeten zou.

Erik plaagde haar zo luidruchtig dat ze al snel zwichtte voor zijn chantage nog een glas met warme wijn voor hem te kopen. Haar moeder zou ongetwijfeld afkeurend haar hoofd schudden, maar zelf genoot ze van het losse gevoel dat de warme drank haar in de kou gaf. Ze wilde alle angst en bedenkingen vergeten. Ze wilde naar Adam kijken; nee, ze wilde niets liever dan dat hij de wedstrijd won. Wat was het spannend, zijn verrichtingen te volgen. Ze genoot zoals ze de hele week nog niet genoten had. De sneeuw, de zon, de wijn en de gezelligheid: o, dit was een dag met een gouden randje.

Nu lag hij op de tweede plaats. Zou hij… zou hij…? Hij maakte in ieder geval net de eerste tijd. Ze klapte het hardst van allemaal, maar het was slopend te moeten wachten op de laatste binnenko-mers. Nog steeds de eerste plaats; nog steeds. Daar kwam de laatste deelnemer; hij won! Ze juichte de longen uit haar lijf. Adam was onmiddellijk omzwermd door mensen die hem allemaal wilden feli-citeren. Zouden zijn vader en moeder daarbij zijn? Er was niemand op wie hij leek. Ze trok zich een beetje terug. Hij zou haar wel ver-geten zijn, met al die mensen. Ze zocht een plaatsje in de jagershut die het restaurant van het bungalowpark huisvestte en bestelde maar weer eens een bord erwtensoep. Net als een aantal dagen geleden, dacht ze triest.

„Wij schijnen wat met erwtensoep te hebben," klonk het vlak achter haar, en in rap Duits maakte hij de ober duidelijk niet één, maar twee borden te brengen. „Ik kom mijn overwinnaarsloon ophalen," fluisterde hij met de pretlichtjes in zijn ogen, die hem zo onweerstaanbaar maakten.

„Hier?"

„Natuurlijk," zei hij met een uitgestreken gezicht.

Ze boog zich naar hem toe en drukte haar lippen op de zijne.

„Gefeliciteerd," fluisterde ze, maar zijn ene arm lag al om haar hals en trok haar mond opnieuw tegen de zijne; een vol restaurant of niet. Mara sloot haar ogen en kuste hem enthousiast terug.

Het eerste wat ze weer gewaarwerd, was wat gegiechel, en dwars daar doorheen Eriks woorden: „Nou zus, zo kan het wel weer."

O, kleine broertjes! Nu lachte men openlijk en ze deed mee als de bekende boer die kiespijn heeft.

Adam leek van allemaal de grootste pret te hebben. Zelfs de ober, die met twee dampende borden erwtensoep geduldig naar de voorstelling had staan kijken, kon zijn gezicht niet in de plooi houden. Als ze gewoon thuis geweest was, zou ze van schaamte wel door de grond hebben kunnen zinken. Maar alla, je was met vakantie of je was het niet! De ober moest een speciale relatie met de bandrecorder hebben, want Abba's 'The winner takes it all' jubelde in haar oren en het hele restaurant lag dubbel van het lachen. Mara begon maar stoïcijns van haar soep te eten.

Die Glühwein moest verkeerd gevallen zijn; dat zou het wel zijn!

Ze praatten nog een poosje na, tot Adam ineens ernstig werd en vroeg: „Gaan jullie morgen al vroeg weg?"

„Ja, we willen om een uur of zeven wegrijden in de hoop de grootste drukte voor te kunnen blijven."

„Wij gaan vanavond al bijtijds rijden."

„O. Waarom zijn je ouders eigenlijk niet komen kijken? En je broer? Ik heb tenminste geen mensen gezien die op jou lijken."

„Die hadden andere dingen te doen. Ik heb al vaker gewonnen, zie je. Dan is het niet zo bijzonder meer."

De oude afweer was ineens terug in zijn stem; aan alles kon ze merken dat er iets was dat hij voor haar verborgen wilde houden. „Laat me je terugbrengen," stelde hij voor.

„Mijn broer doet straks mee met het alpine skiën."

„Wil je liever hier wachten?"

„Nee." Ze wilde met hem tussen al die mensen vandaan; even alleen zijn. Het zag ernaar uit dat ze de rest van haar leven op de herinnering van deze dag zou moeten teren.

Naast elkaar slenterden ze heel langzaam door het bijna verlaten bungalowpark.

„Jammer, dat skivakanties altijd maar zo kort duren," zei hij na een lange stilte. Hij hield haar tenslotte staande in de beschutting van een paar hoge dennen.

Ze keek ernstig naar hem op. „Ik was deze keer graag wat langer gebleven."

„Ik ook." Hij boog zich naar haar toe. Het leek alleen maar vanzelfsprekend. Ze lieten hun ski's in de sneeuw vallen en zijn armen gleden strak om haar heen. Zijn lippen vonden de hare in een lange, hartstochtelijke kus.

Pas na een hele tijd liet hij haar los. „Vaarwel, lieverd."

Voor ze het goed en wel besefte was hij tussen de bomen verdwenen. Vaarwel? Ze herinnerde zich niet eens zijn achternaam. En hij had nooit gevraagd waar ze woonde.

Mara wilde nog even alleen zijn. Ze ging slenterend het pad tussen de bomen op; van de huisjes weg. Ze moest nadenken. Ze had zich met hart en ziel aan deze omhelzing overgegeven. Ze hield van die man. En nu was hij weg; voor altijd weg. Tranen gleden over haar wangen; ze moest in haar tas naar een papieren zakdoekje zoeken.

Wat gek, haar tas was open. En in haar tas was het een rommel. Vreemd, ze was juist altijd zo netjes. Alles had een vast plaatsje; ook in haar tas. Haar rijbewijs zat altijd in het andere vak en ach, misschien had Erik alleen maar een grapje uit willen halen. Zo waren die jongens van zijn leeftijd nu eenmaal. Adam had toch niet in haar tas zitten neuzen, toen ze even naar het toilet gegaan was?

Hè, nu dacht ze alweer vreemde dingen van hem. Adam!

Ze snikte nog een paar keer. Dit was nu al de tweede keer deze week dat ze dacht in de zevende hemel te zijn, om dan weer met een harde klap in de werkelijkheid terug te vallen.

Die middag vuurde ze plichtmatig haar vader en haar broer aan bij hun wedstrijd. Erik won in zijn categorie zowaar de derde prijs, maar plezier had Mara niet meer.

Die avond was ze zelfs te rusteloos om binnen te blijven.

Nu reed hij weg, maalde het in haar gedachten, terwijl ze door de ijzige kou naar de oude boerderij liep waar het afscheidsfeest in volle gang zou zijn. Nee, het donkere pad nam ze niet. Dat durfde ze niet meer, hoewel ze tenslotte toch tot de conclusie was gekomen dat haar angstaanjagende ervaring verbeelding moest zijn geweest. Ze zou nu helemaal omlopen en op de verlichte grote weg blijven.

Adam! Steeds verder werden ze nu van elkaar verwijderd; voor altijd en altijd.

Ineens hoorde ze het weer. Verstijfd van schrik bleef Mara staan. „Adam?"

Ze werd vastgegrepen door diezelfde ijzige koude hand; dezelfde jagende adem streek over haar wang. Ze probeerde uit alle macht zich om te keren en hem aan te kijken, maar hij was sterk en hield haar tegen. Hij wilde beslist niet gezien worden, en dat was geen wonder. Wat bezielde hem toch, haar zo doodsbang te willen maken?

„Ik dacht dat je al weg was," fluisterde ze. De koude hand lag om haar nek en haar hart bonkte als een bezetene, maar de vingers knepen haar keel niet dicht, zoals de vorige keer. Ze hoefde deze keer niet om lucht te vechten.

„Laat me met rust," zei hij. En het was zonneklaar zijn stem; een vergissing was absoluut uitgesloten.

„Adam," zei ze snikkend, totaal in de war.

Toen was hij weg. Even plotseling als hij haar vastgegrepen had, was ze ook weer vrij.

Bibberend van de zenuwen keerde Mara om. Naar het feest wilde ze niet meer. Ze had nu immers absolute zekerheid? Zijn stem zou ze uit duizenden hebben herkend. Ze moest hem met rust laten? Nu, reken maar dat ze dat deed! Hoe had ze in vredesnaam zoveel verdriet om hem kunnen hebben? Adam was ziek; een andere verklaring was er eenvoudig niet voor. Hij was schizofreen of nog iets ergers. Misschien was hij werkelijk erg gevaarlijk. Dat kon toch? Ze was nog nooit in haar leven zo bang geweest. Het laatste stuk naar hun huisje holde ze. Eindelijk was ze binnen in de veilige warmte.

„Wat ben je snel terug," zei haar moeder verwonderd.

„Adam had zeker al een ander liefje opgeduikeld," treiterde Erik haar onbekommerd.

Mara snikte en vloog zonder antwoord te geven de trap op. Ze kroop in bed en kwam er niet meer uit. Maar slapen deed ze de hele nacht niet.

Terug in Nederland hernam het leven zijn gewone gang. Vijf dagen per week ging ze gewoon naar kantoor. Ze probeerde te doen als altijd, maar ze bleef zich gespannen voelen en was ook erg verdrietig. Zelf wist ze niet eens waar ze het nu het moeilijkst mee had: met het verdriet om haar liefde voor de ene Adam of met haar angst voor de andere. Maar wat treurde ze eigenlijk? Hij was uit haar leven verdwenen en ze zou hem nooit meer terugzien. En naar het Schwarzwald zou ze van haar leven niet meer teruggaan, vooral niet omdat ze wist dat hij er vaak heenging. En toch: soms bekroop haar de twijfel en stelde ze zich voor hoe hij zou reageren als ze volgend jaar ineens voor zijn neus zou staan.

In Nederland maakte de kwakkelwinter plaats voor het eerste aarzelende voorjaarszonnetje; krokussen bloeiden en narcissen staken hun kopjes boven de grond. Na een paar warme dagen bloeiden de krentenboompjes in bossen en plantsoenen met hun uitbundige witte bloesempracht in overvloed. Eenden hadden het druk met hun vrijerij en overal maakten de mensen zich op voor de komende zomer. Alleen in Mara's hart bleef alles donker en kil. Op kantoor begonnen ze haar te plagen. Erik was zoiets onbelangrijks als een vakantieliefde van zijn zus allang weer vergeten. Haar ouders hadden hun eigen besognes en op haar werk kreeg Mara ook al met zaken te maken die ze nooit had verwacht.

Het begon op een vrijdagmorgen in de eerste dagen van april. Mara werkte als secretaresse in een groot warenhuis in het hartje van Rotterdam. Op de bovenste verdieping lagen de kantoren van de directeuren en meestal had ze te maken met de directeur inkopen, maar soms met een andere als de werkzaamheden dat noodzakelijk maakten.

Haar eigen chef was een charmante kerel van begin veertig, wat kalend en niet meer zo slank, die nog altijd het idee had jong en geliefd bij de meisjes te zijn. Mara was altijd heel voorzichtig met hem omgesprongen en daardoor had ze nooit moeilijkheden met hem gehad. In tegenstelling tot andere, argelozere meisjes. En soms was er zelfs eentje die een snelle weg zocht om vooruit te komen in de wereld. Op deze vrijdag trof ze echter een ontredderde mijnheer Van der Baan aan; zijn pak gekreukt, zijn overhemd gevlekt en zijn schoenen in een kleur die totaal niet bij zijn kostuum paste. „U bent ziek," stelde ze hoofdschuddend vast.

„Nee, integendeel. Ga zitten, Mara. Ik heb al om koffie gebeld. Ik moet je iets vertellen."

Ze deed wat hij zei en ging zitten. Een meisje uit de kantine bracht een isoleerkan met een paar kopjes. Mara schonk koffie in voor de duidelijk nerveuze man. „Heeft u eigenlijk wel ontbeten, mijnheer?" vroeg ze als bij ingeving.

„Nee, eh, dat is erbij ingeschoten."

„Elly, breng nog even een broodje kaas en een broodje ham, als je wilt."

„Natuurlijk."

„Mijn vrouw is gisteravond weggegaan," zuchtte de arme man.

Aha, dacht Mara. Daarom zag hij er zo uit; zo ontredderd en sjofel. Nu ja, ze kende mijnheer Van der Baan.

Zijn vrouw had altijd een ruim begrip getoond. Of zou ze nu pas iets te weten zijn gekomen over haar mans escapades?

„Ze is toch niet gaan logeren bij haar moeder?" vroeg ze met een uitgestreken gezicht, voor ze een slokje koffie nam.

De oudere man keek haar verontwaardigd aan. „Inderdaad, naar haar moeder. Maar met de kinderen, en voorgoed."

„Het spijt me, mijnheer," mompelde Mara.

„Ik had nooit gedacht dat ze het werkelijk zou doen," klonk het zielig. „Als we ruzie hadden dreigde ze er weleens mee, maar dat deed ze al zo lang, dat ik er niet meer van onder de indruk was."

Hij streek met een zakdoek over zijn ogen en nipte van zijn koffie.

Mara nam het bord met de broodjes van Elly aan en zette dat voor haar chef neer. „U moet wat eten, dan voelt u zich beslist beter." Gedachteloos beet hij in een broodje. Tussen de happen door kwam met horten en stoten het verhaal naar buiten van de schuinsmarcheerder wiens vrouw jarenlang van alles door de vingers heeft gezien en het ineens voor gezien houdt.

„U moet proberen het uit te praten," raadde ze hem neutraal aan.

„Ik weet het niet meer, Mara; echt niet. Misschien is het zelfs wel beter zo. Er zal vast wel een vrouw op de wereld rondlopen die me wel begrijpt. Jij bent een lieve vrouw, Mara. Jij zou vast meer begrip hebben opgebracht."

„Hoe lang bent u al getrouwd, mijnheer?"

„Zestien jaar, lieve kind. Misschien was dat wel veel te lang."

„In ieder geval te lang om alles zomaar overboord te zetten. Wilt u nog koffie, mijnheer?"

„Graag, heel graag. Je had gelijk. Nu ik gegeten heb, voel ik me stukken beter. Je moet nu toch echt eens Chris tegen me gaan zeggen, vind je niet? Ik heb je dat al meermalen gevraagd."

„Het lijkt me toch beter alles bij het oude te laten."

Hij zuchtte overdreven, en meer dan ooit was Mara ervan overtuigd dat ze koste wat het kost wat afstand moest bewaren van deze ijdele man, die kennelijk nog steeds dacht dat hij voor de vrouwen onweerstaanbaar was.

„Toch blijf ik volhouden dat jij een heel bijzonder meisje bent, lief kind."

„Als u uw koffie op hebt, zou ik misschien de brieven op kunnen nemen," zei ze koel.

„Vanzelfsprekend." Eindelijk leek hij voldoende tot zichzelf te zijn gekomen om de draad weer op te pakken.

Toen ze drie kwartier later klaar was en ze naar haar eigen kamer wilde gaan om de brieven uit te werken en verzendklaar te maken, schraapte hij zijn keel. „O ja, Mara, wat moet jij met mijnheer Van Wijchen?"

Stomverbaasd keek ze hem aan. „Ik ken helemaal geen mijnheer Van Wijchen."

„Kom nou. Waarom doet hij anders navraag naar je?"

„Ik zou het echt niet weten."

„Heeft hij je soms een baan aangeboden?"

„Nee, mijnheer. U spreekt in raadsels, geloof me."

„Houd me niet voor de gek, meisje. Daar ken ik de vrouwtjes te goed voor."

Precies, brandde het op het puntje van haar tong. Daarom zit uw vrouw nu bij haar moeder. „Dan kent u mij toch bijzonder slecht, mijnheer Van der Baan. Wat is die mijnheer Van Wijchen dan wel voor iemand?"

„Een jonge en dynamische vent die in hoog tempo een tiental sportzaken heeft opgebouwd. Ik ontmoet hem weleens op beurzen. Hij belde me gistermiddag op en vroeg duidelijk naar gegevens over Mara Vogelaar. Ik vergis me beslist niet. Adam van Wijchen verspilt zijn tijd heus niet aan onbenulligheden."

Mara had een gevoel alsof de grond onder haar begon te deinen. „Als u het zegt, zal het best zo zijn, mijnheer," bracht ze er met strakke lippen nog uit, voor ze het kantoor uitvluchtte.

Adam! Hoe was het in vredesnaam mogelijk? Adam een jong en succesvol zakenman? Waarom ging hij dan braafjes met pa en ma mee naar het Schwarzwald? Raadsels; almaar raadsels. Maar hij wist nu waar ze werkte!

Hij had op de een of andere manier uitgevonden waar ze woonde. Moest ze nu blij zijn? Of bang? Die nacht deed ze opnieuw nauwelijks een oog dicht.

Het duurde nog een volle week. De eerste dagen was ze bang en onrustig en verwachtte ze half en half Adam ineens ergens voor zich te zien opduiken. Daarna begon ze te denken dat ze zich vergist moest hebben. Hij liet niets meer van zich horen en zelfs mijnheer Van der Baan besteedde er geen enkele aandacht meer aan. Zijn vrouw was nog steeds niet in de echtelijke woning teruggekeerd en hij deed een paar maal een poging een afspraakje met haar te maken.

Het werd opnieuw vrijdag en het werd een razend drukke dag.

Zo'n dag die nu en dan voorkwam. Iemand had een paar blunders begaan op de computer, er waren gegevens zoek en van sommige orders leek niets meer te kloppen. „Dat wordt overwerken, Mara," zei haar chef 's middags om vier uur glunderend.

„Als het nodig is, natuurlijk mijnheer," zei ze strak. Ze zou vanzelfsprekend haar plicht doen, want ze was best in haar schik met haar baan. Ze zou evenwel maar wat blij zijn als mevrouw Van der Baan haar niet erg berouwvolle echtgenoot weer in de armen zou sluiten om hem voor de zoveelste keer zijn streken te vergeven.

„Misschien wil je nu eerst even naar de sportafdeling gaan om te kijken of die golfsets wel of niet zijn binnengekomen. Ik word er gek van. Computers zijn een zegen, tenminste zolang er niets misgaat."

„Ik ga meteen even kijken." Ze vond het altijd heerlijk door het gezellig drukke warenhuis te lopen. Het was een grote zaak, een van de grootste van de stad, en ze verkochten een uitstekende kwaliteit spullen. Mara haastte zich niet, al wachtte haar boven nog meer dan genoeg werk. Er waren veel mensen in de zaak en veel kantoren sloten op vrijdagmiddag al vroeg hun deuren. En dan bleven de mensen vaak nog een paar uurtjes gezellig in de stad hangen. Ze genoot ervan naar hen te kijken.

Ze was juist op weg van de tweede verdieping naar de eerste, op een volgepakte roltrap, toen ze zijn blik ving. Het was alsof haar hart stilstond. Net als de eerste keer toen ze zo onbekommerd van haar erwtensoep had genoten, staarden die mooie maar geheimzinnige ogen haar strak aan. Ze wist dat hij de schrik op haar gezicht had gezien, want hij fronste zijn wenkbrauwen en keerde zich om. De andere roltrap, waarop Adam stond, voerde hem omhoog, terwijl zij onherroepelijk een verdieping lager uitkwam. Wat moest ze doen? Op hem wachten? Ben je mal, Mara? dacht ze bij zichzelf. Die kerel mag dan nog zo charmant zijn, maar hij is een engerd. Hij is ziek; dat kan niet anders. „Laat me met rust," waren immers de laatste woorden die ze uit zijn mond had gehoord? Ze was toch niet op haar achterhoofd gevallen?

Ineens was al de angst weer naar boven gekomen die ze de laatste weken zo dapper had geprobeerd weg te stoppen. Ze begon hevig te transpireren. Ze moest hier weg. Stel je voor, dat hij haar hier kwam zoeken. Ze voelde opnieuw de ijskoude vingers die haar hals zo ver hadden dichtgeknepen dat ze naar adem had moeten snakken, alsof het nog maar net gebeurd was. Ze herinnerde zich het angstige gevecht voor haar leven in de inktzwarte bossen. Paniek greep haar nu pas werkelijk bij de keel en blindelings vluchtte Mara over de damesafdeling een paskamer in. Bliksemsnel trok ze het gordijntje dicht om daarna heel voorzichtig om een hoekje te gluren. Ze kon de roltrap nog net zien. Ja, daar stond hij om zich heen te kijken. Dat had ze immers al aan zien komen?

Adam keek zoekend in het rond. Haar hart bonkte in haar borst, haar handen waren klam geworden en haar knieën trilden van angst. Hij was een stukje van de roltrap vandaan gelopen, haar richting uit. Ze durfde nauwelijks nog adem te halen uit angst zich te verraden. Nu moest ze uitkijken. Kennelijk waren alle paskamers inmiddels bezet. Er stonden mensen voor haar hokje te wachten. Zijn blikken gleden echter verder de zaak door.

Mara slaakte een diepe zucht, maar haar opluchting duurde maar heel kort. Hij zocht haar; dat was duidelijk.

Wat moest ze nu doen? Gewoon naar hem toe gaan? Wat kon haar hier eigenlijk gebeuren te midden van al die mensen en midden in een fel verlichte zaak? Wat Adam ook te verbergen had, hier zou hij haar geen kwaad kunnen doen. Het was overduidelijk dat hij niet snapte waar ze zo onverwacht gebleven was. Nu gleed zijn blik opnieuw over de afdeling haar richting uit; haar adem stokte. Natuurlijk: ze wist dat hij haar niet kon zien in haar schuilplaats, maar desalniettemin moest ze haar lippen op elkaar klemmen om geen kreet te slaken. Gelukkig, zijn ogen dwaalden weer verder. Ze had hem daar wel meer dan vijf minuten zien staan, voor hij eindelijk weer verder liep; ze kon niet zien waarheen.

Omdat een paar wachtende dames begonnen te morren en door het gordijntje heen vroegen of ze nu nog niet klaar was met passen, kwam ze voorzichtig weer te voorschijn.

„Gaat uw gang, dames," zei ze, alsof het de gewoonste zaak van de wereld was uit een paskamer te komen zonder kleren bij je te hebben. Ze zag hoe twee hoofden al bij elkaar gestoken werden. Die dachten zeker dat ze de zaak uit wilde wandelen met een extraatje onder haar eigen kleren! Als ze niet had lopen te beven van angst, had ze erom kunnen glimlachen.

Aarzelend liep ze door. Wat moest ze nu doen? Doorgaan naar de sportafdeling in de kelder, nog twee roltrappen af? De personeelslift nemen? Ja, dat zou nog het veiligst zijn. Lieve hemel, haar knieën trilden alsof ze van pudding waren. De afstand naar de lift leek eindeloos en ze keek tot drie keer toe angstig over haar schouders, maar hij was nergens meer te zien. Wat was ze bang voor hem! Voor dezelfde man die haar zo hartstochtelijk en teder had gekust en naar wiens omarming ze nog terug kon verlangen, als haar gezonde verstand haar voor even in de steek liet. In de personeelslift was ze weliswaar veilig, maar nu moest ze bijna het hele souterrain doorlopen om bij de sportafdeling te komen. Als ze haar zenuwen nu maar wat beter de baas kon worden! Waarom lukte dat niet? Wat kon Adam haar hier doen in een overvolle zaak?

Eindelijk was ze waar ze moest zijn. Gejaagd informeerde ze bij de eerste verkoper. Die nam er alle tijd voor een en ander na te kijken. Mara wierp doorlopend speurende blikken om zich heen. Tweemaal dacht ze dat ze hem zag, maar beide keren was het een andere lange, donkere man. „Nee juffrouw, de levering heeft nog niet plaatsgevonden."

„Dank u." Ze maakte als een haas dat ze wegkwam.

En ineens stond hij voor haar. Mara schrok zich een ongeluk.

„Wat moet dit in vredesnaam voorstellen?" brieste hij en zijn bruine ogen vlamden zoals ze dat nog niet eerder had gezien. Een kreet van angst ontsnapte aan haar lippen, haar ogen werden groot van schrik en paniek maakte zich van haar meester. Ze rukte zich los van de hand die haar arm wilde grijpen en rende met ongehoorde haast, tussen de winkelende mensenmassa door, de dichtst bij zijnde roltrap op. Ze wrong zich onbeschaamd door de stilstaande mensen heen, terwijl ze de roltrap oprende. Omkijken om te zien of hij haar achterna zou komen, durfde ze niet. Mensen mopperden of maakten verontwaardigde opmerkingen, maar Mara stoorde zich nergens aan. Op de parterre gekomen aarzelde ze even. Hij zou denken dat ze naar boven ging, dus kon ze het beste weer naar beneden gaan.

Ze rende naar de andere roltrap en worstelde zich weer door de mensen heen. Beneden merkte ze dat haar gezicht drijfnat was. Ze hijgde als een pakpaard, maar durfde niet stil te blijven staan. Wat nu? Ze keek schichtig om en haar hart leek opnieuw stil te staan.

Adam kwam ook terug naar het souterrain. Opnieuw haastte ze zich over de roltrap naar boven. Nu vluchtte ze op de parterre de coffeeshop in en verstopte zich op het damestoilet.

Hijgend en wel wachtte ze een volle vijf minuten. Eindelijk ging haar ademhaling wat rustiger; de ergste paniek ebde een beetje weg. Ze bette haar verhitte gezicht met koel water uit het fonteintje en liet het verfrissende water eveneens over haar handen en onderarmen stromen.

Langzamerhand werd ze rustiger. Natuurlijk kon ze niet een eeuwigheid op het toilet blijven. Ze moest weer naar boven. Mijnheer Van der Baan zou zich toch al afvragen waar ze in vredesnaam bleef!

Opnieuw bibberde ze als een juffershondje. Nee, hij was nergens te zien. De afstand naar de veilige personeelslift leek eindeloos: langs de sjaals, de bijous en de herenpullovers. Daar was de lift. Als ze hem nu maar niet meer hoefde te zien!

„Mara." Ze begon opnieuw te rennen, blindelings de drukke zaak door. Een beveiligingsbeambte kwam haar richting uit.

Hijgend kwam ze bij de personeelslift. Gelukkig, hij was niet in gebruik. „Het is al goed," zei ze tegen de geüniformeerde man. „Er is niets aan de hand."

Toen sloten de veilige deuren zich. Door de smaller wordende kier zag ze Adam aankomen. Zijn gezicht leek wel een donderwolk.

Totaal uitgeput leunde ze tegen de achterwand van de liftcabine. Het was voorbij. Ze was veilig. Eindelijk! Tranen van opluchting stroomden over haar wangen. Ontredderd strompelde ze haar kantoortje in.

„Mara, wat is er aan de hand?"

Nee, rust kreeg ze nog niet. Chris van der Baan boog zich bezorgd en allesbehalve vaderlijk over haar heen. Ze snikte het nu uit. „Ik... kunt u zorgen dat ik een kop koffie krijg?"

„Maar natuurlijk."

Hij haastte zich gedienstig naar de telefoon, sleepte haar mee zijn eigen kantoor in waar ze wat beter beschermd was tegen nieuwsgierige blikken dan in haar eigen kamertje met de glazen wand naar de gang, bood haar een papieren zakdoekje aan en benutte de geboden kans direct om haar in zijn armen te nemen. Ze was zo van streek dat ze tegen zijn schouder uithuilde.

Elly kuchte in de deuropening. „De koffie, mijnheer."

„Ah, zet maar neer." Hij knikte ongeduldig en streek met genoegen door Mara's golvende blonde haardos.

Eindelijk werd ze rustiger. En zodra het tot haar door begon te dringen in wat voor een situatie ze zich bevond, trok ze zich schichtig terug. „De koffie," zei ze met bevende stem. Het warme vocht deed haar goed, zeker nu haar chef uit een kastje een fles cognac te voorschijn toverde en een scheutje in haar kopje deed.

„Schrik maar niet, je zult je er beslist beter door voelen." Ze was te zeer van streek om te protesteren.

„Wat is er nu precies gebeurd?" wilde hij onvermijdelijk weten. „Ben je lastiggevallen?"

„Nee, iemand die ik liever niet meer zien wil, scheen vastbesloten mij wel te willen spreken. Dat is alles. Ik ben bang dat ik een beetje overdreven gereageerd heb. Het gaat al een stuk beter."

Ze snoot resoluut haar neus, schraapte haar keel en nam het laatste slokje koffie. „De levering heeft inderdaad nog niet plaatsgevonden," ging ze toen weer over tot de orde van de dag.

„Als ik het niet dacht," mompelde haar chef en pakte de telefoon op. „Dat zal ik dan meteen even recht gaan zetten."

Mara ontvluchtte het kantoort en viste in haar eigen kamer haar poederdoos en lippenstift uit haar tas, om haar geschonden uiterlijk weer wat op te kalefateren.

Ze at met Chris in de personeelskantine. Hij toonde zich werkelijk van zijn allerbeste zijde, maakte voor een keer eens geen dubbelzinnige opmerkingen en raakte haar niet onnodig aan. Ze was er dankbaar voor.

Om halfnegen waren de gevolgen van de problemen met de computer eindelijk opgelost. „Je bent een fantastische meid, Mara," prees haar chef, terwijl ze haar jas aantrok.

„Ondanks je problemen heb je je werk uitstekend gedaan. Mijn complimenten, hoor."

„Dank u wel."

„Gaan we nog wat drinken?" Het bloed kroop natuurlijk toch waar het niet gaan kon.

„Liever niet. Ik heb hoofdpijn en wil eigenlijk op tijd naar bed." Even later liep ze door de personeelsingang naar buiten.

In de nog gezellig drukke stad begon juist de schemering te vallen. Het was maar een klein eindje lopen naar het metrostation.

„Nu zul je me niet ontlopen," klonk het onverwacht, en met harde hand werd Mara vastgegrepen. Deze keer was er werkelijk geen ontsnappen aan.

„Adam, dit is echt niet leuk meer." Ze hield zich veel flinker dan ze zich voelde.

„Wat bedoel je?" vroeg hij met opeengeklemde kaken.

Zijn hand lag als een stalen band om haar arm. „Waar wil je heen?"

„Naar huis."

„Straks. Eerst moeten we eens een hartig woordje praten: jij en ik. Daar heb ik wel recht op, zou ik denken. Dus zeg maar waar we heengaan. Ik ken de stad niet zo goed."

Ze wees hem een gelegenheid die goed verlicht en tjokvol mensen was, vlakbij de Coolsingel. Ze hoefden niet ver te lopen en straks zou ze zo de metro in kunnen schieten.

Ze huiverde in de kille voorjaarslucht. Vanmorgen had het zonnetje geschenen en was het lekker geweest, maar nu zag de lucht er grauw en dreigend uit en het voelde aan alsof het zou gaan sneeuwen. April doet wat hij wil.

Met een hoofd vol onbenullige gedachten om maar aan niets anders te hoeven denken, liep ze met Adam door de schemerige straat.

Er was, wonder boven wonder, nog een tafeltje vrij. Hij bestelde koffie en zijn ogen stonden hard. „Ziezo, en nu eis ik een verklaring. Je deed alsof ik een ontsnapte gevaarlijke misdadiger ben!"

Misschien ben je dat ook wel, dacht ze bitter. Ze wist immers niets van hem? Niet eens hoe hij heette! „Heet jij soms Van Wijchen met je achternaam?" vroeg ze daarom plompverloren.

„Jawel, hoezo?"

„Omdat mijn chef zich afvroeg wat ene mijnheer Van Wijchen van me wilde en ik eerst niet wist wie dat zou kunnen zijn."

„Dat was ik. Maar dat doet er niet toe. Ik wil weten wat er vanmiddag aan de hand was."

„Dat doet er niet toe, Adam. Geloof me."

„En of het ertoe doet." Zijn gezicht stond op onweer. „Je kunt er net zo lang omheen draaien als je wilt, ik laat je echt niet gaan voor ik precies weet hoe de vork in de steel zit."

Ze geloofde hem onvoorwaardelijk. „Nou, eh," hakkelde ze. Ja, wat moest ze hem eigenlijk zeggen? „Je hebt zelf gezegd dat ik je met rust moest laten," herinnerde ze zich zijn laatste woorden opnieuw.

„Wat bedoel je daar nu weer mee?"

„Houd je alsjeblieft niet van den domme! Keer op keer jaag je me de stuipen op het lijf en krijg ik de doodschrik van je. Denk je nu echt dat ik me van dat enge gedoe niets aantrek?"

„Verklaar je nader, Mara. Ik sta erop." Zijn gezicht leek uit steen gehouwen, maar zijn ogen erin vlamden als duistere, vurige poelen. Hij leek een vulkaan die op uitbarsten stond. Ze begon opnieuw te beven. Ook nu was ze bang voor hem, maar nu niet vanwege die akelige, ongrijpbare kant van hem. Nu was ze eerder bang voor wat ze kennelijk bij hem ontketende. Hij was woedend. Dat kon een kind zien. „Ik heb veel meegemaakt in mijn leven, maar dat meisjes in pure paniek het grootste warenhuis in de stad op stelten zetten, zodat ik de beveiligingsmensen achter mijn broek kreeg en slechts met de grootste moeite kon voorkomen dat ik vastgehouden werd, alleen omdat ik je wilde spreken, slaat werkelijk al mijn vroegere ervaringen! Geloof me! Dus draai er maar niet omheen, Mara. Ik heb aardig wat mensenkennis, dus ik zou het direct doorzien. Alleen wat jouw motieven betreft om me zo voor schut te zetten, tast ik volkomen in het duister."

Nu de winkels sloten werd het bomvol in de gezellige gelegenheid, maar al die mensen begonnen Mara, zenuwachtig als ze was, te irriteren. Toch durfde ze niet naar buiten te gaan om met Adam door de donker geworden straten te lopen. Ze trok met haar mond en plukte met haar vingers een servetje kapot. Van de appeltaart die Adam besteld had, had ze nog geen hap genomen. Ze had het idee dat ze erin stikken zou. Ze roerde in haar koffiekopje, nam een slokje, zette het kopje weer neer, staarde wanhopig door het raam naar buiten en pijnigde haar hersens om een aannemelijke smoes te bedenken zodat ze hem toch met een kluitje in het riet kon sturen.

„Probeer het maar niet," zei hij ijzig, alsof hij haar gedachten lezen kon.

Zie je wel, wat een griezelige vent hij eigenlijk was!

Uiteindelijk besefte ze, dat er gewoon niets anders op zat.

Als ze niet tot Sint-juttemis met hem opgescheept wilde zitten, kon ze maar het beste eerlijk zijn. Resoluut dronk ze haar kopje leeg.

„Wil je er nog een?"

„Graag."

Hij wenkte de ober, terwijl Mara een paar maal diep ademhaalde. Voor het eerst voelde ze enige nieuwsgierigheid naar boven komen. Hoe zou hij zich eruit redden?

Hij had haar keer op keer doodsbang gemaakt en tegelijkertijd was ze verliefd op hem geworden. Het was werkelijk te gek om los te lopen. Ze zuchtte nogmaals, terwijl ze een nieuw kopje dampende koffie voorgezet kreeg.

„Nu goed dan. Maar val me niet in de rede. Ik zal bij het begin beginnen."

Ineens rolden de woorden aan de lopende band over haar lippen. Ze vertelde hem opnieuw dat ze dacht dat hij haar wilde wurgen, ze hem herkend had en zich later had voorgehouden dat ze zich toch vergist moest hebben. En ook van de keer dat ze zekerheid had gekregen op die laatste avond in het Schwarzwald, toen ze dacht dat hij al onderweg naar Nederland was, maar hij haar opnieuw hardhandig vastgegrepen had en had gezegd dat ze hem met rust moest laten.

Hij zweeg de hele tijd en ze kon op geen stukken na inschatten wat er in hem omging. Zijn gezicht leek wel een masker. Had hij spijt?

Zou hij smoesjes verzinnen om zich eruit te praten? Zou hij zelf weten dat hij ziek was, geestesziek? Wisten schizofrene mensen dat van zichzelf?

Misschien wist de ene persoonlijkheid niet wat de andere in hetzelfde lichaam deed? Wat wist ze van die dingen af, niets immers? „Wat denk je er zelf van?" vroeg hij vlak, toen ze eindelijk was uitgepraat.

„Weer vragen," beschuldigde ze hem fel. Nu ze haar angst had uitgesproken, was ze ineens niet langer bang meer.

Ze voelde op dat moment zelfs medelijden met hem. Ze zag hoe er pijn in zijn ogen kwam en ineens zou ze niets liever willen doen dan hem troosten en hem een beetje liefkozen. Ze was gek!

„Ik denk dat ik weet wat er precies gebeurd is," begon hij toen. „Maar ik kan er niet over praten. Je moet me geloven als ik zeg dat ik geen schuld heb aan die angstaanjagende gebeurtenissen, Mara. Beloof me dat."

Wist hij het niet, of wilde hij het niet toegeven? „Ben je schizofreen?" vroeg ze met stijve lippen, maar haar ogen volgden elke kleine spiertrekking op zijn gezicht. Nu gleed er verbazing over, stelde ze vast. Hij scheen volkomen oprecht. „Je weet wel: dat zijn mensen met twee of zelfs meer persoonlijkheden in één lichaam."

Eindelijk vonkte er iets in zijn ogen. Omdat ze hem in hun korte maar heftige ontmoetingen tamelijk goed had leren kennen, wist ze zeker dat hij even, heel even, moeite had zijn lachen in te houden.

„Nee, ik ben niet geestesziek of iets dergelijks."

„Maar hoe moet ik het dan allemaal verklaren? Wat er is gebeurd, bestaat echt niet alleen in mijn verbeelding, hoor."

„Dat zeg ik ook niet. Ik wil je iets vragen, kindje. Vertrouw me, alsjeblieft."

„Dan vraag je te veel."

„Nee. Je kent me toch? Ik speel geen lugubere spelletjes met je, Mara. Er is een heel plausibele verklaring voor de dingen die je overkomen zijn. Ik kan er alleen niet met je over praten, maar als je me een kans geeft, komt er een dag dat je het begrijpen zult. Geef me die kans."

„Ik weet het niet."

„Wil je morgen met me uitgaan?"

„Waarheen?"

„Dat blijft een verrassing. Ik wil je ergens mee naartoe nemen."

Zijn ogen leken nu net van die donkerbruine trouwe hondenogen. Ze smeekten haar om iets, ze vroegen vertrouwen, en juist dat kon ze niet geven. Ze was te veel van streek door alle geheimzinnige gebeurtenissen die onherroepelijk aan een ontmoeting met hem vastzaten. Ze wilde morgen niet nog eens doodsbang gemaakt worden.

„Het spijt me," fluisterde ze met een doffe stem, en ineens zou ze graag willen huilen. Ze wist zelf niet goed waarom. „Goed dan." Hij strekte zijn rug en alle gevoel verdween uit zijn gezicht. De smekende uitdrukking maakte plaats voor een bikkelharde. „Het is jammer dat onze kennismaking zo moet eindigen, Mara."

Hij stond op en stak haar zijn hand toe.

Ze legde de hare erin om voorgoed afscheid te nemen, maar haar hart zei haar dat ze maar één ding zou willen: diep in zijn armen wegkruipen om net als vroeger de warmte van zijn omhelzing te ondergaan. Toch fluisterden haar lippen nietszeggende afscheidswoorden en droegen haar benen haar de zaak uit, de donkere straat door naar het metrostation. Als een houten pop wandelde ze zijn leven uit.

Het gevoel dat ze een verkeerde keuze gemaakt had, werd almaar sterker. Die hele zaterdag had ze er spijt van dat ze Adam het gevraagde vertrouwen niet had kunnen schenken. Wat zou er toch zijn? Hoe kon er een plausibele verklaring zijn voor de dingen die waren gebeurd, zoals hij beweerde? Nee, het was onmogelijk. Hij moest geestesziek zijn. Hij wist zelf niet meer wat hij had gedaan; een andere verklaring kon er niet zijn.

De zondag kroop tergend langzaam voorbij en 's maandags ging ze geradbraakt van al het piekeren naar kantoor. Naarmate de dagen verstreken voelde ze zich echter niet beter. Het gevoel dat ze iets verspeeld had dat mooi en vol belofte had kunnen zijn, kon ze maar niet van zich afzetten.

Chris van der Baan moest haar onevenwichtigheid opgemerkt

hebben, want hij begon opnieuw avances te maken bij haar en vergat en passant te vermelden dat zijn vrouw hem voor de zoveelste maal vergevensgezind in de armen gesloten had. Zijn berouwvolle spijt vergat hij even gemakkelijk als het ellendige gevoel dat hem gekweld had toen ze haar dreigement weg te zullen lopen eindelijk uitgevoerd had. Ze was weer terug en nu kon het leven zijn gewone loop hernemen. Voor hem was meisjes veroveren een soort instinct. Hij dacht ze allemaal te kunnen krijgen. Alleen om die ene die het waard was, omdat ze zoveel van hem hield dat ze dit alles vergeven kon, bekommerde hij zich niet. „Mara, het is de laatste weken helemaal mis met je," zei hij midden in de week, toen hij er genoeg van kreeg Mara zo stil en witjes haar gang te zien gaan. Hij wilde met haar schertsen en gewaagde grapjes maken; al die dingen die zo spannend waren tussen een man en een vrouw. „Kun je mij niet vertellen wat je dwarszit? Misschien kan ik je helpen en troosten," bood hij grootmoedig aan.

Ja, ja, ik weet precies hoe, dacht ze schamper. „Nee, dank u. Ik kom er zelf wel uit, maar daar heb ik wat tijd voor nodig."

„Je ziet er anders verschrikkelijk uit."

„Dank u," zei ze opnieuw, sarcastisch nu.

„Zo bedoel ik het niet. Je bent ziek, of je moet maar eens even naar beneden om wat nieuwe make-up-spulletjes aan te schaffen."

„Ik ben niet ziek, en mijn make-up is in orde. Nu zou ik graag verdergaan met mijn werk."

„Zet je stekels maar overeind, hoor." Hij griste zijn colbertje van de stoelleuning. „De rest van de dag ben ik in bespreking."

Ze was blij dat hij weg was, en als een bezetene stortte ze zich op haar werk. Werken bood nog altijd de beste afleiding als je met jezelf in de knoop zat. Natuurlijk had hij gelijk dat ze er slecht uitzag. Thuis hadden ze dat ook al lang en breed gezien. Maar ze hadden zoveel respect voor haar verdriet dat ze haar ongemoeid lieten, tot ze er op een keer uit zichzelf over zou beginnen.

's Nachts sliep ze slecht. Keer op keer werd ze wakker om met pijn in haar hart aan Adam te denken, en ze herinnerde zich zijn vurige omhelzing op de laatste dag van de vakantie nu beter dan die angstaanjagende momenten in het duister dat hij haar belaagd had.

125

Zuchtend ging ze die middag om drie uur naar de kantine om een kopje thee te drinken. Ze kon het op haar gemak doen. Door al dat verbeten doorwerken was ze bijna klaar met haar werk en mijnheer Van der Baan zat in bespreking. Die zou niet meer met nieuwe dingen op de proppen komen.

Elly kwam haar storen, toen ze haar kopje nog maar half leeg had. „Je chef belde om te zeggen dat je onmiddellijk naar zijn kantoor moet komen."

„Jammer. Hij zei nog wel dat hij de rest van de dag in bespreking zou blijven."

„Ik snap niet hoe je het volhoudt voor die engerd te werken."

„Och, het is een kwestie van afstand houden; letterlijk en figuurlijk."

De beide meisjes grinnikten en Mara ging terug naar het kantoor, zette het verse kopje thee dat Elly haar op de valreep nog in de handen had gedrukt op haar eigen bureau en liep toen door naar de kamer van haar chef om te horen wat er was.

De deur stond open. Ze liep naar binnen omdat hij wel achter zijn bureau zou zitten. Waar was hij nu? Er was niemand te zien.

De deur viel achter haar dicht met een scherpe klik. Haar hart bonkte en bliksemsnel keerde ze zich om. Speelde haar chef soms een nieuw spelletje, omdat al zijn strooplikkerij bij haar niet tot het door hem gewenste resultaat leidde?

Maar het was mijnheer Van der Baan niet! Het was Adam, die met gekruiste armen tegen de deur leunde en daarmee de enige mogelijkheid tot ontsnapping blokkeerde.

„Hallo, Mara."

Ze beefde over haar hele lichaam. „Jij bent wel de laatste die ik hier verwachtte." Ze greep zich vast aan het bureau om een beetje steun te hebben. „Ik had niet gedacht je nog eens terug te zien," ging ze hakkelend verder.

„Dat is duidelijk. Je staat weer te beven als een rietje voor die enge kerel, niet?" vroeg hij hatelijk.

„Nee Adam, ik dacht... ik heb er spijt van, van zaterdag. Ik had je moeten vertrouwen en mee moeten gaan."

„Je liegt. Als ik de deur niet gebarricadeerd hield met mijn eigen lichaam, ging je er als een speer vandoor. Wat had je nu voor achtervolging in gedachten, Mara? Over de tafeltjes van de personeelskantine tot verstoppertje spelen onder het bureau van de presidentdirecteur himself?"

„Doe niet zo belachelijk."

„O, jou acht ik tot alles in staat."

„Laten we ophouden met bekvechten. Wat kwam je eigenlijk doen, Adam? Kwam je voor mij of misschien voor mijn baas?"

„Bij je baas heb ik niets te zoeken, dus blijf jij over. De chef was veilig onderdak, had een aardig meisje aan het begin van de gang me toegefluisterd, en jij was theedrinken. Dus heb ik mijn stem verdraaid en de kantine gebeld, blij met een gouden kans alles eens in alle rust uit te praten. Na vrijdagavond heb ik er almaar over lopen piekeren dat je misschien toch wel een reden had om zo bang te zijn, en je was te veel van streek door je weerzien met mij om een redelijke beslissing te kunnen nemen. Dus besloot ik een nieuwe kans te wagen, maar zo te zien is het er nog niet veel beter op geworden."

„Je vergist je." Mara vermande zich en liet het bureau los.

Ze liep naar hem toe. „Ik heb er spijt van. Als je wilt, kom ik op mijn woorden terug."

„Waarom kom je op me af? Heb je besloten maar meteen uit te vinden of ik nu een gevaarlijke misdadiger ben of zomaar een kerel met een vreemde hersenkronkel?"

„Adam, maak het alsjeblieft niet erger met al die woorden die zo'n pijn doen."

„Als je eens wist hoeveel pijn jouw woorden mij hebben gedaan vorige week."

„Dat spijt me dan."

„Echt waar?"

„Ja." Het beven hield op.

Adam kwam eindelijk van de deur vandaan en liep naar haar toe. Vlak voor haar bleef hij staan. „Nou, Mara? Geef je me een mep of een kus?"

„Waarom vraag je niet of ik soms liever gillend weg wil lopen?"

„Hè, hè, eindelijk heb je je humeur teruggevonden! Laten we het maar op de kus houden."

Ze raakte met haar lippen lichtjes de zijne aan.

„Is dat alles?" plaagde hij duidelijk opgelucht, zodat ze zelf ook wel een gat in de lucht wilde springen.

„Voorlopig wel," zei ze glimlachend.

„Vooruit dan maar. Weet je wat je nu gaat doen?"

„Geen idee."

„Een briefje schrijven met de boodschap dat je met hoofdpijn naar huis bent gegaan."

„Mijn moeder heeft me altijd geleerd dat ik niet mag liegen."

„In liefde en oorlog is alles geoorloofd, en wat ons betreft schijnen we met allebei te maken te hebben. Ik wacht nog precies vijf minuten. Als je dan niet klaar bent, ontvoer ik je."

Ze had sterk het idee dat hij het meende, maar gek genoeg was ze ineens niet langer bang voor hem.

In de parkeergarage leidde hij haar naar een luxueuze zilvergrijze wagen. „Nou, nou. Je doet het niet slecht," plaagde ze hem.

„O, het maakt indruk op de klanten. Dat is goed voor de business. Kom, stap in." Ze vroeg niet waar ze heengingen en hij vertelde het niet.

Haar angst was weg en kwam niet terug, zelfs niet toen hij met haar de stad uitreed, de snelweg op, en haar kilometers ver meevoerde. Hij reed de afslag naar Den Haag op naar een mooie wijk, waarin met veel groen omgeven huizen stonden, en die niet zo ver van het Noordzeestrand was.

Voor een huis uit de jaren dertig, omgeven door een royale tuin die door een schutting bijna aan het oog onttrokken werd, stopte hij.

„Het hol van de leeuw, Mara."

„Is de leeuw gevaarlijk?"

„Jij was het toch die concludeerde dat ik gevaarlijk was?"

„En ben je dat, Adam?" Haar scherts kreeg een heel ernstige ondertoon.

„Nee, ik niet."

„Dan geloof ik je," zei ze plechtig.

„Zo is het goed. Kom mee en je zult begrijpen wat er is gebeurd, Mara."

„Het klinkt zo ernstig."

„Dat ben ik ook. Ik moet nu een van de moeilijkste dingen van mijn leven doen."

„Ik begrijp het niet."

„Dat komt nog wel. Kom maar mee."

Hij vatte haar bij de hand en trok haar mee, na het hek weer gesloten te hebben. Het huis oogde vriendelijk en binnen wachtte haar de verklaring van al dat geheimzinnige dat haar was overkomen, besefte ze. Ze werd nu toch weer een beetje bang, al was het dan niet meer voor Adam.

Er zaten twee mensen in de kamer. Hij leek op zijn vader, zag ze direct. Hij stelde haar voor als zijn vriendin. Ze voelde zich vreemd aangedaan. „Dit is het meisje uit het Schwarzwald," zei hij, alsof dat alles verklaarde. Dat deed het misschien ook, al snapte zij er niets van. „Ik neem haar mee naar boven."

„Nee," smeekte zijn moeder.

Onzeker keek Mara van de een naar de ander.

„Ik hou van haar, ma. Ze moet het weten."

Voor er nieuwe protesten konden komen trok Adam haar mee, de trap op. Hij opende de deur van een grote, lichte kamer. Er zat een gestalte in een stoel die wezenloos naar buiten staarde.

„Maar…" Mara staarde van de een naar de ander.

„Dit is Rob, mijn tweelingbroer."

„O, Adam." Ze werd helemaal slap.

Rob keerde zich om en zijn ogen boorden zich vol haat in die van Mara. Hij wilde overeind komen, maar Adam drukte hem krachtig terug in zijn stoel. „Alles is in orde, hoor. Ze is lief."

Toen sloot hij de deur weer achter zich en nam haar mee naar een andere kamer, overduidelijk die van hemzelf.

„Kom naast me zitten." Dicht naast elkaar zaten ze op de bedbank.

„Ik ben het eerst geboren," vertelde hij toonloos. „Rob kwam een kwartiertje later, maar er ging iets mis. Hij heeft een ernstig zuurstoftekort gehad en is zwaar gestoord. Hij is jaloers op iedereen die mij aardig vindt en voelt zich bedreigd door alle dingen die zijn vertrouwde wereldje lijken te gaan verstoren. Meestal woont hij in een tehuis, omdat het echt niet anders kan, maar mijn moeder voelt zich zo schuldig dat ze hem toch zo veel mogelijk hier thuis laat komen, hoewel het haar krachten eigenlijk te boven gaat. Mijn ouders stammen uit een zeer streng kerkelijk milieu, Mara. Iets van de oude woorden dat de zonden der vaderen aan de kinderen bezocht worden, hebben ze verkeerd opgevat, begrijp je? Het heeft mij vroeger bijna mijn geloof gekost, en pas de laatste tijd heb ik het echt hervonden.

Mijn ouders zijn zo langzamerhand ook wel anders over de dingen gaan denken. Ze zijn een paar jaar geleden lid geworden van een andere kerk, maar het oude schuldgevoel heeft zich bij mijn moeder vertaald in diepe schaamte. Ze kan er nog steeds niet gemakkelijk over praten dat ze zo'n zwaar gehandicapt kind heeft. Pas de laatste tijd, dus na vijfentwintig jaar, kan ze aanvaarden dat ook Rob een kind van haar is, net als ik. We hadden Rob bij ons in het Schwarzwald.

Als hij meegaat moet ik ook mee, omdat het anders voor mijn ouders te zwaar zou zijn. Daarom gaan we ook altijd naar hetzelfde vakantiehuisje. Maar goed, Rob heeft ons een paar maal samen gezien, al houden mijn ouders hem altijd zo veel mogelijk bij de andere mensen vandaan. Dat is nog een restant van de oude schaamte, begrijp je?''

,,Maar hij… jij zei dat ik je met rust moest laten.''

,,'Laat me' en 'laat 'm' liggen heel dicht bij elkaar. Begrijp je het nu? Begrijp je waarom het me zo'n moeite kostte met je angst voor mij om te gaan? Natuurlijk begreep ik direct wat er aan de hand moest zijn. Robs jaloezie is even abnormaal als de rest, maar jarenlang is me altijd voorgehouden er nooit met iemand over te praten. Er zijn maar heel weinig mensen die weten dat ik een tweelingbroer heb. Zelfs vrijdagavond kon ik er niet over praten. En omdat ik jou niet vertrouwde, vertrouwde je mij evenmin. Daarover heb ik de laatste dagen aldoor lopen piekeren, tot ik tot de conclusie kwam dat het zo niet langer door kon gaan. Nu weet je dus alles. Alleen zal Rob niet meer zo vaak thuis kunnen komen, nu zijn jaloezie kwaadaardige vormen aan gaat nemen. Dat heb ik mijn moeder nog niet eens durven vertellen. Het zal een nieuwe slag voor haar zijn, maar ze moet het toch weten. Mara, ik heb ontdekt dat ik van je ben gaan houden. Toen ik je zag, wist ik het meteen, al klinkt het nog zo belachelijk."

„Je staarde me zo aan."

„Wat moest ik anders om je aandacht op te eisen?" Ze glimlachten.

„Wat denk je, nu alles is opgehelderd? Zou je denken dat er een kans is in de toekomst samen een weg door het leven te zoeken, Mara?"

„O jij," zei ze snikkend, terwijl ze in zijn armen vloog en veilig in de beschutting ervan wegkroop. „Waarom heb je het me niet meteen gezegd? Je moet er een vreselijke jeugd door gehad hebben."

„Nee, niet vreselijk, maar wel vaak heel moeilijk, al heb ik altijd gevoeld dat mijn ouders veel van me hielden. Ze beschuldigden zichzelf, mij niet. Maar goed, hij is en blijft mijn broer, en in zekere zin hou ik van hem, ondanks alles. Maar jij, kleintje, jij…"

„Sst." Ze smoorde zijn woorden op de effectiefste manier die er bestond.

GEEN VREDE OP AARDE

Stille nacht... heilige nacht. Het was het meest belachelijke lied dat ik ooit gehoord had, althans zo leek het me. Het schalde uit een kleine transistorradio die op een wankele tafel stond in een krot in het grootste melaatsenkamp ter wereld, Agua de Dios in Colombia.

Stille nacht... heilige nacht. De nachten zijn niet stil in Agua de Dios en de nachten zijn ook niet heilig. Dag en nacht is het leed samengebundeld als een vuist.

„Kent u het verhaal van mijn geboorte?" vroeg Inez, een verpleegster.

Ik schudde mijn hoofd.

„Bueno. Mijn vader werd twintig jaar geleden opgepikt op een markt door een zogenaamde 'observador', dat zijn door de regering aangestelde mensen, die de markten aflopen om te zien of er melaatsen komen. Mijn vader liep al een jaar met de ziekte rond maar wilde niet naar Agua de Dios omdat dit dorp van de dood een afgrijselijke naam had. Het was in die tijd nog omringd door prikkeldraad.

Buiten het prikkeldraad werd de wacht gehouden door gewapende gezonde politiemannen, binnen het dorp stonden de melaatse agenten. Niemand werd hier toegelaten behalve zij die door lepra waren aangetast en als je eenmaal door de poort naar binnen was gegaan dan wist je in een concentratiekamp van leed terecht te zijn gekomen.

Op een dag werd mijn vader door een van de observadors gearresteerd, die hem boeide en hem als een staatsgevaarlijke misdadiger meenam naar Bogotá waar hij in een kelder gedurende een maand werd vastgehouden en onderzocht voordat hij met twintig anderen op een vrachtauto werd gezet om daarna per veewagen doorgestuurd te worden naar Agua de Dios. Op de kleine stationnetjes wierpen mensen die medelijden met hen hadden vanaf een afstand brood naar binnen alsof zij dieren waren in plaats van mensen."

Inez houdt plotseling op als ze voetstappen hoort. „Papa," zegt ze en even later staat er een man voor me, die uiterlijk geen enkel teken van melaatsheid vertoont. Hij geeft me geen hand, groet zijn dochter en gaat dan op bed zitten, behalve enkele houten kisten het enige meubilair in het houten krot. Er valt een stilte, die alleen onderbroken wordt door een programma van kerstliederen aangekondigd door een opgewekte omroeper, die er ten overvloede nog bij zegt dat hij alle mensen een goede gezondheid toewenst, omdat dit het belangrijkste bezit is van een mens. Waarschijnlijk realiseert hij zich niet dat zijn programma ook hier in de jungle van Agua de Dios beluisterd wordt door een man die even later zegt: „U zult me niet geloven, señor, maar de radio is de enige vriend die me hier is overgebleven."

En terwijl Inez zwijgt, begint hij te vertellen, want bezoek is spaarzaam, brieven komen er nooit en sinds zijn ziekte heeft zijn familie nooit iets van zich laten horen.

Maar eerst laat hij zijn ernstig door de lepra aangetaste benen zien, alsof hij wil bewijzen dat hij niet overdrijft.

Er gonzen grote blauwe vliegen door het hokkerige vertrek, waar als enige wandversiering een portret hangt van John Kennedy en op een kistje dat met een verschoten doek is afgedekt een door de zon geblakerd beeldje staat van O.L. Vrouw van Lourdes, die er in dit vertrek, waar ook de weezoete geur van melaatsheid hangt, helemáál uitziet als een verschijning uit een heel andere wereld.

„Als we Inez niet hadden," zegt hij en dan staat ze op en loopt naar buiten alsof ze zijn dankbaarheid niet kan verdragen. „Negentien jaar geleden is ze hier geboren," zegt hij en hoest dan, terwijl ik een andere kant uitkijk omdat zijn gebruinde gezicht paars aanloopt.

„Ik was hier toen twee jaar en dacht dat de ziekte misschien stopgezet zou kunnen worden. Het was een dag als vandaag, warm, te warm, zelfs voor mensen zoals wij die niet bang zijn van de hitte van de tropen. Het gebeurde in dit zelfde huis, in deze kamer, op dit bed, en nu lijkt het me of ik al die jaren vergeefs heb geleefd, alsof in mijn leven de zon er nooit is geweest, alsof ik bang ben geweest om te glimlachen, te bang van mijn eigen lichaam. Mijn vrouw en ik trouwden met elkaar en ik kon maar niet begrijpen dat een niet-melaatse trouwde met een man als ik. Gedurende de eerste maanden toonde zij minder afschuw voor mij dan ik voor mezelf en dat was het grootste wonder in mijn leven. Wij wisten beiden dat ik niet meer te redden was, want ik kreeg wel de pil tegen de lepra, maar ik kon de veel duurdere vitaminepillen niet aanschaffen die wij, melaatsen, nodig hebben om ervoor te zorgen dat de pil van Hansen de lever of de nieren niet aantast. Daar hadden we geen geld voor. Ik was even bang van het eerste als van het tweede, dus slikte ik niets meer…"

De radio stond nog steeds aan. De stem van de omroeper was nog altijd even opgewekt.

„Vrede op aarde, señores, vrede op aarde, dat wens ik u allen toe."

Een glimlach van de vader van Inez doorbrak mijn verontwaardiging. Die glimlach was er ineens en het leek of die als een standbeeld plotseling tussen ons in stond.

„En toen zou ons kind geboren worden… Inez," zei hij.

Ik keek hem verbaasd aan. Een glimlach in een krot als een helder verband om zijn door lepra aangetaste benen. Ik was er onthutst door. Kunnen lijken lachen? Had hij niet een paar dagen geleden gezegd dat het briefje van de dokter zijn doodsbriefje zou zijn, omdat die dokter dat alleen schreef opdat – als hij zou sterven – de doodsoorzaak bepaald zou zijn. Had hij me niet aanbevolen om naar het op invallen staande gemeentehuis te gaan en daar de doodsakten op te vragen om dan te kunnen constateren dat een groot deel van de patiënten van Agua de Dios niet was gestorven aan melaatsheid maar aan ondervoeding?

„Inez…" hij herhaalde de naam. „Elk detail kan ik me nog herinneren, señor." Hij wees naar het bed. „Ze werd daar geboren. Er was geen dokter bij, alleen een vroedvrouw. Het was een moeilijke bevalling, maar het bed was amper een bed, meer een bak en het wiegje voor Inez was een kistje, dat ze hier gebruiken bij de begrafenis van kinderen. Het was warm, benauwd. De zon was als een lans. Ik was even nerveus als elk ander mens. Ze was klein, Inez, toen ze in ditzelfde krot ter wereld kwam. Ze huilde alsof ze toen al wist dat ze in het dorp van de dood werd geboren. Ik schaamde me toen ze voor de eerste maal naar me keek. Ik vroeg me af waar ik het recht vandaan had gehaald om als melaatse een kind te hebben en buiten hoorde ik hoe dronken mensen 'Stille nacht, heilige nacht' lalden, blij dat ze in hun stomme verbeelding konden denken dat er hier zoiets zou kunnen bestaan. Maar ik was ook woedend. Woedend dat er een melaats kind ter wereld kwam. De volgende dag ging ik naar de dokter. Ik zie nog zijn bureau. Ik zie nog zijn gezicht, een beetje ovaal, met donkere ogen, die heel bruin dreven in zijn spottende gezicht. Misschien was hij Herodes, die de kindermoord bedreef, misschien was hij de herbergier die geen plaats had voor Jozef en Maria. Ik keek hem aan. Hij was wat geïrriteerd omdat ik niets zei, maar hij begreep niet dat ik zweeg omdat ik bang was. Hij had een mooie secretaresse, die als een vlinder fladderde door een gebouw zonder hoop. Ik zie hem nog voorover leunen en plotseling ernstig vragen: 'Hoe heet ze?'

Dat had ik niet verwacht. Ik kwam uit een krot en hij uit een paleis, althans voor mij. 'Inez,' zei ik, 'dat was de naam van de moeder en van mijn vrouw.'

Hij knikte. 'Dus geen Maria,' vroeg hij. Ik schudde mijn hoofd. 'Neen, Inez. Ik durfde haar geen Maria te noemen want haar kind is nooit melaats geboren.'

En toen gebeurde het, señor Hornman, toen kwam de vrede op aarde over me en daarom zet ik ook de radio niet af, ondanks het feit, dat er voor mij amper vrede op aarde is als je in een hel moet leven. Toch kwam toen de vrede over me. De dokter boog zich over zijn bureau heen naar me toe en zijn ogen waren heel zacht alsof iemand ze ineens omgetoverd had tot ogen van fluweel.

'Uw kind is ook niet melaats geboren,' zei hij.

Ik keek hem aan. Ik dacht dat ik dronken was of droomde. Mijn eerste reactie was hem te slaan omdat ik die zachtheid in zijn ogen niet verdragen kon.

Mijn tweede reactie was om zijn witte jas te besmeuren met het bloed uit de wonden in mijn benen, maar ik bleef verslagen zitten en keek hem alleen maar aan alsof hij gek geworden was in dit oord van lijden. 'Inez is gezond,' zei hij. 'De natuur doet soms wonderen. Kinderen van een melaatse vader of moeder worden altijd gezond geboren. Wist u dat niet?'

Het was de eerste keer in mijn leven dat ik huilde.

Merkwaardig, want ik had gedacht dat mijn tranen waren opgedroogd."

W.G. van de Hulst

'OUWE JAN'

„O uwe Jan môt erân!" zei de boer. Hij sleep de grote bijl scherp op de slijpsteen. „We hebben niks meer ân die ouwe lummel."

Kleine Jan, het zoontje van de boer, hoorde wat zijn vader zei... Kleine Jan keek donker. In zijn kleine hart had hij meêlij met Ouwe Jan.

Ouwe Jan was... een boom; – een stakkerd van een boom. Hij was zo oud, zo krom, zo mager; – zijn lijf was van binnen helemaal hol. Hij stond, heel krom, over het water heen gebogen, net op de hoek, waar de éne sloot, de smalle, uitliep in de andere, de brede. Ouwe Jan was een holle wilgenboom. Op zijn oude hoofd groeiden fijne, groene takken; – dat waren zijn haren. Maar als die takken dik werden, hakte de boer ze af. Dan stond Ouwe Jan weer met zijn kale hoofd in de regen, de kou, de sneeuw.

Maar nu...? Nu had de boer gezegd: „Die boom wordt te oud. Die Ouwe Jan môt erân. We hakken brandhout van hem."

Ja, dat zei de boer; maar hij had het zo druk op de boerderij met de koeien en de varkens; met de boomgaard en de moestuin... Hij vergat Ouwe Jan weer voor een poos. En de scherpe bijl bleef staan in de schuur.

„Gelukkig!" dacht kleine Jan.

't Was winter geworden.

Ouwe Jan stond, diep gebukt, over de sloot te kijken. Maar die sloot was helemaal hard geworden en wit. Er lag dik sneeuw op het ijs. Er lag ook sneeuw op Ouwe Jan zijn hoofd, zijn rug; – en zijn brede voeten stonden diep weggezakt in de witte, wollen deken...

O, en 't was zo eenzaam geworden op dat verre plekje in het stille, witte land. De *eenden*, de vrolijke vrienden van Ouwe Jan, kwamen niet meer snaterend voorbij zwemmen, en naar allerlei lekkers snabbelen in 't water. Dat kon nu niet meer. De slakken en de spinnen en de torren? Waar waren ze allemaal gebleven? En de vliegen en de muggen en de bijen…? Allemaal weg? Allemaal dood? En de vrolijke vogels van de zomer, die zoveel mooie vertelsels meebrachten uit de wijde wereld? Waar zouden ze toch zijn heengegaan? Tussen Jan zijn stijve, korte haren lag nog een oud, verdroogd vogelnestje. Maar de vinkjes? Hij zag ze nooit meer. Och, 't was zo eenzaam geworden, daar op dat verre plekje in het stille, witte land.

Maar dan, – op een middag…? Dan komt kleine Jan in de dikke sneeuw, op zijn klompen, het wijde land door lopen. 't Gaat moeilijk. Kleine Jan houdt toch vol. Hij wil naar Ouwe Jan, naar dat stille, witte plekje van de eenzaamheid.

O, en kleine Jan weet wat… Iets moois! Ja, 't mag niet; 't mag vast niet van moeder. Maar 't is zo mooi! En moeder staat bij 't fornuis pannenkoeken te bakken. Moeder kan hem hier helemaal niet zien. Moeder is zo ver.

Jan dóét het… Jan kruipt dicht tegen Ouwe Jan aan. Hij houdt Ouwe Jan stevig vast aan een knoest van zijn rug… Ja, en 't lukt. Jans ene been met de kleine klomp glijdt al dieper, glijdt al verder naar het ijs in de sloot…

O, ja, ja, 't lukt. Jans ogen stralen van vrolijkheid. Zie maar! Voel maar! Zijn voet zakt *niet* het water in. Onder de sneeuw is het ijs, het harde, sterke ijs…

Hij dúrft. Hij durft best…!

Voorzichtig, héél voorzichtig, glijdt hij van de wal af het ijs op.

't Kan…! Ja, ja, 't kan!

O, en nu staat hij met allebei zijn klompen op die mooie, donkergrijze plek van het ijs. En hij fluistert: „Niks zeggen, hoor, Ouwe Jan!"

Moeder is zo ver; – bij de pannenkoeken. Moeder kan toch niet zien, wat kleine Jan doet… O, 't is zo… zo mooi!

Nou even Ouwe Jan loslaten. Nou, even *alleen* staan…! Ja? Ja…? Ja, 't kan, 't kan! O, kleine Jan verkneukelt zich van de pret, daar op dat stille, witte plekje van de eenzaamheid.

Even maar! Los-staan is zo dapper! O, en op die donkergrijze, gladde plek van 't ijs, vlakbij Ouwe Jan, glijden zijn klompen zo raar: 't is net, of zijn benen vanzelf willen weglopen.

En nou…! Nou bonzen op het ijs, springen op het ijs, dansen op het ijs!

't Kraakt! Leuk is dat!

Harder nog, wilder nog bonzen en springen en dansen. 't IJs bommert; 't ijs kraakt. O, fijn, fijn…! 't IJs scheurt…

Opeens…! Krr… krrak…! Kráááák! – Plomp!

Opeens duikt het ijs onder de klompen van kleine Jan weg. Hij schiet omlaag met een wilde plons. Het water van onder het ijs spat rond; dikke slangen van donker water spoelen over de witte sneeuw.

En kleine Jan…? Arme jongen! Arme, ongehoorzame jongen! Arme waaghals!

„O, o, moeder…! moe-oe!"

Moeder bakt pannenkoeken in de warme keuken. Het vuur knettert, de pannenkoeken sissen. Hoe zal zij haar kleine, ondeugende jongen kunnen horen?

Hij glijdt weg in 't water. Zijn benen spartelen wild, zijn handen grijpen in de lucht.

Zijn éne hand…?

Zijn éne hand slaat tegen iets hards. En die éne angstige hand grijpt in grote bangheid zich aan het hard vast. Dat harde is… Ouwe Jan!

Een harde knoest op Ouwe Jan zijn voet.

En – de kleine deugniet blijft aan die ene hand hangen. O, maar als hij loslaat, zal hij dieper in het water wegschieten onder 't harde ijs, waar 't zo donker is, zo koud, zo vreselijk… O, als hij loslaat…!

„O, o, moe-moe…! Moeder! O, help, help!"

Wie zal het horen, hier op dat verre plekje van de stille, witte eenzaamheid? Wie zal weten, dat daar een arme, ondeugende jongen in het water hangt aan zijn éne hand? Wie zal komen en hem er uittrekken…? Hij zal helemaal verstijven van de kou, en tóch moeten loslaten, en tóch wegglijden in dat donkere, dat koude.

Aan de overzijde van de brede sloot is een weggetje. Langs dat weggetje komt een oud vrouwtje aan. Ze loopt met haar hoofd gebogen:

ze wordt zo moe van het schuifelen door die dikke sneeuw.

Stil... Stil eens...! Ze kijkt op. Hoort ze wat in het eenzame, witte land? Ze luistert... Opeens... Ja, opeens ziet ze kleine Jan in het water hangen aan zijn éne hand. Verschrikkelijk.

„Help! Help!" roept ze ook. O, want zelf kán ze niet helpen. Ze kan hem niet grijpen: de sloot is te breed. Ze kan niet op het ijs stappen: dan zakt ze zelf in 't koude water. Ze steekt hem bang haar paraplu toe; – 't helpt niet: die paraplu is veel te kort.

„Hou... hou je vast, hoor! Hou je vast!" roept ze angstig; dan loopt ze, zo gauw als haar oude, stijve benen 't maar kunnen, naar het bruggetje ginds bij het hek van de boerderij... Ze komt er. Ze loopt het erf over. Ze slaat de keukendeur open: „O, o, gauw! Je zoon! Je jochie...! Gauw!"

Hij verdrinkt...!

Moeder...? Ze schrikt vreselijk. Ze vergeet al haar pannenkoeken. Ze vliegt naar buiten, zomaar, zonder schoenen...

„Waar...? Waar?"

„Daar...! Daar, ginder, bij die ouwe boom."

Moeder holt door de sneeuw in grote angst. O, gelukkig! Ze ziet kleine Jan.

„Hou vast...! Hou! hou! hou vast!" hijgt ze... „Hou! Hou!"

O, – ze grijpt hem, klemt hem vast, trekt hem 't water uit. En dan? Klets! klets...!

„Vooruit, lelijke aap!"

Klets...! Jan wordt vooruit gejaagd met stevige, harde klappen voor zijn natte broek. Dat is goed voor de schrik en goed voor de kou. „Vooruit, jij deugniet!"

Hij moet hollen; – zonder klompen door de sneeuw, want die liggen onder 't ijs.

„Vooruit!"

Nu is 't avond. Buiten sneeuwt het weer. Maar kleine Jan ligt warm weggedoken in de bedstee van vader en moeder in de kamer. Dikke dekens, twee hete kruiken. O, zo heerlijk warm!

Vader en moeder zitten aan de tafel. Ze zijn niet boos meer op hun ondeugende jongen. Ze zijn alleen blij, dat de kleine waaghals niet is verdronken.

Vader zegt: „Jochie, jochie! Nou waren we je haast kwijt; maar God in de hemel heeft je bewaard. O, 't zou zo erg zijn geweest als je was weggedoken onder 't ijs. Dan hadden wij geen kleine Jan meer..."

Jan luistert.

Dan – heel zacht – roept hij onder de dekens uit: „Vader...! Hoor'es!"

„Ja, wat is er?"

„O, vader, mag... mag Ouwe Jan blijven leven?"

Vader lacht een beetje... „Ja, hoor, Ouwe Jan wordt niet omgehakt. Ouwe Jan is jouw vrind, hè? Hij heeft je goed geholpen, hè?"

„Ja, vader, – o ja!"

Kleine Jan duikt blij weg, dieper nog onder de dekens. O, Ouwe Jan wordt niet omgehakt, niet verbrand.

De volgende dag viste vader Jan's klompen weer uit het ijs; – met een hooivork.

Moeder droogde ze bij het fornuis, en schuurde ze wit: echte, mooie boerenklompjes.

Jan kreeg ze aan. Jan was gelukkig niet ziek geworden van het hangen in het koude water.

Jan moest een boodschap doen. Hij moest over het wegje gaan, dat langs de brede sloot liep, en waar Ouwe Jan stond op de hoek aan de overkant. Hij moest naar het huis van het oude vrouwtje gaan en haar een mandje vol eieren brengen. Dat had ze verdiend. Ze had zo hard moeten lopen gisteren.

Jan zwaaide met zijn vrije hand tegen Ouwe Jan... „Ha!" riep hij, „ha, je wordt niet omgehakt, hoor."

Jan zag nog de donkere plek van gisteren op het ijs. Hij griezelde...

Ouwe Jan, diep gebukt, stond naar de witte sloot te kijken.

Hij wachtte, – hij wachtte op de lente.

ANNO DOMINI

Vrees niet: dit is het jaar niet van atomen,
of van raketten en vernietiging,
van conferenties, waar de groten komen
alleen uit zucht tot zelfverdediging.

Vrees niet: dit is geen jaar van revolutie,
die vele duizenden in 't onheil stort;
vergeet het niet, dat elke resolutie
uiteindelijk slechts door God getekend wordt.

Vrees niet: de toekomst is niet van het Kremlin;
wees niet beangst voor een gordijn van staal:
uw lot wordt niet beslist in de vergadering
van landen in de U.N.O.-conferentiezaal.

Er is slechts Eén, die alles zal regeren,
  Eén, die ook dit jaar de historie maakt:
't Is Anno Domini – het jaar des HEREN!
Wees sterk, vrees niet: 't is God, die voor u waakt!

Jenne Brands

DE LAATSTE OORLOGSWINTER

M aandag 4 september 1944.
Nederland zindert van spanning, de bevrijding staat voor de deur! Iedere Nederlander die nog een radio heeft, zit met familie en vrienden gekluisterd aan het toestel om geen woord te missen. En niet vergeefs, want 's middags meldt Radio Oranje dat de Amerikanen in Zuid-Limburg zijn. En 's avonds om kwart voor twaalf: „De geallieerden hebben Breda bereikt."
Voor velen volgt een onrustige nacht. Dinsdags wordt het bericht over Breda herhaald. Overal in Nederland wordt uitgekeken naar de bevrijders. In de loop van de dag zwelt de geruchtenstroom over de opmars van de geallieerden aan. Maar ze zijn nog nergens te zien. Wel ziet men veel Duitsers en N.S.B.-ers bepakt en bezakt vluchten op alles wat wielen heeft. Dat bevestigt de hooggespannen verwachting van veel mensen. Er staan zelfs al groepjes met vlaggen aan de invalswegen van dorpen en steden hun bevrijders op te wachten. En 'Het Dagelijks Nieuws', een illegaal blad in Zuid-Holland, komt uit met een bevrijdingsnummer vol optimistische berichten.

Op Urk zijn ze nog niet zo enthousiast. Ze besluiten zich er eerst nog even buiten te houden. Wel lopen er opvallend veel Urkers langs de haven en bij de dijken langs, onderwijl de zee en de polders afspeurend. Ook de gereformeerde pastorie en hotel 'Het wapen van Urk', waar de Duitsers zetelen, hebben deze dag veel passanten, die naar binnen proberen te gluren.
Jannetje Bakker, een vijftienjarige Urkse, is er al een paar keer langsgelopen. Tot haar ongenoegen ziet ze niets wat afwijkt van de normale gang van zaken en gaat ze teleurgesteld naar huis. Ze treft de kamer vol familie aan, luisterend naar de radio. Ze worden er niet veel wijzer van, eerdere berichten worden niet bevestigd en nieuwe wapenfeiten niet genoemd. Als de uitzending afgelopen is gaat ieder

wat ontgoocheld zijns weegs. Dolle Dinsdag heeft niet gebracht waar ze op hoopten.

Pas donderdag meldt Radio Oranje dat de geallieerde legers bij het Albertkanaal in België liggen. Er was alleen een verkenningseenheid in de buurt van Breda geweest.

Terneergeslagen gaan de mensen over tot de orde van de dag. En dat is bij de meesten de zorg voor het dagelijks brood.

Jannetje gaat bijna elke dag met haar vader uit vissen. 's Middags zetten ze de netten of fuiken uit en de volgende morgen halen ze die weer op. Voor de oorlog hielpen haar twee broers daarmee, maar aangezien die volgens hun leeftijd in Duitsland aan 't werk zouden moeten zijn, houden zij zich liever uit zicht.

Maarten, de oudste, heeft al wel in Duitsland gewerkt, maar is na z'n verlof niet teruggegaan. De Duitsers noemen dat contractbreuk en straffen streng. Daarom zit hij samen met z'n broer Hein meestal ondergedoken in een kamp bij dorp A (Emmeloord). Nu zijn ze thuis, gelokt door de berichten over een spoedige bevrijding. Ze worden door vader aan het werk gezet.

Hij heeft samen met z'n dochter een flinke zooi paling thuisgebracht en die moet worden schoongemaakt en gerookt. Vorig jaar gebeurde dat allemaal nog buiten. Nu kan dat niet meer, want het is zoals vader zegt: „Je verrader slaapt niet."

Dus geschiedt het schoonmaken in het achterhuis en voor het roken worden de speten vol paling naar Inkien gebracht. Inkien is de oudste dochter, die met man en kroost vlak achter hen woont. Hun huis heeft een hoge zolder met een groot dakraam. Daar staat de rookton onder. Geen buitenstaander die wat ziet, hooguit wat ruikt.

Als de paling klaar is en glanzend en heerlijk geurend op kranten ligt af te koelen, stelt vader voor: „Jullie moeten maar weer eens op pad om te ruilen."

Z'n dochters zijn er meteen voor. Inkien wil met Jaauwk, haar man, naar Alkmaar. Ze heeft textielbonnen opgespaard en wil zien of ze daarvoor, in combinatie met de vis, winterkleren kan bemachtigen voor haar gezin.

Bap, de op een na oudste dochter van Andries, zal op hun kroost passen.

Jannetje en Klaasje, de jongste dochter, gaan mee. Vader wil morgen de fuiken en netten nakijken en zonodig repareren. Maarten en Hein gaan, zo gauw het donker is, terug naar het kamp.

De volgende morgen wordt de paling zorgvuldig verpakt in kleine bundeltjes.

De reizigers krijgen over hun onderkleren een riem om. Er hangen zakjes aan, waar de pakjes paling precies in passen.

Daar trekken ze hun bovenkleren overheen. Bij Inkien en Jaauwk zie je niets van de pakjes, zij lopen in klederdracht. Maar de meisjes moeten hun mantels open laten hangen, anders vallen hun brede heupen te veel op, vooral in vergelijking met de magere gezichtjes erboven en hun spillebenen eronder.

Ze gaan welgemoed op reis. Het is heerlijk weer en ze genieten van de boottocht naar Enkhuizen. Op het station koopt Jaauwk de kaartjes en dan zien ze, dat er behalve een N.S.-beambte, ook twee Duitse soldaten bij de ingang van het perron staan. Daarom spreken ze af, dat ze om de beurt, steeds met een paar andere mensen ertussen, door de controle zullen gaan. Als er dan een van hen gepakt wordt, kunnen de anderen altijd nog terug en zijn ze niet alles kwijt.

Jaauwk en Inkien worden ongehinderd doorgelaten. Jannetje wacht tot ze de trein ingaan en waagt dan haar kans. Haar kaartje wordt geknipt en ook zij mag door. Opgelucht haalt ze adem, tot ze achter zich haar zus hoort schreeuwen: „Janne, help, ze pakken mij!"

Razendsnel draait ze zich om en ziet dat de ene Duitser Klaasje bij de arm heeft. Die kijkt hulpzoekend naar haar zuster en herhaalt haar smeekbede. Jannetje kijkt haar kwaad aan en schudt het hoofd om te beduiden, dat ze haar erbuiten moet houden. Dat hebben ze toch afgesproken.

Maar het is al te laat. De Duitsers kijken geïnteresseerd naar wie hun gevangene roept en dan is het ook voor Jannetje: „Mitkommen!"

Ze speurt nog rond naar een vluchtweg, maar die is er niet. Kwaad op de Duitsers en op haar zuster laat ze zich meenemen.

Ze worden gefouilleerd en moeten al hun kostelijke ruilwaar afgeven. Zelfs de riem met de zakjes wordt hen afgenomen. Voor ze mogen gaan, krijgen ze nog een ernstige waarschuwing. Tot overmaat van ramp is de trein ook al weg, als ze weer op het perron komen. Ze wachten de volgende af, Jannetje al foeterend en Klaasje nog nasnikkend van de doorstane emotie. Gelukkig hebben Jaauwk en Inkien op hen gewacht in Alkmaar en dan maken ze er samen een vruchtbare dag van.

Ze komen thuis met wortels, uien, spek en lekkere pruimen, geruild bij boeren.

En strengen wol om borstrokken en kousen van te breien en mooie lappen stof, waaruit Ink voor haar zusjes en dochtertjes jurken zal maken.

Bap heeft het eten klaar. Ze kunnen zo aanschuiven. Als de pannen leeg zijn, vertelt Klaasje hun avontuur en besluit haar verhaal, zich wendend naar Jannetje, dat ze nooit meer zoiets doen zal.

„Dat klopt," antwoordt die vinnig, „want ik neem jou nooit meer mee naar zoiets."

Zaterdag 16 september vertelt Robert Kriek, een correspondent, in de avonduitzending van Radio Oranje, dat er grote gebeurtenissen op til zijn.

Hij krijgt gelijk, want zondags begint Market Garden. Eindhoven wordt bevrijd en de spoorwegstaking afgeroepen. Het is een bewogen zondag en weer lijkt de bevrijding dichtbij.

De volgende dagen zijn erg spannend. Iedere uitzending van Radio Oranje zit de familie Bakker met gespitste oren te luisteren.

Ze hebben de kaart van Nederland erbij, waar ze alle veranderingen in de frontlijn meteen op aangeven. Maar naarmate de week vordert en de berichten over Market Garden steeds somberder worden, neemt hun hoop op een spoedige bevrijding af.

En Bap bergt de vlag, die Jannetje al gepakt had, weer op zolder.

Het wordt oktober en Radio Oranje heeft nog steeds geen gunstige berichten over de opmars van de geallieerden. Het is echt herfstweer, guur en nat. Toch gaan er regelmatig Urkers op pad om tarwe te 'organiseren'.

Hoewel de polder nabij Urk nog moerassig is met hier en daar wat schaarse begroeiing en verderop riet, liggen er bij dorp C (Marknesse) al uitgestrekte rogge- en tarwevelden.

En zo gauw bekend wordt, dat de tarwe geoogst is, trekken er dagelijks groepjes Urkers naartoe. Jannetje en Jaauwk gaan ook regelmatig mee.

Het is beslist geen plezierreisje, want een weg is er niet. Ze lopen uren langs het kanaal en vooral terug met de tarwe is het heel erg zwaar. Terwijl ze ook nog uit moeten kijken, dat ze niet gezien worden, want dan zijn ze alles kwijt. Dus als Jannetje hoort, dat er 's nachts ook bootjes naartoe varen vraagt ze meteen aan haar vader of ze de volgende keer met het schouwtje mogen.

Hij voelt er niets voor. Als ze gepakt worden, nemen ze misschien ook zijn boot in beslag en wat moet hij dan beginnen? Maar ze houdt net zo lang aan tot hij overstag gaat. Jaauwk en Maarten Ruiten, hun overbuurman, gaan ook mee.

Bij dag gaan ze met het schouwtje door de sluis en zo gauw het donker is, varen ze af. Ze zijn niet de enigen, want in hun kielzog volgen er nog meer.

Bij dorp C aangekomen leggen ze zo dicht mogelijk bij een tarweveld aan. Toch moeten ze nog een flink eind lopen door manshoog riet.

Op het veld aangekomen zien ze de tarweschelven, als wachters afgetekend tegen de avondlucht. Ze trekken meteen een schelf graan los. De mannen slaan de tarwe uit de halmen en Jannetje stopt het in de zakken. Inmiddels is de rest van het vlootje ook aangekomen. Er wordt niet alleen gewerkt, maar ook gepraat en naar elkaar geschreeuwd.

Andries wordt steeds bezorgder, hij zegt: „Dit loopt fout, mensen, laten wij gauw naar huis gaan."

Omdat ze al drie zakken vol hebben, geven de anderen toe. De mannen nemen ieder een zak op hun rug en ze lopen naar boord.

Tot hun ontzetting worden ze daar opgewacht door politie. En de overmacht is zo groot, dat aan vluchten niet te denken valt.

Binnen de vijf minuten zijn ze hun tarwe kwijt en zitten ze opgesloten in het vooronder van een politieboot. Bij het licht dat door de patrijspoorten valt, staren ze elkaar aan en horen aan het geluid van de voetstappen dat de politie van boord gaat.

Jannetje vermijdt nadrukkelijk de verwijtende blik van haar vader, tot Maarten zegt: „Ik blijf hier niet zitten wachten tot ze terugkomen. We moeten hieruit."

Zoekend speurt hij rond. Boven zich ziet hij een kleine koekoek. Schattend kijkt hij naar Jannetje, die zo mager als een lat is. Als hij goedkeurend naar haar knikt, begrijpt ze hem meteen. En terwijl Maarten het luik openmaakt, doet Jannetje haar jas en schoenen uit. De mannen tillen haar op en met veel geduw en gewring lukt het haar op het dek te komen. Snel kijkt ze rond, gelukkig is er niemand te zien. Gauw doet ze de grendel van de deur en bevrijdt de anderen.

Ze staan nog maar net in het gangboord, als ze aan het toegenomen rumoer en alarmerende kreten uit de verte horen dat de tarwehalers overvallen zijn.

Andries zegt gehaast: „Gauw naar het schouwtje, voor ze terugkomen."

Maar Jaauwk en Maarten willen eerst de zakken tarwe opzoeken. Al gauw vinden ze die achter op de boot. En dan zijn ze ook zo vertrokken. Het is de eerste en tevens de laatste keer dat het schouwtje van Andries is ingezet bij het tarwetransport.

Nog nauwelijks bekomen van hun avontuur, raakt enkele dagen later een schip, geladen met meel en rollen stof, in moeilijkheden op de Vormt. Het wordt naar binnengesleept en aan de Dormakade gelegd. De Duitsers leggen beslag op schip en lading. Jannetje hoort ervan en het brengt haar op een idee. Ze maakt er Meindert Ruiten deelgenoot van.

Hij vertelt het aan z'n vader, die vindt het wel goed, maar hij gaat zelf ook mee als uitkijk. 's Avonds, als ze denken, dat de Urkers en vooral alle Duitsers slapen, sluipen ze door de steegjes naar de werf van de gebroeders Roos. Ze houden zich schuil tegen de damwand en turen naar het schip.

Alles is donker en ze zien geen leven aan boord.

Wel lopen er twee schildwachten over de Dormakade. Ze willen toch doorzetten.

Met Maarten spreken ze bepaalde tekens af, zodat ze weten of de wachters aan het begin of einde van de kade zijn.

Jannetje en Heindert doen hun bovenkleren uit en lopen huiverend het water in. Hoewel het verschrikkelijk koud is slaan ze hun armen uit en zwemmen naar de overkant. Daar aangekomen houden ze zich vast aan de dikke kabel, waarmee het schip aan de kant ligt en wachten tot Maarten het teken geeft.

Dan klimmen ze als apen bij het touw omhoog en sluipen gebukt naar het ruim en halen er twee marineblauwe rollen stof uit. Heel behoedzaam laten ze die in het water glijden en gaan er zelf achteraan. Ze kijken naar Maarten, die beduidt dat ze daar blijven moeten. Rillend wachten ze, hun ene hand aan het touw en de andere op de stof, tot het sein 'veilig' gegeven wordt en ze zwemmen met hun buit naar de werf.

Vlug kleden ze zich aan. Afdrogen komt thuis wel. En dan komt de zwaarste klus. De rollen zijn doordrenkt met water en loodzwaar. Als ze eindelijk thuiskomen zijn ze alledrie bekaf en Jannetje en Meindert steen- en steenkoud.

Maar als een paar weken later zijzelf en alle kinderen van hun familie met een lekkere warme jas aan lopen, gemaakt van de stof, is de kou allang vergeten en zijn ze zo trots als een pauw, dat zij dat toch maar mooi versierd hebben.

In november zendt Radio Oranje gelukkig weer moedgevende berichten de ether in. De achtste komt de Schelde-oever in handen van de geallieerden en de volgende dag Noord-Brabant ten zuiden van de Maas. Het regent alle dagen. Maarten en Hein komen doornat thuis uit het kamp. „Voor een paar dagen," zeggen ze.

Maar eer die om zijn wordt Urk opgeschrikt door een indrukwekkende concentratie Duitsers in het dorp en geruchten over een grote razzia in de polder. De haven loopt vol Waffenschepen en de uitgangen van het dorp worden afgegrendeld door wachtposten.

Urk houdt z'n adem in, tot de omroeper rondgaat met de alarmerende mededeling: „Alle mannen tussen de achttien en vijfenveertig jaar moeten zich melden in de Wilhelminaschool. Wie dat voor acht uur niet gedaan heeft, wordt doodgeschoten en zijn huis wordt in brand gestoken."

Met groeiende verbijstering horen de mensen de jobstijding aan. Jaauwk kijkt Inkien ontzet aan. Wat moet hij doen? Zich melden wil hij niet, wie weet waar ze hem naartoe brengen. Maar de woorden: „Wordt doodgeschoten," dreunen in z'n oren en bonken in z'n hart.

Ze overleggen, Inkien wil hem natuurlijk het liefst bij zich houden, want over zes weken is ze uitgerekend. Maar in hun eigen huis onderduiken is te riskant met drie kleine kinderen over de vloer en de verborgen ruimte bij haar vader is al vol met Maarten en Hein.

„Ga naar je moeder, in de ijskelder is vast nog wel een veilige schuilplaats voor je," raadt ze hem tenslotte aan.

Jaauwk knikt: „Ja, dat zal ik doen."

Hij gaat op weg, maar wordt, zo gauw hij het steegje uitkomt, opgevangen door soldaten, die hem richting school dwingen.

Maarten en Hein hoeven er niet lang over na te denken wat ze zullen doen. Eigenlijk zijn ze al onderduikers, dus zoveel verandert er niet voor ze. Voor alle zekerheid kruipen ze meteen weg, want volgens de geruchten zijn de huiszoekingen al begonnen. Inmiddels is het hele dorp in rep en roer.

Overal lopen zoekende soldaten en paniekerige mensen.

Bij de school staat al een lange rij mannen. Sommigen uit eigen beweging, anderen door gewapende SS-ers gedwongen. Familieleden drommen samen.

De rij schuift langzaam naar binnen. Er komt iemand naar buiten die zegt: „Ik mocht gaan omdat ik een Ausweis heb."

En triomfantelijk houdt hij zijn waardevolle document omhoog. Inkien, die gealarmeerd door een buurvrouw, ook bij de school staat, hoort dat en herinnert zich dat Jaauwk ook zo'n ding gekregen heeft, toen hij met het bolletje* van Rut voor de voedselvoorziening voer.

*kleine botter

Het ligt bij z'n moeder. Ze rent zo vlug ze kan naar haar schoonmoeder. Buiten adem komt ze daar aan en doet haar verhaal. Ze trilt van moeheid en zenuwen. Dirkje krijgt de schrik van haar leven. Haar Jaauwk gevangengenomen door de Duitsers! Maar dat mag niet. Haastig gaat ze op zoek en vindt de Ausweis bij de papieren van de kotter.

Tegen Inkien zegt ze: „Blijf jij nou rustig hier, al dat gevlieg is helemaal niet goed voor je. Ik haal onze Jaauwk wel uit de school." Ze vergeet in de zenuwen haar muilen aan te doen en rept zich op kousenvoeten naar haar zoon. Als ze bij de school aankomt staat Jaauwk al in de gang en is bijna aan de beurt. Dirkje mag eerst de school niet in, de schildwacht wil de Ausweis wel afgeven. Maar dat vertrouwt ze niet. Ze doet net of ze hem niet begrijpt en houdt net zolang vol tot ze naar binnen mag. Jaauwk weet niet wat hij ziet als zijn moeder plotseling naast hem staat.

„Hier is je Ausweis," zegt ze, „geef hem gauw aan die man," en ze knikt naar de officier, die de persoonsbewijzen inneemt, „dan kun je meteen mee."

Ze wacht tot Jaauwk inderdaad vrij mag en neemt hem als een trofee mee naar huis, waar Inkien wacht. Die sluit dolgelukkig haar man in de armen, terwijl Dirkje toekijkt met een blik van: „Nou, hoe heb ik dat gelapt?"

Lang niet iedereen is zo gelukkig. Tachtig mannen worden vastgehouden en 's zondagsmorgens om zes uur onder strenge bewaking naar de Waffenboten gebracht.

Ondanks het vroege uur staat er familie op de kade om ze uitgeleide te doen.

Als de schepen de haven uitvaren, staat menigeen ze na te kijken met tranen in de ogen. En een oude man, die met dichtgeknepen keel z'n zoon heeft zien instappen, zegt schor: „Nou is de lol er wel voorgoed af."

De eerste helft van december is nat en winderig, met regen, hagel of sneeuw. Daarna wordt het rustiger weer, met af en toe nachtvorst.

Het vergt veel georganiseer om de kachel brandend te houden, want brandstof is allang niet meer te koop.

Het palenscherm, dat aan de polderkant rond Urk staat, verdwijnt langzaam maar zeker in kachels. Het is verboden, maar daar trekken de mensen zich weinig van aan. En Jannetje en Meindert helemaal niet. Op een namiddag hebben ze met een trekzaag en vereende krachten twee palen omgezaagd en zitten ze achter een nog intact stukje palenscherm te wachten tot het voldoende donker is, om de tocht naar huis te durven wagen. Tot ineens een N.S.B.-politieagent voor hun neus staat. Met een wapen in de aanslag dwingt hij hen de palen naar zijn kosthuis te brengen en ze daar op het achtererf neer te leggen.

Witheet van woede zijn ze alletwee. Om de vernedering, maar vooral om het feit dat zij voor zo'n smerige N.S.B.-er in de weer geweest zijn. Dat nemen ze niet. Daarom gaan ze 's nachts naar het huis terug. Ze gluren door de bomen en zien tot hun genoegen de palen nog liggen. Ze sluipen het erf op, nemen ieder een paal op hun rug en gaan voldaan huiswaarts.

De families Bakker en Brands bezitten gezamenlijk een geit voor de leverantie van melk, dat geeft geen problemen. Ze hebben ook twee konijnen, een witte en een zwarte, die gefokt zijn voor de slacht. De feestdagen naderen en het is de bedoeling, dat in elk geval één konijn het loodje legt. Maar Riekelt, hun stamhouder, denkt dat de konijnen van hem zijn. Hij praat tegen ze en voert ze elke dag. Dus die mag beslist niet horen wat er staat te gebeuren.

Op een avond gaat het zwarte konijn de weg die alle konijnen die winter gaan.

Het velletje wordt aan Meindert Ruiten gegeven om te bewerken.

Als Riekelt 's morgens ontdaan de verdwijning van z'n troeteldier meldt, liegen ze dat ze niet weten waar hij is en suggereren dat hij misschien weggelopen is. Riekelt gaat op zoek en wat ze nooit verwacht hadden, hij vindt hem ook. Tenminste dat wat ervan over is, want hij komt brullend thuis.

„Mei van Ma Hui heef mij zakkijn," en hij voegt er luid snikkend aan toe: „hij is hema lee."

Ze begrijpen hem direct, al is hij de spraakkunst nog niet helemaal machtig en bedenken van alles om hem te doen geloven dat het zijn konijn niet is. Aarzelend laat hij zich overtuigen.

Maar als Meindert daarna weer langskomt, houdt Riekelt angstvallig zijn witte konijn in de gaten.

Bap werkt twee dagen in de week bij Piete en Tijmen Buter. Die hebben een winkel. Haar loon is drie gulden, maar aangezien je daar bijna niets meer voor kopen kunt, wordt ze vaak in natura uitbetaald.

Een paar dagen voor Kerst komt ze opgetogen thuis met suiker, boter en een pakje kindermeel. De mannen zuiveren een halve zak tarwe van ongerechtigheden en malen het met de koffiemolen tot meel. Dat brengen ze met voldoende bonnen, een stukje boter en een beetje suiker naar de bakker.

De volgende dag krijgen ze er heerlijk geurende broden en lekkere koekjes voor terug. Aardappels, wortels en vis hebben ze in voorraad, zodat ze wat het eten betreft goed zitten met de feestdagen.

Hoewel, op feestdagen lijkt het niet. Ze gaan naar de kerk en ze horen het Kerstevangelie. Ze zingen de psalmen die daar bijhoren, maar ook psalm 83.

En Dankdag 1944 op Urk, zoals gebruikelijk op Oudjaarsdag, heeft meer weg van een klaagdag.

O ja, ze danken voor alle zegeningen waar ze zich echt wel van bewust zijn. Honger lijdt niemand en de families die nog compleet zijn, voelen zich op deze dankdag bijzonder gezegend. Maar er is nog geen zicht op een spoedige bevrijding en veel mensen missen geliefden, waarover ze vol zorg zijn.

Als de dominee psalm 79 laat zingen, zingt ieder van ganser harte mee, al hebben sommigen tranen in hun ogen. En toch, in het laatste vers, klinkt weer hoop en vertrouwen door. En 'Uw trouw, Uw roem, Uw onverwinbare krachten' jubelt door de kerk.

Inkien bevalt op 4 januari van een welgeschapen dochter. Dat brengt vreugde en zorgen, maar bovenal dankbaarheid voor het nieuwe leven en dat God alles wel maakte. En Bap is de koning te rijk, want zij wordt vernoemd.

Het vriest inmiddels behoorlijk. Jannetje komt opgetogen thuis met het bericht, dat er een schaatswedstrijd wordt georganiseerd door Klaas Koffeman en Albert van Inte. De prijs is een zijde gerookt spek, die zij wil winnen. Driftig gaat ze op zolder zoeken naar schaatsen. Het enige wat ze vindt is een paar roestige ouwe houten schaatsen. Daar komt ze bedrukt mee naar beneden.

Vader bekijkt ze en zegt: „Daar zal ik een paar goeie schaatsen voor jóú van maken, als jij mij belooft dat je die zijde spek wint."

Nou, dat is geen punt voor Jannetje, ze was het toch al van plan. Hij slijpt secuur de ijzers, maakt nieuwe riemen en zoekt tussen het touwwerk van de netten een paar lange sterke stukken touw op, die in plaats van de veters komen. Zodra de schaatsen klaar zijn gaat Jannetje er meteen mee naar de haven en bindt ze om. En schaatst alle dagen fanatiek tot de wedstrijd. Er is veel concurrentie, want de zijde spek heeft heel wat deelnemers gelokt. Verbeten rijdt Jannetje haar banen. Ze heeft al vier keer gewonnen. Nu gaan de winnaars tegen elkaar. De spanning stijgt ten top. Ze heeft een goeie start en schiet als een pijl uit de boog weg.

„Ik ga winnen," denkt ze blij. Maar als ze op de helft is voelt ze dat er wat mis is met haar rechterschaats. Hij gaat steeds losser zitten. Ze raakt uit balans, ze wordt kwaad.

„Ik zal winnen," sist ze en duwt, stampend met haar been, de schaats naast haar voet. En bereikt op het nippertje, met de rechter voet steppend en de linker schaatsend, als eerste de finish, waar ze met een welverdiend gejuich ontvangen wordt.

Begin februari trekt het geallieerde leger in oostelijke richting de Maas over om, met een boog door Duitsland, Nederland van die kant af verder te bevrijden. De landkaart wordt weer tevoorschijn gehaald om de veranderende frontlijn dagelijks na de radiouitzendingen bij te kunnen tekenen.

Op het terrein bij het gemaal liggen uitgebrande sintels. Er zitten vaak stukjes niet verbrande cokes tussen, die er door groot en klein uitgezocht worden. Ook Jannetje is een regelmatige zoekster. Op een middag treft ze daar een jongetje van een jaar of zeven aan. Hij staat er zo koud en verslagen bij, dat ze hem vraagt of er wat is.

Hij slikt een paar keer, heeft zichtbaar moeite om niet te huilen en zegt: „Ik zou kool opzoeken voor m'n moeder en toen zei die ouwe man," – en hij wijst een verdwijnende figuur in de verte na – 'weet je wat, we zoeken samen eerst mijn zakje vol en dan dat van jou.' Maar toen de zijne vol was, ging hij gauw weg."

„Nou, dat is dan beslist geen lieve ouwe man, maar ik zal zorgen dat jij toch met kool thuiskomt," antwoordt Jannetje.

IJverig gaat ze op zoek, geholpen door het kind, tot de ouwe tas, die hij bij zich heeft helemaal vol is.

Omdat het al begint te schemeren, besluit ze morgen haar eigen zak te vullen en loopt met het jongetje terug naar het dorp. Als ze hem ernaar vraagt, vertelt hij dat hij Albert van Marretje Koerts is. Ineens zegt hij blij: „Als m'n vader ziet hoeveel kool ik heb, is hij vast niet meer boos op me."

Nieuwsgierig vraagt ze waarom die boos is.

Albert vertelt: „Ik ging vanmorgen over de haven naar de Waffen-boten kijken en toen schrok ik van een Duitser, die opeens met z'n hoofd uit een luik kwam. Hij keek erg kwaad en ik ging gauw naar huis. Ik zei tegen m'n vader dat ik een Duitser gezien had met een erge valse kop, die sprekend op hem leek."

Jannetje heeft moeite om niet te lachen en zegt: „Ik denk dat hij blij is, dat hij al zo'n grote zoon heeft, die voor brandstof kan zorgen."

Als ze de Oudestraat inlopen, komen twee dochtertjes van Jaauwk en Inkien ze tegemoet huppelen. „Ik ben jarig en we hebben choco-lademelk met wat erbij gehad. Er is ook nog wat voor jou bewaard," zegt de grootste van de twee tegen haar tante.

Die nodigt Albert uit: „Ga ook even mee, je hebt vast wel zin in wat lekkers."

De melk staat op de kachel en Inkien schenkt hen meteen een grote beker vol in. Ze krijgen er ieder een snee witbrood, gebakken van kindermeel, met ontbijtkoek bij. Het smaakt overheerlijk.

Als Albert het op heeft en naar huis zal, zegt de jarige, hem strak aankijkend: „Al wie jarig is krijgt cadeautjes."

Hij begrijpt de wenk en steekt z'n handen in z'n zakken om te zoeken of daar misschien iets geschikts in zit. Hij voelt schroeven, moertjes, touwtjes en z'n grote stuiter, een winner, die hij als een kostbaar bezit koestert, tot het weer knikkertijd is. Maar die geeft hij niet, dat offer is te groot.

Z'n vingers betasten alle attributen nog een keer.

Tot z'n opluchting vindt hij een koperen gordijnringetje. Hij poetst het op aan z'n jas en zegt: „Kijk eens, wat een mooie ring ik voor je heb," en doet hem aan haar vingertje.

Het kleine meisje is er zo blij mee, dat ze bij de hele familie langsgaat om hem te laten bewonderen.

Van acht uur 's avonds tot zes uur 's morgens is het spertijd. Niemand, behalve dokters en de bezetters, mag zich dan buiten bevinden.

Desondanks krijgt de familie Bakker 's avonds veel aanloop, zo ook vanavond. Buren en een paar nichtjes en kennisjes van Jannetje. Ook Jaauwk komt even langs. Hij vertelt: „We lagen gistermiddag in de haven van Medemblik en hoorden dat je bij de keuken van het gesticht eten kon krijgen. Wij er naar toe. We waren niet de enige afhalers. Er stond al een lange rij waar we ons bij aansloten. Het duurde nogal en ik leunde even tegen het hek, dat om de tuin van het gesticht staat. Toen loopt er een man in die tuin naar het hek en zegt tegen mij: 'Je mocht willen dat je aan deze kant van het hek stond.'

Ik vraag: 'Hoezo?'

Zegt hij: 'Wij hoeven nooit voor eten in de rij te staan.'

Het is inmiddels tijd voor de uitzending van Radio Oranje. Andries pakt de radio met de accu. De omroeper is wat voorzichtig met z'n berichten over de strijd. Als hij uitgesproken is, praten de mannen erover na.

De meisjes gaan naar huis. Jannetje wil nog wat bij tante Gaart ophalen en loopt even met hen mee. Ze praten en letten niet op.

Tot er plotseling klinkt: „Stehen bleiben!"

Dat doen ze, stokstijf van schrik. Ze moeten hun persoonsbewijzen afgeven en zich de volgende morgen om zeven uur bij de pastorie melden. Zich eraan onttrekken kan niet, want zonder persoonsbewijs ben je vogelvrij en krijg je ook geen bonnen.

In de huishouding van de pastorie zwaaien twee 'dames' de scepter. Zij geven opdrachten aan de meisjes. Twee moeten aardappels schillen, twee wortels schrapen en Klaasje van Gaart moet snoekbaars schoonmaken. Terwijl ze daarmee bezig is lacht een van de dames, genaamd Ria met de blonde lok, haar uit en bespot haar. Ze wordt meteen afgestraft want Klaasje grijpt een hand visafval en gooit die recht in haar gezicht. Even heerst er een doodse stilte, de meisjes houden hun adem in, tot de Duitsers die in de keuken zijn, in lachen uitbarsten. Dan durven de Urkers ook en worden de rollen omgekeerd. Nu is Ria degene die bespot wordt. Jammer genoeg duurt dat niet lang, want een van de Duitsers geeft Jannetje opdracht haar schoon te maken. Die weigert en dan moet ze samen met Klaasje voor straf nog drie dagen werken voor de bezetter.

Voor die om zijn hebben ze het hele gebouw schoongemaakt. Tot aan de kolenhokken toe. En ze moeten de bovengang met een tandenborstel aanvegen. Dat heeft Ria voor hen bedacht. Die kijkt zeer zuinig als ze daarna naar huis mogen en als verdienste twee pakjes sigaretten en twee broden meekrijgen.

De eerste dagen van maart regent het, daarna wordt het redelijk zonnig lenteweer en de berichten van Radio Oranje zijn zo zonnig dat zelfs de grootste pessimist in een spoedige bevrijding gelooft. De geallieerde legers komen via de Achterhoek op de Veluwe en op 14 april wordt Arnhem bevrijd. De Canadezen rukken verder op naar het noorden. Voor ze op Urk zijn, neemt de bezettende macht de benen. Zonder slag of stoot gaan ze weg.

De Waffenschepen verlaten de haven en dinsdag 17 april is Urk weer van de Urkers. De vlaggen gaan uit. Onderduikers doen een kuiertje over de haven en genieten met volle teugen van de zeewind en het heerlijke lenteweer.

Sommige mensen maken al plannen om straks, als heel Nederland vrij is, een groots bevrijdingsfeest te organiseren.

Bij anderen wordt de blijdschap overschaduwd door ongerustheid over geliefden die ergens in Duitsland zijn of vermist worden.

's Avonds loopt bij de familie Bakker de kamer vol met familie en vrienden.

Dankbaar en blij vieren ze het weer vrij zijn.

En ze spreken eensgezind af dat wat er in de toekomst in de wereld ook gebeuren mag, 'Urk houdt zich er buiten'.

HET LIED VAN DE WIJZEN UIT HET OOSTEN

Drie mannen wijzen ademloos naar boven,
zij zien een ster van ongekende pracht,
geluk dat zomaar in hun leven valt,
zij doen een wens: de koning van hun dromen.

Het boek der schepping hebben zij gelezen,
zij komen feilloos in Jeruzalem,
het Woord verwijst hen daar naar Bethlehem,
zij gaan op weg, de hemel lacht hen tegen.

Zij buigen diep wanneer zij Jezus vinden,
nederig leggen zij hun schatten neer,
hun droom kwam uit, Hij is de nieuwe Heer,
o hemellichaam, tastbaar in ons midden.

Heer Jezus, Gij zijt onze nieuwe koning,
de schepping wijst U allerwegen aan,
het Woord vertelt ons wat wij niet verstaan,
o Zoon van God, Gij wilt bij mensen wonen.

Greetje van den Berg

HUIS IN DE DUISTERNIS

De ruitenwissers van de rode Mercedes sportwagen zoefden onophoudelijk heen en weer om de bestuurder zo goed mogelijk het zicht te garanderen. De natte sneeuw plakte tegen de voorruit om daarna in een vochtige straal uiteen te vallen. Deze sneeuw zorgde niet voor een egaal witte deken. Integendeel: de wegen glansden somber in de koplampen van de auto's; de akkers waren donkere vlakken in de avond. Met een noodgang kwam de auto het erf van de kleine boerderij opgereden. Het natte grind spatte op onder de brede banden met de opvallende sportvelgen.

„Ziezo." Ronald Verheul leunde achterover in de luxe kuipstoel van z'n auto en keek naar het bleke, vermoeide gezichtje naast hem. „Je bent thuis!" zei hij met nadruk. „Je boerderij wacht op haar bewoonster. Je bent doodop, is het niet?"

Jennie Boersma draaide haar gezicht met de ondeugende, ontelbare sproeten naar hem toe en veegde ongeduldig een rode krul van haar voorhoofd. Haar groene ogen zochten de zijne, maar hij wendde ze af. „Ik ben inderdaad moe," zei ze zacht. „Maar aan slapen kom ik nog niet toe. Lichamelijk verlang ik naar bed, maar geestelijk ben ik nog klaarwakker. Ik voel het nu al."

„Dan drink je nog een glaasje wijn voor het slapen gaan," stelde Ronald voor.

Hij keek haar nu wel aan. Z'n heldere blauwe ogen stonden zacht en vriendelijk, maar dat wat ze hoopte te lezen, ontbrak erin. Hij zag haar als een werkneemster van haar vader; een collega. Ze wenste dat ze het net zo zou kunnen zien, maar al snel na haar indiensttreding bij antiquair Verheul en zoon waren haar gevoelens veranderd. Ze was gaan houden van Ronald Verheul met z'n moderne, blonde kapsel, z'n warme stem, z'n liefde voor het vak en z'n belangstelling voor haar. Maar belangstelling was geen liefde.

„Drink je een glaasje mee?" inviteerde ze hem nu.

Hij schudde z'n hoofd. „Anders graag, Jennie, maar ik heb van-avond nog een belangrijke afspraak."

Hij glimlachte verontschuldigend. „Pa heeft het gearrangeerd. Ik ben bijna dertig. Hij begint zich zorgen te maken. Normaal ben ik niet zo volgzaam, zoals je inmiddels wel weet, maar zo nu en dan vind ik dat ik er niet onderuit kan."

Ze knikte. „Ik begrijp het."

Ze keek naar het huis; haar onderkomen. Triest lag het te midden van een groep bomen, geteisterd door de harde novemberwind en de nog steeds traag neerkomende natte sneeuw. Vanavond zou ze hier voor het eerst alleen blijven. Waarom had ze zich niet eerder gere-aliseerd dat het hier zo stil en donker zou zijn? Steeds was ze hier overdag geweest, samen met vrienden en kennissen, om het huis een beetje toonbaar te maken.

„Zie je ertegen op vanavond alleen te zijn?" klonk Ronalds stem vlak naast haar.

„Nee, nee, helemaal niet," zei ze iets te snel. „Het zal natuurlijk wel even wennen zijn, maar het is alleen voor vanavond. Morgen is Hertog er weer."

„Ik snap niet waarom je die hond niet direct vanavond hebt opge-haald." Ronald schudde z'n hoofd. „En wat zo'n stadse juffer als jij hier middenin de polder zoekt, is me helemaal een raadsel."

„Ach." Ze haalde haar schouders op. „Tante Dien is nu eenmaal stapelgek op Hertog. Ik kon het niet over m'n hart verkrijgen hem nu alweer op te halen. Bovendien had ik dan nu nog naar Utrecht moeten rijden, en dat met dit hondenweer!"

Ronald glimlacht even. „En dan m'n laatste vraag: waarom sluit een jonge vrouw als jij zich op in een boerderij middenin de pol-der?"

„Ik zoek rust," bekende ze zacht. „Het klinkt vreemd voor een jonge vrouw van drieëntwintig, maar na het auto-ongeluk van m'n ouders waarbij ik in één klap m'n vader, moeder en zus verloor, heb ik rust nodig om dat te verwerken."

„Ik hoop dat het je inderdaad helpt." Hij legde z'n hand op haar arm. „Als je me nodig hebt, zeg je het maar. Je kunt op me rekenen. Ik zal blij zijn als Hertog weer bij je is. Het zint me niets, zo."

160

„Ik zal deze eerste nacht vast wel overleven."

Ze opende het portier en stapte uit. „Bedankt voor je hulp, Ronald. Zonder jou en de anderen had ik het allemaal niet zo snel voor elkaar gekregen. En eh, maak je maar niet bezorgd. Ik red me wel."

Ze sloeg het portier dicht en keek de auto na, terwijl Ronald luid toeterend wegreed. De rode achterlichten werden opgeslokt door de duisternis. Ze huiverde en veegde een lastige traan weg. Ronald, oh Ronald. Je moest eens weten wat ik voor je voel. Ik kan het niet verdragen dat je vanavond met een ander zult zijn. Een ander.

Ze vermande zich. Haar stijve vingers tastten naar de sleutelbos in haar tas. In het pikkedonker zocht ze naar het sleutelgat van de achterdeur. Er moest hierbuiten een lantaarn komen, die vanzelf aan zou gaan als het donker werd. Ze draaide behoedzaam de sleutel om, en tot haar opluchting kon ze de deur openen. Met haar hand tastte ze naar de lichtschakelaar en ze draaide de achterdeur meteen weer op slot, toen de kleine hal volop verlicht werd. Ze liep door de keuken en de gang, struikelde over een doos en knipte met kloppend hart overal het licht aan, zodat de hele benedenverdieping in een zee van licht baadde.

Bijna duizelig ging ze op een stoel zitten, die nog vreemd onwennig in de kamer stond. Ze leek wel niet wijs. Had ze zich nu toch te veel laten beïnvloeden door vrienden en kennissen, die haar gewaarschuwd hadden dat het 'niets voor haar was om in zo'n boerderij te midden van de eenzaamheid te gaan wonen'?

Vanavond nog hadden ze dat opgemerkt, terwijl ze haar vrienden een etentje had aangeboden als dank voor de hulp van deze dag. Of ze het niet eng vond. Er kon toch van alles gebeuren. Als ze het niet meer uithield, hoefde ze maar te kikken. Dan verhuisden ze haar zo weer terug naar het dorp.

Ze perste haar lippen op elkaar. Ze ging niet meer terug.

Nooit meer!

Na het ongeluk van haar familie was ze Utrecht ontvlucht. Haar baan als directiesecretaresse was haar tegen gaan staan, haar huis was haar tegen gaan staan en Utrecht was niet meer wat het was. Ze had weg gewild; willen vluchten voor herinneringen die ze niet meer kon verdragen. Haar oog was op de Noordoostpolder gevallen.

Zomaar, omdat er mensen uit alle windstreken woonden, met elk hun eigen verleden. In Emmeloord had ze een flatje kunnen krijgen. Bij toeval ook was haar oog op een advertentie gevallen: 'Medewerkster gevraagd in antiekzaak. Bent u jong en ziet u het nut van historie voor onze moderne samenleving in, dan bent u de medewerkster die wij zoeken'.

De advertentie had haar aangesproken. Antiek had haar liefde, en daarom had ze het telefoonnummer gedraaid dat onder de advertentie stond om een afspraak te maken. Hoewel de functie niets met haar opleiding en ervaring te maken had, werd ze na een gesprek meteen aangenomen. Deels omdat ze de enige kandidaat was en deels vanwege haar aanstekelijke enthousiasme. Nu, na een halfjaar, had ze nog steeds geen spijt van de nieuwe wending die ze aan haar leven had gegeven. De oude Verheul gaf haar veel vrijheid en Ronald leerde haar iedere dag weer nieuwe dingen, die haar steeds meer plezier in het vak bezorgden. Dankzij vader Verheul was ze aan dit boerderijtje gekomen.

Regelmatig had ze op de zaak haar onvrede geuit over de flat waar ze woonde en ineens was vader Verheul met het overweldigende voorstel gekomen dat ze met beide handen aangenomen had. Een boerderijtje middenin de polder. Verheul had ooit nog de stille hoop gehad dat Ronald zich er zou gaan vestigen met een bruid, maar die tijd leek nog ver weg. Volgens Verheul was zijn zoon 'niet gezond'. Er zat geen 'vrouwenvlees' aan. Nu mocht zij er gaan wonen, want anders stond het huisje toch maar leeg. Zelf had hij er niet voor gevoeld er z'n intrek te nemen. In Emmeloord zelf bezat hij een huis dat van alle gemakken voorzien was. Ze was meteen gezwicht voor het voorstel, toen Verheul haar had meegenomen naar de boerderij.

Een klein, knus boerderijtje met groen geschilderde deuren, een enorme tuin en erachter een grote schuur, die Verheul wel had weten te verhuren. „Rustige mensen," had hij gezegd. „Je zult er geen last van hebben. Ach, en die schuur heb je toch niet nodig. In huis en op zolder is ruimte genoeg om alles te bergen voor een vrouw alleen zoals jij."

Ze schopte haar pumps uit, die ze ter gelegenheid van het etentje snel onder haar rok had aangeschoten. Even tot rust komen nu, dacht ze. Misschien had Ronald gelijk en zou het haar goeddoen nog even een glaasje wijn te drinken. Ze gooide een blok hout in het potkacheltje en porde het vuur op. Nadat ze een glas had volgeschonken, nestelde ze zich in de oude fauteuil die ze, behalve wat familiefoto's, als enige aandenken uit haar ouderlijk huis had meegenomen. De potkachel snorde behaaglijk. De luxe van een centrale verwarming moest ze hier ontberen, maar de gezellige warmte van het kacheltje vergoedde dat ruimschoots. Ze nam een slokje van de rode wijn en leunde met haar hoofd achterover. Haar ogen tuurden in de vlammen, die als vurige tongen alles vernietigden wat binnen hun bereik viel. De wijn maakte haar hoofd licht en verjoeg de sombere gedachten. Het zou haar wel lukken hier opnieuw te beginnen. Ze zou moeten wennen aan de duisternis rondom het huis en aan de haast voelbare stilte, maar daarnaast zou ze genieten van al het goede dat dit boerderijtje haar ook te bieden zou hebben. Ach, en eenzaam: was ze op de flat ook niet eenzaam geweest? En morgen? Ze doezelde weg. Morgen zou Hertog weer bij haar zijn. Ze had de Dobermannpincher nu drie jaar en ze waren aan elkaar gehecht. Waar Jennie liep, was Hertog ook. Sommige mensen vonden dat vervelend, maar zij niet. Haar ogen vielen dicht.

Ineens zat ze rechtop. Klaarwakker. Er werd tegen de ramen getikt. De sneeuw was overgegaan in hagel. Ze keek naar de ramen, maar zag niets dan koude, donkere vlakken; zwarte gaten, waardoor een ieder die dat wilde haar ongehinderd kon observeren. Ze stond op en sloot met een ruk de gordijnen. Overal; in de keuken en in de kamer. Haar hart bonsde. Woorden schoten haar te binnen.

Woorden van vrienden en kennissen. Woorden waartegen ze zich manhaftig had geweerd.

„Vind je het niet eng zo alleen, Jennie?"

„Eng?" had ze gezegd. „Hoezo eng?"

Overdag leek de duisternis van de avond helemaal niets om bang voor te zijn. Maar nu? Nu vond ze het wel eng! Ze was vanavond ronduit bang. Haastig liep ze naar boven, waar de kilte van de slaapkamers haar al tegemoetkwam. Boven leek de wind veel meer om het huis te gieren dan beneden. Ze schoot een pyjama aan en dook in bed. Slapen wou ze.

Als ze sliep, hoefde ze ook geen angst meer te hebben.

Heerlijk. Nu pas voelde ze haar vermoeidheid in volle hevigheid. Haar bed kraakte, toen ze zich omdraaide en zich zo ver mogelijk onder de dekens verstopte. Haar gedachten gingen weer terug naar Ronald. Ronald: blond haar en blauwe ogen. Ze hield van hem, ook al ging hij vanavond met een ander uit. Een vrouw, die door z'n vader uitgezocht was. Ronald. Waarom had z'n vader haar niet uitgezocht? De slaap ontfermde zich over haar.

Toen ze wakker schrok, realiseerde ze zich eerst niet welk geluid haar gealarmeerd had. Vanuit haar bed wierp ze een blik op de verlichte cijfers van de wekkerradio: halfdrie. Het zou nog uren duren voordat die verstikkende duisternis eindelijk zou wijken voor het daglicht.

Doodstil bleef ze liggen; ze voelde hoe ze begon te transpireren. Toen was het geluid er opnieuw. Geschuifel op zolder. Ze kroop dieper onder de dekens. Even was het weer stil. Ze hoorde enkel het getik van regen tegen het raam, en net toen ze zich voorhield dat het verbeelding moest zijn geweest, hoorde ze het weer: een duidelijk geschuifel. Gespannen probeerde ze zich de vliering voor de geest te halen: een ongezellig donker hok met een minuscuul klein raampje. Je kon er niet eens rechtop staan zonder je hoofd te stoten. Wie zou in vredesnaam daarboven kunnen komen en wat had diegene daar te zoeken? Het geluid hield aan, ook nadat ze het licht aangeknipt had.

Geschuifel, en getrippel. Ineens schoten haar de muizenkeuteltjes te binnen, die ze tijdens de schoonmaak op zolder gevonden hadden. Muizen! Ze lachte hysterisch.

Waarom had ze daar niet eerder aan gedacht? Ze schoof weer onder de dekens, maar durfde het licht haast niet uit te doen. De eerste avond in haar nieuwe huis: ze had zich er zoveel van voorgesteld en nu realiseerde ze zich ineens dat ze alleen nog maar bang was geweest.

,,En, ben je al een beetje gewend aan je nieuwe onderkomen? De rust zal wel even vreemd overgekomen zijn, is het niet?"

Meneer Verheul was de zaak binnengekomen, en Jennie schrok van z'n stem. Verheul had een manier van lopen waardoor je hem niet aan hoorde komen.

Ze herstelde zich meteen weer. „Het is er heerlijk wonen. De eerste dagen was het inderdaad wennen. 's Nachts is het erg stil en bovendien had ik last van muizen op zolder. Dat probleem is er nu gelukkig niet meer. Ik heb een poes aangeschaft en die heeft flink huisgehouden op de zolder. En bovendien is Hertog weer thuis. Ik voel me bijna veiliger dan in m'n flat."

„Mooi zo," mompelde Verheul goedkeurend. Uit de zak van z'n colbert diepte hij een sigaar op en bood die eerst Ronald, die net binnenkwam, aan.

Ronald weigerde beslist.

In z'n hand had hij een lampje. Heel eenvoudig, maar tevens kostbaar, zag Jennie meteen. Het vele glas van de lamp was geslepen en rondom zat een koperen rand.

„Prachtig," zei ze waarderend. „Heb je die vanmorgen op die veiling op de kop weten te tikken?"

Verheul senior, die net de brand in z'n sigaar stak, verslikte zich bijna in de rook. „Welke veiling?"

„In hotel Voorhoeve," zei Ronald rustig, maar Jennie zag hoe z'n handen zich vaster om de lamp klemden. Ze voelde zich opgelaten, maar zag geen mogelijkheid zich terug te trekken zonder onbeleefd te lijken.

„Waarom weet ik daar niets van?" informeerde Verheul.

„Omdat je te druk was met andere zaken."

Ronalds stem klonk snijdend. Z'n ogen hechtten zich vast in die van z'n vader, die ongemakkelijk z'n blik afwendde.

„Ik vind dat je zulke dingen met mij dient op te nemen. Heb je nog meer gekocht?"

Ronald grijnsde. „Bekijk de aanhanger maar eens. Je zult tevreden kunnen zijn. Wat schilderijen en een paar zaken die nog in de reparatie moeten, maar daarna hun geld dubbel en dwars waard zijn."

„Jongen, als ik op die manier rijk moet worden, zullen we nooit iets bereiken. Kruimelwerk is het."

„Het is mij genoeg," zei Ronald star.

„Zal ik koffiezetten? Misschien hebben jullie daar onderhand zin in gekregen?" informeerde Jennie voorzichtig om vader en zoon even af te leiden.

Ronald zond haar een dankbare blik. „Graag, Jen. Dat zal er wel in gaan."

„Lief van je aangeboden, Jennie, maar ik heb nog andere dingen te doen," zei Verheul stuurs.

Jennie haastte zich naar het kleine keukentje. Daar kon ze vader en zoon nog tegen elkaar horen schreeuwen.

Ze zuchtte. Het was hier prettig om te werken, maar als de beide Verheuls het weer eens op hun heupen hadden, was de spanning om te snijden en zou ze net zo lief direct naar huis gaan. Ineens stond Verheul achter haar. Ze schrok weer net als in de winkel.

Hij drukte z'n sigaar uit in een antiek zeepbakje en kwam wat dichter naar haar toe. Ze rilde ineens, maar Verheul had geen kwaad in de zin.

Hij glimlachte even, toen hij de haast onmerkbare beweging bespeurde waarmee ze zich terugtrok. Z'n lange, slanke vingers, gesierd met twee gouden ringen, streken nerveus door z'n peper-en-zoutkleurige dunne haar. „Sorry, dat je getuige van onze vete moest zijn. Ronald en ik kunnen niet altijd even goed met elkaar overweg. Dat had je waarschijnlijk al in de gaten."

Ze knikte langzaam, maar ging er verder niet op in.

„Goed," mompelde hij, nu toch een beetje met z'n figuur verlegen. „Ronald is een beste jongen, maar zo eigenwijs, en zo'n amateur! Maar ja, daar heb jij verder niets mee te maken. Ik ben blij dat je nieuwe woning je bevalt. Heb je al kennisgemaakt met de mensen die de schuur van me huren?"

Ze schudde haar hoofd. „Misschien zijn ze er overdag weleens, maar dan ben ik zelf weg."

„Nu ja, des te beter. Dan hebben jullie ook geen last van elkaar. Het lijken me mensen die niet op pottenkijkers gesteld zijn."

„Van mij zullen ze geen last hebben," zei ze luchtig.

„Mooi. Nou ja, als er iets bijzonders is, hoor ik het wel van je, hè?"

Hij was ineens weer weg. Net zo snel als hij gekomen was.

166

's Middags stond er ineens een vrouw in de winkel. Jennie had gezien hoe ze eerst voor de etalage had staan kijken, en het was haar opgevallen dat de vrouw schijnbaar meer aandacht voor het interieur van de winkel had dan voor de goederen die voor het raam tentoongesteld waren. Daarna was ze binnengekomen. Jennie had haar even haar gang laten gaan.

Terwijl de vrouw door de winkel liep, observeerde ze haar onopvallend. Een mooie, elegante vrouw van achter in de twintig, schatte Jennie haar in.

Haar donkere haren waren opgestoken in een modieus kapsel en de vrouw straalde zelfvertrouwen uit. Een zelfvertrouwen dat mannen prikkelde en vrouwen jaloerse opmerkingen ontlokte. Ze droeg een wijde, camelkleurige jas en liep op schoenen met naaldhakken, waarop Jennie onmiddellijk allebei haar enkels zou verzwikken. Zo nu en dan nam de vrouw iets van de schappen in haar handen, bekeek het nauwkeurig en wierp dan een blik op Jennie, terwijl ze een beetje raadselachtig glimlachte. Jennie haalde diep adem en achtte toen het moment daar om op de vrouw af te gaan. „Zoekt u iets speciaals? Kan ik u misschien van dienst zijn?" informeerde ze.

De vrouw keek haar aan. Haar handen namen een koperen tabaksdoos van de tafel. Haar donkere ogen bleven onophoudelijk rusten op Jennies gezicht. „Deze wil ik graag."

Jennie probeerde de blik te weerstaan. „Zal ik het voor u inpakken?"

„Natuurlijk." Haar blik bleef ondoorgrondelijk, ook nadat Jennie de prijs had genoemd, die ze zelf veel te hoog vond. De goed verzorgde handen met de felrood gelakte nagels haalden een cheque uit haar tas, die ze invulde met een goudkleurige pen.

Jennie probeerde de naam te ontcijferen en voelde zich betrapt, toen de vrouw opkeek en spottend glimlachte. „Is meneer Verheul zelf misschien ook aanwezig?"

De stem van de vrouw was laag; een beetje hees zelfs.

Ze schudde haar hoofd. „Nee helaas, meneer Verheul is de hele dag afwezig."

„Vreemd." Weer die onderzoekende blik. „Ik meende hem net achter te zien lopen."

„Oh sorry, bedoelde u Ronald?" Ze hoorde zelf hoe vreemd het klonk. „Ik eh, bedoel meneer Verheul junior."

„Ik wist niet dat het personeel de werkgever hier bij de voornaam noemde." De donkere ogen vernauwden zich tot spleetjes. „U doet er goed aan, mevrouw, daar rekening mee te houden. Het geeft een heel slechte indruk."

Jennie beet haar lippen op elkaar. Ze zou deze hooghartige dame eens flink op haar nummer willen zetten, maar vader en zoon Verheul zouden haar dat waarschijnlijk niet in dank afnemen.

„Zou u dan nu eindelijk zo vriendelijk willen zijn meneer Verheul op te halen?" zei de dame onvriendelijk.

„Natuurlijk." Ze draaide zich om en liep naar achter.

Ronald zat op z'n hurken bij een stoel. Voorzichtig haalde hij de bekleding los. „Zie eens wat een juweel, Jennie. Als ik deze stoel opnieuw bekleed met..."

„Er staat een dame op je te wachten. Ze heeft naar je gevraagd," viel Jennie hem in de rede. Ze keek naar z'n gezicht.

„Een dame?" Hij leek echt verbaasd. „Voor mij?"

Ze schoot onwillekeurig in de lach. „Hoezo, is dat zo gek?"

Hij reageerde al niet meer. Hij liep naar voren, en ze hoorde hem verrast: „Maar Nadia, jij hier? Wat een verrassing!" uitroepen.

Vanuit de werkplaats kon ze zien hoe Ronald de vrouw een hand gaf en oprecht verheugd leek te zijn. Nadia: de naam bleef in haar oren doorklinken.

Natuurlijk geen Jennie. Die naam was voor huis-, tuin- en keuken-vrouwen zoals zij. Ze had een aardig koppie en mooi koperkleurig haar, maar dat was niets vergeleken met de klasse van Nadia. Zou dat misschien de vrouw zijn, die vader Verheul voor z'n zoon op het oog had?

Een goede echtgenote voor een geslaagd antiquair. Nadia Verheul. Het klonk beter dan Jennie Verheul. Ronald en Nadia. Ronald en Jennie.

„Jennie, zou je even koffie willen zetten? Nadia blijft even koffie-drinken."

Ronald zag er blij uit, en achter Ronald liep Nadia. Ze had een triomfantelijke glimlach deze keer.

Jennie draaide zich om. Ze wilde dit tafereel niet langer zien. Ze wilde hier nu alleen maar weg. Ze moest koffiezetten voor Nadia. Meer vernederd kon ze al niet worden. Misschien moest ze straks ook nog 'meneer' tegen Ronald zeggen. Ze was blij toen de winkelbel ging.

„Ronald?" Nu was het haar beurt om triomfantelijk te glimlachen. „Zou je misschien zo vriendelijk willen zijn zelf de koffie in te schenken? Ik moet even naar de winkel. Er zijn mensen binnengekomen."

Ze hoorde z'n antwoord niet meer.

November had plaatsgemaakt voor december. December, met zijn lange, donkere dagen. Felle stormen gierden over het land, vergezeld door winterse buien. De wind leefde zich uit op de daken van de boerderijen en bescheiden arbeiderswoninkjes, die in het vlakke polderland verspreid stonden. Jennie was gewend geraakt aan de geluiden van het huis. De waarschuwingen en opmerkingen van haar kennissen dat het toch wel erg eenzaam was te midden van de landerijen deerden haar niet meer. Ze voelde zich veilig, niet in het minst vanwege de aanwezigheid van Hertog. In het dorp even verderop had ze al diverse malen inkopen gedaan. Ze had genoten van de dorpse hartelijkheid in de winkeltjes, waar ze belangstellend geïnformeerd hadden of ze een beetje kon aarden. Toen ze in een van de zaakjes een regenton had zien staan maar had opgemerkt dat ze die later weleens kwam ophalen, omdat ze te weinig geld bij zich had, hadden ze haar eenvoudigweg de ton mee laten nemen. „We schrijven het wel op," had de man achter de toonbank gezegd. Hij had ook nog geholpen het gevaarte naar de auto te brengen.

Vandaag was het zondag, en ze was het hele weekend naar kennissen in Utrecht geweest. Hoewel het gezellig was geweest, was ze ook bestormd door herinneringen. Herinneringen die de wonden weer hadden doen schrijnen. Ze was blij geweest, toen ze de terugweg weer had kunnen aanvaarden. Hier, te midden van de akkers, had ze het gevoel dat ze langzaam maar zeker haar evenwicht weer terugvond.

Het was hier net of de pijn zachtjes wegebde. Ze pakte de fotolijstjes van het kastje, terwijl ze voor de fel brandende kachel ging zitten. Het vertrouwde gezicht van haar moeder keek haar aan. Haar moeder, met dezelfde koperrode haren als ze zelf had en dezelfde ogen, neus en mond. Ze herkende zoveel van zichzelf in die foto, alleen die vrolijke lichtjes in de groene ogen: die had zij niet!

Maar op het moment dat die foto genomen was, was haar moeder getrouwd geweest met een schat van een man. Jantien was twee en haar moeder was in verwachting van Jennie zelf geweest. Er was zoveel geweest om blij mee te zijn. Ze had zoveel van haar gezinnetje gehouden. Zesentwintig was haar moeder geweest. Drie jaar ouder dan Jennie nu was, maar wat een wereld van verschil! Haar moeder had een gezin gehad om voor te leven. Ze had familie gehad: ouders en drie broers.

En zij? Oh ja, natuurlijk waren haar ooms en tantes bezorgd om haar, en ze wilden ook allemaal een keer komen kijken. Maar toch was dat niet te vergelijken. Ze voelde zich alleen, ondanks de familie van haar vaders of moeders kant.

Wat zou ze het graag eens met haar moeder gehad hebben over Ronald. Ze zou haar hart willen uitstorten, want sinds Nadia's komst was Ronald veranderd. Oh nee, hij praatte nooit meer over haar en ze liet zich ook niet meer in de winkel zien, maar hij was soms zo afwezig. Hij kon zo dromerig voor zich uit kijken, en dan wist Jennie dat z'n gedachten bij Nadia moesten zijn. Zo had hij nooit naar haar gekeken. En zo zou hij waarschijnlijk ook nooit aan haar denken.

Ze gooide een stuk hout in de potkachel, waardoor het vuur weer fel oplaaide. Daarna liep ze naar de keuken, waar de koffie al klaarstond in de thermoskan. Ze deed suiker en melk in haar kopje en schonk de hete koffie in, terwijl Hertog achter haar de keuken binnenkwam en water uit z'n bak slobberde. Liefkozend aaide ze het dier over z'n kop, en ze wilde net weer naar de kamer lopen, toen een auto haar erf op draaide.

Nieuwsgierig keek ze naar buiten. Wie zou dat nu nog kunnen zijn? De auto reed haar huis voorbij. In het vage schijnsel van de maan onderscheidde ze een bestelwagen. Doodstil bleef ze staan, toen er nog een auto volgde, die ook in de richting van de schuur reed. Ze hoorde de grote schuurdeur kraken, deed het licht uit en liep zachtjes naar boven.

Vanuit een zijraam had ze zicht op wat er gebeurde. Hertog blafte, en ze schrok onwillekeurig. Een klaaglijk gemiauw verschafte haar helderheid. De poes lag op het bed. „Snoepie," zei ze vertederd. „Wat ben je ook een aards luie kat. Je behoort muizen te vangen."

Snoepie rekte zich eens uit, maar bleef liggen waar ze lag, alsof ze zeggen wilde: ik heb me in huis al danig van m'n taak gekweten en naar buiten krijg je me met dit weer niet.

Jennie keek weer naar buiten. Ze stond in het donker, zodat niemand haar in de gaten zou kunnen hebben. De auto's hadden hun lichten gedoofd en ook in de schuren heerste duisternis. Desondanks merkte Jennie vage gestalten op, die heen en weer liepen tussen de bestelwagen en de schuur, alsof er iets naar binnen gebracht werd.

Verder werd ze weinig wijzer. De deuren werden weer gesloten. De gestalten gingen terug naar de auto's. Ze kon nu toch vier personen onderscheiden. Snel trok ze zich terug, toen de felle koplampen dwars door haar huis heen leken te schijnen. Hertog gromde zacht, maar ze aaide hem geruststellend over de kop. „Rustig maar, ouwe makker. Het lijkt allemaal wel een beetje vreemd, maar het zijn gewoon de huurders van de schuur. Wij hebben daar niets mee te maken."

Ze haalde Snoepie van het bed af en droeg het luie poezenbeest mee naar beneden. De witte poes spon tevreden, toen ze haar vlak voor de kachel neervlijde op het tapijt. Neuriënd liep Jennie terug naar de keuken om de koffie te halen die ze voor zichzelf ingeschonken had. Die was inmiddels koud geworden.

De feestdagen in december gingen in de zaak niet onopgemerkt voorbij. Het was duidelijk drukker dan normaal.

Jennie had er haar handen vol aan, maar ze vond het prettig en ze was net met een klant in gesprek over een kostbare set sieraden, toen ze Ronald vanaf de werkplaats de winkel in zag lopen. Ze verwonderde zich erover. Normaal bemoeide Ronald zich nooit met de winkel, tenzij ze het hem heel nadrukkelijk vroeg. Dat gebeurde eigenlijk alleen als een van de klanten iets heel bijzonders op het oog had.

Hij ontmoette haar vragende blik, maar keek meteen weer voor zich, en z'n gezicht stond gespannen. Hij liep naar een wat ouder echtpaar toe, dat een grenen buffetkastje stond te bewonderen. „Heel apart," hoorde Jennie hen zeggen, maar Ronalds antwoord hoorde ze niet, want de man die bij haar stond had de set sieraden in z'n handen genomen. „Een prachtstuk," mompelde hij. „Is het echt antiek?"

„Uit grootmoeders tijd," bekende ze eerlijk. „Maar toch behoorlijk kostbaar. Nu ja, dat kunt u zelf aan de prijs zien. Het is wel de moeite waard. Bekijkt u de inleg van de ring maar eens en het slotje van de ketting."

De winkelbel luidde opnieuw en haar ogen bleven haken aan de vrouw die binnenkwam. Een elegante vrouw in een wijde cameljas. Haar handen beefden ineens: Nadia!

Ze keurde Jennie geen blik waardig, maar voerde dezelfde scène op als de vorige keer. Langzaam liep ze langs de diverse schappen, de kasten en de tafeltjes. Haar handen gleden over de ornamenten van een porseleinkast. Opnieuw die spottende, hooghartige glimlach, toen ze Jennies blik ving.

Jennie kon haar aandacht niet meer bij het gesprek met haar klant houden. Het was alsof de man haar spanning aanvoelde. „Ik kom een andere keer weleens terug, als u wat meer tijd hebt."

Een beetje beschaamd beaamde Jennie dat. „Dat zou heel prettig zijn. Zo'n aankoop moet u niet te snel beslissen."

Ze keek de man na, terwijl hij de winkel verliet. Daarna vermande ze zich. Ze was niets minder dan Nadia, al was ze niet zo opvallend. Ze moest nu een even zelfverzekerde indruk maken als Nadia. Ze stak haar neus in de lucht, maar haar knieën knikten terwijl ze op de vrouw toeliep.

„Jennie!" Ronalds stem klonk luid door de zaak.

Ze schrok ervan en keek hem vragend aan.

„Jennie, schrijf de gegevens van deze meneer en mevrouw even op. Dit kastje kan dan later in de middag nog bezorgd worden op het juiste adres."

Bevreemd keek ze hem aan en deed haar mond open om te protesteren, maar de gebiedende blik in z'n ogen weerhield haar daarvan.

Nauwkeurig schreef ze de gegevens in het daarvoor bestemde boek, terwijl ze vanuit haar ooghoeken zag hoe Ronald op Nadia toeliep en wat tegen haar zei. Ze zag de hooghartige glimlach van Nadia en Ronalds arm om haar schouder. Het echtpaar naast haar praatte aan één stuk door. De mensen vertelden dat ze net voor de tweede keer getrouwd waren, dat ze beiden vierenzestig waren en dat ze er zo'n plezier in hadden hun huisje in te richten met allerlei aardige antieke spullen.

Jennie slaakte een zucht van verlichting, toen ze eindelijk de winkeldeur achter zich dichttrokken.

Ze bleef nog even dralen achter de toonbank, maar daar was opnieuw Ronalds stem: „Jennie, maak die stoel in de werkplaats even af, wil je? Hij moet gelakt worden."

Inwendig kookte ze. Wat bezielde Ronald vanmiddag?

De aanwezigheid van Nadia verhinderde haar echter zich te beklagen. Ze wilde niet nog meer vernederd worden. Niemand hoefde te weten wat ze voelde. Landerig pakte ze de kwast, die Ronald in de lakpot had laten staan.

Liefdevol gleden haar handen over het hout van het eenvoudige keukenstoeltje, dat Ronald van nieuwe biezen had voorzien. Ronald. Ronald en Nadia. De kwast ging snel heen en weer. Niet aan denken nu. Deze klus moest geklaard worden, en als ze dat goed zou doen, zou Ronald misschien inzien dat ze meer kon dan in de winkel staan. Ze was al snel zo verdiept in haar werkzaamheden dat ze Ronald niet eens hoorde binnenkomen.

Ze schrok van z'n stem. „Je lijkt je vader wel," viel ze uit.

„Hoezo? Laat hij je ook altijd zo schrikken?" Ronalds stem was zacht. „Sorry, dat ik je zo verrast heb. Het was niet m'n bedoeling, maar je was zo ingespannen bezig. Ik wilde je niet storen." Hij ging naast haar zitten. „Hoe vind je dit stoeltje?"

„Prachtig," zei ze oprecht. „Het hoort in een gezellige boerenkeuken thuis. Vroeger heeft het waarschijnlijk ook in een soortgelijke ruimte gestaan."

„Dat is het mooie van antiek," merkte Ronald op. „Je kunt er je eigen verhaal bij bedenken."

Hij monsterde haar lakwerk. „Dat heb je niet gek gedaan. Kijk, daar moet je even op letten. Juist die moeilijke hoekjes moeten goed in de lak gezet worden, maar ja, dat is een kwestie van ervaring."

Ze zat vlak naast hem. Zijn schouder raakte de hare. Ze rook z'n after-shave en z'n haren kriebelden tegen haar wang, toen hij zich vooroverboog.

Hij keek ineens op. Haar groene ogen werden gevangen in de blik van zijn staalblauwe. Alsof hij dwars door haar heen keek.

Ze huiverde.

„Kom," zei hij zacht. „Kijk me niet zo aan. Laten we gewoon collega's blijven."

„Vanwege Nadia?" Haar stem trilde.

Hij keek haar aan. „Nadia," zei hij zacht. „Nadia."

De ontkenning waar ze op hoopte bleef uit, en een ijskoude hand legde zich rondom haar hart. Een hart dat steeds was blijven hopen dat Nadia toch iets anders zou zijn dan de toekomstige mevrouw Verheul. Nadia: ze haatte de naam. Ze haatte de vrouw. De winkelbel rinkelde en ze vluchtte haast de werkplaats uit.

Een nieuwe zuidwesterstorm raasde over het land. Overal sneuvelden dakpannen. Hekwerken vielen om en loszittende voorwerpen vlogen door de lucht. Het laatste weerbericht was geëindigd en Jennie deed de televisie uit.

Ze huiverde, ondanks de warmte die de potkachel verspreidde. Misschien was het beter nu toch maar naar bed te gaan. De storm zou wel aanhouden, maar er was niets dat ze momenteel kon doen. Niets dan lijdelijk de schade afwachten. Ze had dakpannen horen vallen. Daar zou ze Verheul morgen meteen van op de hoogte stellen. Hertog volgde haar de trap op naar boven, terwijl ze Snoepie al aan haar voeteneinde vond. Ze mopperde even, maar liet het beest toch maar liggen. Het mocht dan onhygiënisch zijn, ze vond het prettig haar dieren vlak bij zich te weten.

Hertog vlijde zich vlak voor haar bed neer. Ze aaide het dier nog even over de kop, voor ze het licht uitknipte. Net toen ze een beetje wegdommelde, hoorde ze een geluid.

Ze zat meteen weer rechtop. Buiten raasde de storm, maar daartussendoor klonk het geluid van een deur die open leek te staan en daardoor het onderwerp van een spel van de wind was geworden. Steeds weer hoorde ze de deur open- en dichtklappen. Met tegenzin liet ze zich uit bed glijden en liep naar de logeerkamer, waar ze het beste uitzicht op de schuur had.

Hertog volgde haar, zacht grommend. „Stil, Hertog. Er is niets aan de hand," stelde ze hem gerust.

Vanuit het raam zag ze hoe de schuurdeur was opengewaaid en heen en weer klapperde. Even nog aarzelde ze. Hoe kon zo'n deur vanzelf opengaan? Hij moest toch op slot zijn geweest? Ze wachtte nog even, maar toen niets op de aanwezigheid van mensen duidde, trok ze de stoute schoenen aan. „Kom Hertog. We moeten de storm maar trotseren."

Met kloppend hart trok ze haar regenjack aan over haar pyjama en schoot in haar kaplaarzen. Daarna draaide ze de achterdeur van het slot. De wind benam haar bijna de adem, toen ze naar buiten ging. Ze verzekerde zich ervan dat Hertog achter haar liep en ging verder de duisternis in. Het was werkelijk pikdonker. Zwarte wolken werden in vliegende vaart voorbij de maan gejaagd en ze was boos op zichzelf, omdat ze nog steeds geen lantaarn voor buiten had aangeschaft en nu bovendien niet op het idee was gekomen een zaklantaarn mee te nemen. Ze moest werkelijk vechten tegen de wind. Bij tijd en wijle kwam ze niet vooruit. Uiteindelijk lukte het toch bij de deur te komen. Heel voorzichtig pakte ze de klink en vergewiste zich ervan dat ze echt alleen was. Haar hart bonsde in haar keel, maar er was werkelijk geen levende ziel te bekennen. Ze bekeek het slot en concludeerde dat de wind schijnbaar net zolang gewrikt had tot het toch al gammele slot geen weerstand meer had kunnen bieden. Nu ja, niemand zou haar verwijten dat ze de deur weer had gesloten. Binnen in de schuur was het pikdonker en er hing een muffe lucht. De stank van een ruimte waar nooit een frisse bries doorheen waaide. Hertog stond naast haar. Hij gromde niet meer en dat stelde haar gerust. Daarom ook won haar nieuwsgierigheid het van haar voorzichtigheid.

Ze draaide het lichtknopje om. De schuur was leeg. Ze liet zich niet misleiden, maar liep verder naar binnen, de deur achter zich dichtslaand. Hertog gromde, maar ze maande het dier stil te zijn en bij de uitgang te blijven zitten. Ze liep door naar achteren waar wat hooibalen lagen.

Daar ontdekte ze ook kisten. Even aarzelde ze nog. Daarna probeerde ze toch voorzichtig een deksel open te maken. Het was niet moeilijk. De deksels lagen er bijna los op. Ze hield haar adem in, toen ze de inhoud bekeek. Sieraden, kostbare kleinoden en veel antieke spullen. Ze keek om zich heen en ontdekte in een hoek schilderijen, half verstopt onder oude dekens. Haar handen trilden, terwijl ze de schilderijen stuk voor stuk bekeek. Was dit allemaal voor de handel? Nee, dat was haast niet mogelijk. Het klopte niet wat hier allemaal lag. Waarom anders werden deze spullen in het pikkedonker naar binnen gebracht, terwijl de autolichten gedoofd waren? Geen wonder dat de huurders van de schuur niet op pottenkijkers gesteld waren. Verheul moest eens weten. Ze legde de dekens weer over de schilderijen en deed het deksel weer op de kist.

Op dat moment klonk er op het dak een enorm gerommel. „Hertog, hier!" riep ze en dook weg in een hoek van de schuur achter een paar balen stro. Hertog kwam als een speer op haar af. Ze sloeg haar armen om z'n hals en hield haar adem in. Er gebeurde niets.

Nadat ze zeker een kwartier zo gezeten had en toen al haar ledematen pijn begonnen te doen, stond ze heel voorzichtig op. „Kom Hertog," fluisterde ze, maar ze hoefde eigenlijk helemaal niets te zeggen. Hertog volgde haar al.

Voorzichtig schuifelde ze langs de kant van de schuur naar de buitendeur. Ze trok de klink omhoog, maar er gebeurde niets. Er was geen beweging in de deur te krijgen en ze kreunde van ontzetting. Dit kon niet waar zijn. Ze was opgesloten dankzij haar eigen nieuwsgierigheid en ze zou moeten wachten tot er iemand zou komen om haar te bevrijden. Wanneer zou ze dat kunnen verwachten en, wat nog belangrijker was: wie zou dat zijn? De huurders van deze schuur? In dat geval had ze weinig goeds te verwachten. „Niet in paniek raken," zei ze hardop tegen zichzelf.

Haar ogen tastten de muren af op zoek naar een ontsnappingsmogelijkheid. Ergens bovenin zaten wat raampjes, maar daar zou ze met geen mogelijkheid doorheen kunnen. Bovendien zaten ze veel te hoog. Ze zuchtte en gooide zich toen met de moed der wanhoop tegen de deur. De deur, die ineens heel normaal opensprong, zodat ze met een noodgang naar buiten rolde en middenin een modderplas terechtkwam. Met een pijnlijk vertrokken gezicht stond ze op. Haar arm en heup hadden het flink moeten ontgelden, maar dat was van later zorg. Het belangrijkste was dat ze hier weer vrij in de buitenlucht stond. Snel deed ze nu het licht uit en sloot de deur zorgvuldig. Het was te hopen dat die niet opnieuw openwaaide, maar zij zou hem niet meer sluiten. Ze had nu wind achter en ging bijna automatisch de richting van haar huis uit. Onderweg struikelde ze bijna over een paar dakpannen. Die moesten van het schuurdak af zijn gewaaid. Geen wonder dat het zo had gerommeld. Ze liep verder naar huis. De achterdeur stond wagenwijd open. Even aarzelde ze. Had ze die niet dichtgedaan? Daarna vermande ze zich. Onzin. Haar fantasie begon haar parten te spelen. Ze draaide de deur goed achter zich in het slot. Hertog was onrustig, merkte ze. Hij jankte zacht. Ze liep even naar de kamer en deed het licht aan. Lekker warm was het hier. Pas nu merkte ze dat ze tot op het bot verkleumd was. Vlak voor de kachel ontdeed ze zich van haar jas en pyjama, die allemaal even nat en modderig waren. Haar arm en heup vertoonden lelijke schaafwonden. Die zou ze goed moeten schoonmaken. Haar oog viel op de fotolijstjes op haar kastje.

Ze stonden allemaal op de plek waar ze altijd stonden, maar zowel de foto van haar vader als die van haar moeder en haar zus vertoonde een grote barst, waardoor de gezichten, die ze zo lief had gehad, er vreemd misvormd uitzagen. Hoe was dit mogelijk? Was het door de storm gekomen? Maar daar merkte je in huis toch niets van? Was het Snoepie geweest? Ze liep naar boven, nadat ze een badjas had omgeslagen. Snoepie lag gewoon op haar bed te slapen. Een luiere poes was er ook niet te vinden. Bovendien: al had Snoepie het op haar geweten, hoe had ze dan de lijstjes weer rechtop kunnen zetten? Nee, er was maar één verklaring voor. Een verklaring waaraan ze bijna niet durfde te denken. In de tijd dat zij in de schuur had gezeten, had hier iemand in huis rondgeneusd. Dat kon ook makkelijk. Hertog was bij haar in de schuur geweest. Misschien hadden ze voor alle zekerheid de deur even op slot gedaan, zodat zij er niet uit zou kunnen. Even later hadden ze die weer opengedraaid. Ze had gedacht dat haar fantasie haar parten had gespeeld, maar ze hadden haar wel degelijk opgesloten. Ze haalde diep adem. Wie had er belang bij in haar huis rond te kijken? De huurders van de schuur misschien? Was er toch iemand bij de schuur geweest, terwijl zij naar binnen ging? Maar waarom had Hertog dan niet gereageerd? Oh ja, hij had wel gegromd, maar na haar vermaning was hij stil geworden. Ze waste de wonden uit en trok een warme pyjama aan. Daarna kroop ze weer in bed en rilde, toen ze de koud geworden lakens tegen zich aan voelde. Ze was doodmoe van de doorstane spanning, maar doorleefde steeds opnieuw die momenten van angst, toen de deur klem leek te zitten. Wat moest ze nu doen?

Moest ze de politie direct waarschuwen? Misschien was het beter met Verheul te overleggen. Hij zou dan zelf actie kunnen onderne-men. Tenslotte was het zijn schuur. Ze hoefde niet meer verder te denken. Ze viel in slaap.

Toen Verheul zich de volgende dag in de zaak vertoonde, klampte ze hem meteen aan. „Meneer Verheul, hebt u misschien een ogen-blikje tijd voor me?"

Z'n gezicht stond verrast. „Toch geen moeilijkheden, hoop ik? Of wil je me vertellen dat je een andere baan met betere verdiensten gevonden hebt? Daar valt over te praten, hoor. Hoeveel wil je erbij hebben?"

Hij grijnsde joviaal, maar ze schudde haar hoofd. „Dat is het hele-maal niet. Het gaat om de schuur op m'n erf."

Ze aarzelde even.

„Wil je hem erbij huren? Of heb je last van de huurders? Heb je ze inmiddels al eens ontmoet?"

„Nee, daar gaat het niet om. Ik heb wat ontdekt."

„Kom maar mee naar achter. Daar kunnen we ongestoord praten. Ronald, neem jij eventuele klanten even voor je rekening?"

Ze gingen zitten in het kantoortje van Verheul. Verheul zelf achter z'n pompeuze bureau en zij op het kleine stoeltje ervoor. Verheul stak een sigaar op. „Vertel me eens, wat is er met die schuur aan de hand?"

„Kent u de huurders persoonlijk?" stak ze van wal.

„Kennen? Tja, wat is kennen?" Verheul keek een blauwe rookwolk na, die hij net bedachtzaam uitgeblazen had. „Natuurlijk heb ik ze ontmoet met het opmaken van het huurcontract. Maar ja, dan leer je iemand niet echt goed kennen, hè? Waarschijnlijk zou ik ze niet eens meer herkennen, als ik ze onverhoopt eens mocht ontmoeten. Ze betalen op tijd. Het loopt allemaal op rolletjes. Waarom zou ik dan nog contact met hen hebben?"

„Weet u waarvoor die schuur gebruikt wordt?" informeerde Jennie gespannen.

„Waarvoor de meeste mensen zulke schuren gebruiken, denk ik. Maar precies weet ik het niet. Ik heb daar verder niets te zoeken. Waarom wil je dat allemaal weten?"

Jennie vertelde haar verhaal. Van de deur die opengewaaid was en die ze weer dicht wilde doen. Van haar nieuwsgierigheid die ze niet bedwingen kon. Van de vondst in de schuur en haar paniek, toen de buitendeur plotseling muurvast bleek te zitten. En daarna van de binnenkomst in haar eigen huis, waarvan de achterdeur open had gestaan, en van de fotolijstjes met de barsten, die alleen door mensenhanden weer terug op hun plaats konden zijn gezet. „Het lijkt me allemaal zo vreemd," eindigde ze. „Natuurlijk kan het wel allemaal toeval zijn, maar die schilderijen en dat verborgen antiek: als je daarin handelt breng je dat toch niet met gedoofde lichten naar de schuur toe? Dan doe je dat gewoon bij daglicht. En dan die fotolijstjes! Er moet iemand in huis zijn geweest in de tijd dat ik in die schuur was. Maar waarom diegene dan juist die lijstjes kapot heeft gemaakt is me een raadsel. Vermoedelijk om me gewoon angst aan te jagen."

„Je lijkt wel een detective," merkte Verheul op. „Wat wil je daar nu verder aan doen?"

„Misschien kunnen we de politie inlichten. Ik wilde het eerst met u overleggen, maar dat lijkt me het beste."

„Jawel, en dan vertellen we dat er antiek in de schuur ligt en schilderijen. Bovendien zat de deur klem, toen jij er ging rondneuzen en er weer uit wilde, maar later kon je toch zo naar buiten. Toen je thuiskwam zaten er barsten in het glas van je fotolijstjes, maar er was verder niets overhoopgehaald noch miste je iets. Geloof je zelf dat ze dan zullen komen?"

Ze haalde haar schouders op. Inderdaad, als je het zo stelde was er in feite niets onrechtmatigs gebeurd.

„Bovendien," ging Verheul verder, „stel dat de politie wel de moeite neemt achter de zaak aan te gaan, en ze doen bijvoorbeeld een inval. Stel je daarbij eens voor dat er niets aan de hand blijkt te zijn. Dan ben ik m'n huurders en mijn goede naam kwijt! We leven hier in een vrij kleine gemeenschap. Zo'n overval haalt meteen de plaatselijke pers. Nee, ik denk dat we dit heel anders moeten aan-pakken."

Hij zweeg even, trok aan z'n sigaar en blies een grote rookwolk uit. „Misschien moeten we deze zaak eerst op z'n beloop laten. Jij houdt je ogen en oren goed open en als je het goedvindt, waarschu-wen we nog niemand."

Hij keek haar doordringend aan. „Je bent toch niet bang, hè?"

„Nee, nee," haastte ze zich te zeggen. „Ik heb Hertog en daardoor voel ik me onvoorwaardelijk veilig. Hertog gaat voor me door het vuur."

„Mooi. Ik raad je wel aan je een beetje op een afstand te houden, en sluit 's avonds de ramen en deuren goed af. Heb je telefoon boven bij je bed?"

Ze schudde haar hoofd. „Daar heb ik eigenlijk nooit aan gedacht, maar het is misschien een goed idee dat aan te vragen."

„Je moet met alles rekening houden," zei Verheul. „Als het inder-daad zo is als jij vermoedt, zullen ze er niet blij mee zijn dat je in die schuur hebt rondgeneusd. Ik hoop dat we dit kunnen oplossen zonder politie erbij. Dat geeft altijd zo'n slechte publiciteit. Ik beloof dat ik zo snel mogelijk een manier zal bedenken om achter de waarheid te komen. Ik wil niet dat je gevaar loopt, en als je je niet veilig voelt in dat huis, zullen we toch een andere behuizing voor je moeten vinden."

Hij doofde z'n sigaar in een marmeren asbak. „In ieder geval bedankt dat je eerst bij mij bent gekomen en niet direct zelf de poli-tie hebt gealarmeerd. Het spijt me dat je in zo'n moeilijk parket terecht bent gekomen."

„Ach," zei ze vergoelijkend. „Dat kon u immers niet weten? Misschien valt het allemaal nog wel mee. 's Avonds lijkt het vaak heel anders dan 's morgens als het weer licht begint te worden."

„Waarschuw me maar als er iets is. Ik hoop je snel nader te kunnen berichten."

Hij stond op als teken dat het wat hem betreft lang genoeg had geduurd.

„Bedankt," zei ze, en ze opende de deur van zijn kantoor om terug naar de winkel te gaan. Voor haar uit in het gangetje liep Ronald, en met afschuw realiseerde ze zich dat hij moest hebben staan luisteren.

Het was zaterdagmorgen, en somber en nevelig. Op sommige van deze donkere decemberdagen leek het daglicht niet door de wolken heen te kunnen dringen. Jennie sliep uit. Ze hoefde deze zaterdag niet te werken. Dat deed ze wel vaker. In plaats van zaterdag kwam ze dan op maandagmorgen, als de winkel gesloten was, om het een en ander schoon te maken. Er was weliswaar een werkster, maar die mopperde altijd over een tekort aan tijd. In overleg met vader en zoon Verheul was daarom voor deze oplossing gekozen.

Op zaterdag viel dan een jong meisje in, die samen met Ronald de winkel runde. Jennie sloot haar ogen. Soms voelde ze een haast onbedwingbare neiging een andere baan te zoeken, maar een verandering van werk betekende ook dat ze haar huis kwijt zou zijn.

Ondanks haar nachtelijk avontuur in de storm, wist ze toch geen plekje waar ze liever zou wonen. Als er maar geen Ronald Verheul bestond. Zou hij wel in de gaten hebben wat hij haar aandeed? Zou hij begrijpen wat ze voor hem voelde? Het leek er niet op, en misschien was dat ook maar het beste. Ze zou zich belachelijk maken. Voor Ronald leek immers alleen nog maar Nadia te bestaan? Nadia van Gils heette ze. Ze had het gelezen op de cheque waarmee ze de tabaksdoos betaald had: N.S.W. van Gils. Ze scheen in Lelystad te wonen. Ook dat had ze op de cheque kunnen lezen. Steeds vaker moest Ronald tegenwoordig even weg. Ze begreep dat hij dan weer een ontmoeting met die Nadia zou hebben. Het enige dat ze zich afvroeg was de reden van al die geheimzinnigheid.

Hij kon er nu toch wel ronduit voor uitkomen? Of zou hij misschien toch in de gaten hebben dat hij haar daarmee zou bezeren?

De bel haalde haar uit haar gedachten en mopperend schoot ze haar duster aan. Kon ze eindelijk een keer uitslapen, werd ze weer gewekt door de een of andere malloot die vanmorgen vroeg was opgestaan. Met een slaperig gezicht ontdeed ze de voordeur van het slot. Voor haar stond een man met een enorme bos rozen. Hij grijnsde brutaal, toen hij in de gaten kreeg dat hij haar wakker moest hebben gebeld. „Neem me niet kwalijk, juffrouw, maar deze rozen zijn voor u besteld en ze moesten zo vroeg mogelijk bezorgd worden."

„Het geeft niet," zei ze. „Er zijn beroerdere manieren om wakker te worden."

Ze nam de rozen over van de man. En nadat ze de deur weer gesloten had, ontdeed ze de bloemen van het papier. Ze waren helder rood en ze prikte zich al meteen aan één van de vele doorntjes die de stelen rijk waren. Met een pijnlijk gezicht stopte ze haar vinger in haar mond en ontdekte het kaartje dat aan een takje bevestigd was.

Nieuwsgierig las ze de woorden: 'De rozen lijken mooi, maar de doornen kunnen je tot bloedens toe verwonden'.

Verder niets. Geen afzender en geen aanduiding die de gulle gever zou kunnen verraden. Ze haalde haar schouders op. Als dit een grap moest voorstellen, was het geen goeie. Aan wie zou ze dit te danken hebben?

Nogmaals las ze het kaartje, maar het verschafte haar verder geen enkele informatie.

Ze bekeek haar zere vinger nog eens, wikkelde de rozen weer in het papier en smeet de bos in één keer in de vuilnisbak. Ziezo. Van iemand die zulke lugubere grapjes verzon, wilde zij geen bloemen in een vaas hebben staan. Bovendien was het de beste manier om de hele zaak te vergeten. Ze zette koffie, ontbeet en kleedde zich daarna in alle rust aan. Straks ging ze lekker het dorp in om wat inkopen te doen. Er scheen hier iemand in de buurt te zijn die haar uit het huis wilde hebben en haar daarom angst aan probeerde te jagen. Maar ze peinsde er niet over haar felbegeerde rust hier op te geven voor wie dan ook. Dan zouden ze nog heel wat anders moeten verzinnen.

's Maandags belde ze toch de bloemist, waarvan de naam op het kaartje had gestaan. Een donkere mannenstem meldde zich: „Bloemisterij Hoornstra."

Ze aarzelde even, maar toen ze er zeker van was dat er niemand in de zaak of werkplaats was, informeerde ze: „Afgelopen zaterdag heb ik een bos rozen gekregen. Helaas was de afzender niet op het bijgaande kaartje vermeld, en ik zou de gever graag willen bedanken. Kunt u mij misschien vertellen door wie die bos bloemen besteld is?"

„Dat zal moeilijk worden, mevrouw. We krijgen hier zoveel bestellingen. Natuurlijk kan ik het even in het boek nakijken. Een momentje."

Het bleef tergend lang stil aan de andere kant van de lijn.

Jennie hoorde de man bladeren. Zo nu en dan zei hij iets tegen iemand die schijnbaar ook in de winkel was. Ineens was hij weer terug. „Welk adres noemde u ook weer, mevrouw?"

„Landweg tweeëntwintig," herhaalde ze geduldig.

„Dat staat hier inderdaad genoteerd, maar verder staat er niets bij."

„Ook niet aan wie u de rekening moet sturen?"

„Er is contant betaald."

„Dan hebt u die man of vrouw dus in de winkel gehad. Hebt u er geen idee van hoe die persoon eruitzag?"

„Zoals ik al zei, mevrouw: het is met koopavond gekocht, en dan is het erg druk. Bovendien hebben we wat weekendhulpen. Misschien heeft een van hen de boodschap aangenomen. Ik vrees dat ik u niet helpen kan."

„Er is ook niet met een cheque of betaalkaart betaald?"

„Dat zou er dan achter moeten staan. Helaas, mevrouw. Misschien meldt de gulle gever zich nog. De mensen worden soms na verloop van tijd nieuwsgierig hoe hun bloemen zijn aangekomen. Daar zult u op moeten wachten."

„Er zit niets anders op," verzuchtte ze. „In ieder geval bedankt voor de moeite."

Ze legde de hoorn op de haak en hoorde achter zich een geluid, dat haar onmiddellijk op haar hoede deed zijn. Werd ze weer afgeluisterd? Ze liep de richting uit vanwaar het geluid gekomen was, maar achter de deur in het gangetje was geen mens te zien. Wel stond Ronald in het kantoor van z'n vader, en ze huiverde onwillekeurig. Was hij het soms toch weer? Wat voerde hij toch in z'n schild? Hij zou toch niet die rozen...

Ach, welnee, riep ze zichzelf tot de orde. Hij had vanmorgen gewoon een praatje met haar gemaakt. Wat zou hij er voor belang in stellen haar gesprekken af te luisteren? Het moest toeval zijn.

„Jennie?"

Hij stond ineens weer voor haar. Z'n blauwe ogen waren onderzoekend in de hare. „Is er iets?"

Ze schudde haar hoofd. „Wat zou er moeten zijn?"

„Het was maar een vraag." Hij haalde z'n schouders op. „Ik ga nu weg. Als er iets bijzonders is, leg je maar een briefje voor me klaar. Vanavond laat ben ik er pas weer. Tot morgen, Jennie."

Ze keek hem na, terwijl hij naar z'n auto liep. Een slanke, blonde jongeman. Haar hart deed bijna pijn. Waar was hij toch mee bezig? Z'n auto reed weg. Ze vulde een emmer met heet water. Het was hoog tijd de ramen weer eens te lappen. Als ze hard werkte, hield ze maar weinig tijd over om te denken, en als ze niet dacht, raakte ze misschien dat vervelende, onbehaaglijke gevoel kwijt.

Het had niet geholpen. Terwijl ze 's avonds naar huis reed, kwam datzelfde gevoel weer op. Ze wist niet waar het aan lag. Had het iets met Ronald te maken? Ze begreep hem soms niet. Waarom deed hij zo geheimzinnig over Nadia? Zijn vader was het er toch mee eens? Had die haar zelf niet aan Ronald voorgesteld? Soms meende ze dat ze het zich allemaal verbeeldde, maar steeds vaker kreeg ze het gevoel dat hij haar wel degelijk in de gaten hield. Maar waarom dan?

Ze parkeerde haar auto in een hoek van het erf onder een boom. Vanuit het dashboardkastje haalde ze een zaklantaarn te voorschijn. Van een lantaarn buiten en een telefoon boven was nog niets gekomen, maar dit was in ieder geval een begin. Haar handen tastten naar de sleutels, toen ze voor de achterdeur stond. De voordeur werd hier eigenlijk nooit gebruikt. Iedereen ging door de achterdeur. Met behulp van het licht van de zaklantaarn kon ze de deur openen. Haar handen tastten naar het lichtknopje. Ze draaide de schakelaar om en mopperde voor zich uit. Het bleef pikdonker. Ook dat nog. Ze liep de gang door.

Zwaar ademend wilde ze een lichtknopje aanknippen, maar ook hier reageerde het licht niet op. In huis heerste een doodse stilte. Waar was Hertog? Normaal sprong hij haar altijd al tegemoet, verlangend naar een lange wandeling.

Nerveus liep ze naar de meterkast, maar voordat ze zover was struikelde ze bijna over iets dat op de grond lag. Het was zacht. Ze sloot even haar ogen, bang om te kijken. Daarna richtte ze toch de lichtstraal op het ding voor haar voeten en ze kon nog net een gil binnenhouden.

Het was Snoepie. Snoepie lag op de grond, net alsof ze sliep. Maar Snoepie sliep nooit zomaar midden op de vloer in de gang. Bovendien lag er naast haar kopje een plas bloed. Ze sloeg een hand voor haar mond. Hier was Snoepie, maar waar was Hertog? Ze probeerde de blinde paniek die ze in zich voelde opkomen de baas te blijven.

Nu eerst naar het licht kijken, Ze scheen in de meterkast en hoorde boven ineens geblaf en gejank. Gelukkig: Hertog leefde nog.

Met trillende vingers draaide ze de stoppen, die achteloos neer waren gegooid op de bodem van de kast, weer op hun plek. Het licht floepte weer aan. Opgelucht haastte ze zich naar boven en werd in haar slaapkamer enthousiast begroet door Hertog, die door middel van z'n riem was vastgemaakt aan haar bed. Hertog had ze hier niet opgesloten vanmorgen. Ze vertrouwde blindelings op hem. Met Hertog bij haar kon er niets gebeuren, en nu? Ze waren haar huis binnengedrongen en Hertog had niets gedaan. Ze hadden rustig haar poes kunnen vermoorden. Ze huilde ineens. Hertog jankte en likte haar gezicht. „Kon je maar praten," zei ze zacht. „Kon je me maar vertellen wie dit op z'n geweten heeft, en wist ik maar waarom. Ik heb immers niemand iets gedaan?"

Daarna ging ze naar beneden om Snoepie te begraven. Dat was ze aan het beest verplicht. Straks zou ze tijd genoeg hebben om erover na te denken. Ze raapte al haar moed bijeen en verdween met een schop naar buiten. Hertog volgde haar. Nadat ze een gat had gegraven, liet ze Snoepie voorzichtig naar beneden zakken. Hertog jankte zachtjes, toen ze schepje voor schepje het gat weer dichtgooide. Heel even stond ze er stil bij te kijken, nadat ze als grafsteen een kei had neergelegd.

Toen draaide ze zich om, en haar hart stond stil. Tegenover haar huis stond een man. Z'n donkere silhouet tekende zich af tegen het licht dat vanuit haar huis naar buiten straalde.

Hij rende weg, nadat hij in de gaten had gekregen dat ze hem had opgemerkt. „Hertog, erachteraan!" gaf ze Hertog opdracht. En zelf zette ze het ook op een lopen, al haar angst vergetend.

De man was sneller. Hij stapte in een auto, waarvan waarschijnlijk de motor al gelopen had. Zonder de verlichting in te schakelen scheurde hij weg, steeds verder bij haar vandaan, maar ook zonder verlichting had ze de auto herkend. Het was een rode Mercedes sportwagen: Ronalds auto.

's Nachts wilde de slaap niet komen. Hoe vaak had ze hier in dit bed al niet liggen woelen en piekeren? Hoe vaak was ze niet bang geweest? Had het nog wel zin hier te blijven? Wat moest ze doen? Ander werk zoeken?

Werk zonder Ronald, en een huis zonder dreiging? Het had allemaal zo mooi geleken, toen ze hier gekomen was.

Waarom moest het toch allemaal zo anders lopen? Wat wilde Ronald van haar? Wilde hij haar bang maken en hoopte hij dat ze op die manier het huis zou verlaten?

Wilde hij nu misschien zelf het huis? Maar waarom deed hij het dan op deze manier? Was hij werkelijk in staat in koelen bloede een poes te doden? Had Hertog hem misschien niet gepakt, omdat hij Ronald kende? In de tijd dat ze hier aan het schoonmaken was, hielp Ronald haar immers regelmatig? Vragen, vragen; zoveel vragen. Zou ze er ooit een antwoord op krijgen? Hoe zou het nu op het werk moeten? Moest ze net doen of haar neus bloedde? Zou ze dat wel kunnen? Ze draaide zich voor de zoveelste maal om. Misschien was het toch beter aangifte te doen van de dood van haar poes. En misschien liep ze zelf gevaar. Degene die Snoepie had omgebracht, had kennelijk een sleutel. Er moest in ieder geval een ander slot komen.

Wat zou de politie doen als ze daar met haar verhaal kwam? Zouden ze haar wel serieus nemen of zouden ze het toeschrijven aan een overspannen brein? Ze vroeg zich soms zelf af of ze waakte of droomde. Kapotte fotolijsten, rozen vol doornen en een dode poes. Wat zou de volgende stap zijn?

's Morgens werd ze wakker met een barstende hoofdpijn en even schoot het door haar heen dat dit een aannemelijke reden was om niet op haar werk te verschijnen. Nadat ze een paar aspirines had ingenomen, voelde ze zich wat beter.

Ze moest met Verheul over een ander slot gaan praten, en als hij daar niet voor voelde, moest ze er zelf voor zorgen. Om die reden besloot ze toch naar haar werk te gaan.

Nadat ze Hertog nog eens duidelijk had verteld dat hij moest 'waken', liep ze naar de auto. Ze zag onmiddellijk het briefje dat voor in de auto achter het glas lag. Haar vingers trilden, toen ze de sloten van de portieren opende. De sloten, die er allemaal nog punt-gaaf uitzagen.

Er was niet ingebroken. Iemand had ook de sleutel van haar auto in handen. Ze pakte het briefje en liet de woorden langzaam tot zich doordringen: „Je familie leeft niet meer. Nu jij nog!"

Duizelig leunde ze tegen de auto aan.

Dit waren geen grapjes meer. Dit was een regelrechte bedreiging. Ze werd nu toch langzamerhand echt bang!

Werd het niet tijd naar de politie te gaan? Toch stapte ze weer in haar auto en reed naar de zaak. Verheul moest hiervan weten en daarna zou ze de politie inschakelen. In de zaak was echter alles nog donker, toen ze arriveerde. Het was een teleurstelling dat ze niet direct met Verheul kon praten, maar tevens een opluchting, omdat ze nu niet direct Ronalds blik zou hoeven te trotseren en zou hoeven te doen alsof er niets aan de hand was. Ze opende de winkeldeur, nadat ze rondgekeken had of alles in orde was.

Neuriënd liep ze daarna terug naar de werkplaats. Haar hart stond bijna stil. „Ronald?"

Hij grijnsde. Z'n gezicht was vaal en z'n ogen waren rood omrand, alsof hij te veel gedronken had.

„Wat doe jij hier?" vroeg ze geschrokken.

„Heb je een slecht geweten? Ik werk hier, weet je."

Hij kwam op haar toe, en ze deinsde achteruit. „Ik ben de zoon van de baas. Elke morgen rond negen uur ben ik hier te vinden, en jij vraagt me wat ik hier doe?"

Ze voelde z'n blik, die onderzoekend over haar gezicht gleed.

„Je ziet er slecht uit," waagde ze het op te merken. „Heb je niet geslapen vannacht?"

„Misschien wel beter dan jij. Je ziet er zelf ook niet florissant uit, moet ik zeggen. Last van muizen gehad?"

Ze zweeg.

„Nu ja," vervolgde hij, „wat doet het er ook toe? Je schijnt niets van me te willen weten. Ik kan je geruststellen. Vandaag ben ik weer de hele dag afwezig. Of mijn vader nog komt, is ook niet zeker. Je merkt het vanzelf. Sluit anders vanavond maar gewoon af. Ik vertrouw de zaak met een gerust hart aan jou toe."

Ze vroeg niets meer. Stil keek ze toe hoe hij z'n spullen pakte, en ze was opgelucht toen hij eindelijk met een korte groet afscheid nam.

's Middags kwam Verheul, even vriendelijk als altijd. Na haar verhaal belde hij direct op naar een slotenmaker en diezelfde middag overhandigde hij haar de nieuwe sleutels van haar huis.

Zondagmorgen. Over de grauwe akkers hing een dikke deken van mist. Zelfs de schuur was niet meer te zien vanuit het huis. Jennie stapte energiek uit bed, nadat ze zich gerealiseerd had dat het vandaag zondag was. Ze nam een uitgebreide douche en kleedde zich in een moderne soepele jurk die een mooie steenrode kleur had. Nadat ze ontbeten had, nam ze Hertog mee naar buiten voor een ochtendwandeling. Toen ze dat allemaal achter de rug had, constateerde ze dat het nog maar halftien was. Ze zou naar de kerk in het dorp kunnen gaan. Ze was er al eens eerder geweest. De mensen waren hartelijk geweest en ze was ergens op de koffie uitgenodigd. De dikke mist weerhield haar ervan te gaan fietsen. Na nog snel een kop koffie genuttigd te hebben, reed ze in haar autootje naar de dorpskerk, waar ze net om een paar minuten voor tien de bank inschoof. De dominee was een vriendelijke man. Ze had al eens kennis met hem gemaakt en hij had haar beloofd nog eens langs te komen. Nu luisterde ze naar zijn preek, waarvan na verloop van tijd toch de meeste woorden langs haar heen gingen. Haar gedachten gleden naar Ronald. Ze was blij dat ze vandaag niet bang hoefde te zijn hem tegen te komen. Ze wist immers niet meer wat ze van hem denken moest? Aan de ene kant hield ze nog altijd zielsveel van hem, maar aan de andere kant waren daar Nadia, z'n geheimzinnigheid en z'n afluisteren, en waarom had hij in vredesnaam voor haar huis staan kijken? De laatste dagen voor het weekend was hij niet meer op het werk verschenen, en ze was er alleen maar blij om geweest. Ze kon haar houding ten opzichte van hem niet meer bepalen. Ze stond immers niet meer onbevangen tegenover hem? De dominee had z'n preek beëindigd en met schaamte moest ze voor zichzelf bekennen, dat ze nauwelijks wist waar de goede man over gesproken had.

Misschien zou het goed zijn ander werk en een ander huis te zoeken. Een plekje te hebben, waar ze Ronald niet meer zou ontmoeten en ze niet voortdurend aan hem moest denken. Na de kerkdienst werd ze uitgenodigd voor een kopje koffie bij de vrouw die naast haar gezeten had. Ze nam het aanbod met beide handen aan, blij dat deze troosteloze zondag een beetje afwisseling kreeg.

's Middags wandelde ze met Hertog, die uitgelaten door de berm rende. Ook voor Hertog had ze gemeend dat dit huis een hele verbetering zou zijn. En nu? Ze lachte een beetje verbitterd. Valse hoop. Hoop op een nieuw leven; op de liefde van Ronald. Ze had te veel gefantaseerd.

Haar dromen zouden nooit waarheid worden. 's Avonds keek ze in haar eentje naar de televisie, maar omdat haar ogen tijdens een spannende film al dichtvielen, besloot ze vroeg naar bed te gaan. Ze voelde zich gespannen en ze had er geen verklaring voor. Vanavond had ze de sloten nog een keer extra gecontroleerd. Ze waren nieuw. Niemand zou de sleutel ervan kunnen hebben. De gordijnen waren gesloten. Geen mens zou haar kunnen zien. Ze was veilig; absoluut veilig. Misschien kwam het door deze lange zondag, waarop het geen moment echt licht leek te zijn geweest! Of misschien was ze gewoon een beetje overwerkt en zag ze te veel problemen. Een nacht slapen zou haar morgen weer fris en monter op doen staan. Ze zette alvast wat spullen voor de volgende dag klaar, en net toen ze haar pyjama aangetrokken had en nog een glaasje melk opwarmde voor het slapen gaan, begon Hertog te grommen. Hij had z'n oren gespitst, en ze zag hoe hij naar het raam keek. Het raam in de kamer, dat ze net vanuit de keuken kon zien en waarvan ze alvast de gordijnen had geopend. Ze voelde zich ijskoud worden en bespeurde angst; een wurgende angst. Ook haar ogen haakten zich vast aan het donkere raam, terwijl ze de richting van de kamer uit liep. Verbeeldde ze zich dat nu, of had er werkelijk wat bewogen? „Hertog, stil!" commandeerde ze. „Blijf bij het vrouwtje."

Ze liep naar de kamer en sloot de gordijnen opnieuw met een ruk, alsof ze zo alle kwaad buiten zou kunnen sluiten. Nogmaals controleerde ze de sloten van de voor- en achterdeur. De achterdeur was niet op slot. Ze twijfelde. Had ze dat nu nog niet gedaan? Had ze misschien niet ver genoeg doorgedraaid?

Of? Nee, het kon niet. Niemand kon de sleutel hebben. De sloten waren hagelnieuw. Ze ging naar boven, nadat ze de pook van het haardstel had gegrepen. Waarom had ze nog geen telefoon boven aan laten leggen? Als ze niet zo laks was geweest, had ze nu iemand kunnen bellen. De politie misschien, als er werkelijk onheil dreigde. Ze liep weer naar beneden. Hertog drentelde achter haar aan. In de kamer kon ze de politie toch ook bellen? Ze zouden kunnen controleren dat er niets aan de hand was. Ze was zo bang; zo bang! Ze nam de hoorn van de haak, maar de lijn was dood. En toen ze goed keek, ontdekte ze dat het snoer was doorgesneden. Ze had het zich niet verbeeld. Er was wel zeker iemand in huis geweest. Ondanks de nieuwe sloten.

Ze ging weer naar boven, nadat ze zich ervan verzekerd had dat er nu niemand in huis was. Ze kroop in bed, terwijl Hertog op z'n vertrouwde plek voor het bed ging liggen. Aan het voeteneind was een akelig lege plek. De plek waar Snoepie altijd lag. Niet aan denken nu! Ze zou zichzelf alleen nog maar meer overstuur maken, en er kon toch niets gebeuren? Hertog was bij haar.

Goed, de telefoon deed het niet, maar ze zou het huis uit kunnen komen. Verderop stond nog een boerderij. Daar zou ze naartoe kunnen gaan. Ze probeerde te gaan slapen, maar Hertog bleef onrustig en dat maakte haar nog banger. „Hertog, stil!" fluisterde ze.

Hertog gehoorzaamde, maar ze merkte dat hij nog niet rustig lag. Steeds weer hief hij z'n kop op. En dan jankte hij zachtjes. Ze ging zelf weer rechtop zitten. Hoe zou ze ooit kunnen slapen als die hond zich zo alarmerend gedroeg?

„Hertog, kon je toch maar praten," zei ze zacht. „Vertel me dan toch wat er aan de hand is. Je maakt me zo bang. Het lijkt erop dat jij zeker zo bang bent."

Als antwoord kreeg ze een lik over haar wang, en heel even maakte het haar rustiger. Ze kroop weer onder de dekens.

Op de een of andere manier had ze toch wat liggen dommelen, toen ze ineens werd opgeschrikt door een hevig kabaal.

Onmiddellijk stond ze naast het bed, en het eerste dat haar opviel was dat Hertog niet meer voor haar bed lag.

Ze schreeuwde. „Hertog, waar ben je? Hertog, kom!"

Ze hoorde niets. Geen blaffen, geen janken; niets. Overal in huis heerste een doodse stilte. Een haast panische angst maakte zich van haar meester. Ze greep de pook en rende naar beneden, waar overal licht brandde. Weg moest ze van hier. Zo ver mogelijk. Misschien naar de boerderij, en anders naar het dorp. Als ze hier maar vandaan was. Onder aan de trap struikelde ze in haar blinde paniek ergens over en zonder te kijken wist ze al wat het was. Ze draaide zich langzaam om.

„Hertog?" Hij reageerde niet meer, en ze zag een plas bloed op de vloerbedekking. Net als bij Snoepie. Hertog was dood. Ze hurkte bij hem neer. Haar handen streelden z'n nek en z'n rug. Het gaf niet dat haar vingers rood werden van het bloed. Ze veegde de tranen van haar gezicht, die zich een uitweg zochten in deze angst en het verdriet om Hertog. Waarom had ze niets gemerkt?

Waarom had ze niets gehoord? Het was haar schuld dat Hertog nu dood was. Ze had beter op hem moeten letten. Ze had het immers vermoed? Fotolijstjes met een barst en bloemen met een kaartje: „De rozen lijken mooi, maar de doornen kunnen je tot bloedens toe verwonden."

Daar waren ze nu mee bezig: haar tot bloedens toe verwonden. Een dode poes en een briefje met: „Je familie leeft niet meer. Nu jij nog!"

Maar eerst was Hertog aan de beurt geweest, want met Hertog zou het hun niet lukken haar ook maar iets aan te doen. Ze was nu vogelvrij. Ronalds vader had nieuwe sloten aan laten brengen. Het was voor Ronald waarschijnlijk maar een kleine moeite geweest er een duplicaat van te laten maken. Verheul had er immers zelf één gehouden voor het geval dat zij de hare kwijt zou raken? Je wist maar nooit. Vader Verheul was slordig, en Ronald heel intelligent. Ze had zich nog even veilig gewaand met haar nieuwe sloten, maar in feite was ze dat geen moment geweest. Ze ging weer rechtop staan en keek recht in het gezicht van... „Ronald!"

Ze gilde het bijna uit. Haar arm ging omhoog om hem te slaan met de pook, die ze nog steeds in haar hand hield.

Ronald pakte haar ruw vast. „Idioot!" beet hij haar toe.

Ze staarde hem aan, even verlamd van angst. Z'n gezicht leek op een wit vertrokken masker. Ronald, de man die ze lief had gehad. De man die nu haar moordenaar zou worden. Die plotselinge wetenschap deed haar een onverwachte beweging maken. De pook kletterde tegen de muur en liet een lelijke kras op het behang achter.

„Jennie, nee!" hoorde ze hem zeggen.

„Je hebt m'n hond vermoord en m'n poes, en ik wil niet! Ik wil niet dat..."

Ze wist langs hem heen te komen; de keuken door en de tuin in.

„Ze wachten je op!" hoorde ze Ronald schreeuwen, maar het drong pas tot haar door, toen het te laat was.

De achterdeur stond open. Ze rende naar buiten, maar keek ineens recht in een felle bundel van licht, die vanuit een zaklantaarn op haar gericht werd. Iemand trok haar ruw naar zich toe. Ze hoorde een bekende stem in haar oor: „Jennie Boersma. Je wilt je werkgever toch zeker niet zomaar in de steek laten? Heb ik niet alles voor je gedaan?"

Ze keek in het gezicht van Verheul.

Hij grijnsde. „Dat had je niet gedacht hè, Jennie Speurneus? Ik heb je nog zo gewaarschuwd: niet bij die schuur, Jennie. Daar heb je niets te zoeken. Had toch naar me geluisterd. Nu zit je zwaar in de problemen, en ik ook."

Ze hoorde een vrouw lachen. Het was een lach die ze vaker had gehoord. Een lach die ze haatte! Die van Nadia van Gils.

„Zo'n probleem zal ze toch niet voor je zijn, Verheul? Of heeft ze jou al net zo ingepakt als je zoon? Wees maar niet bang. We zijn zo van haar af. Eerst die rommel uit de schuur halen en sporen uitwissen, en dan raken we haar wel op de een of andere manier kwijt."

Ze draaide zich om, en Jennie zag hoe ze op haar eigen elegante wijze op hoge hakken, die wegzakten in de modder, naar de schuur liep. Daar stonden twee auto's met gedoofde lichten, en Jennie onderscheidde verschillende gestalten die aan het inladen waren.

„Luister," zei Verheul dicht bij haar oor. „Het spijt me van die hond en die poes, maar ik kon niet anders. Je had niet zo nieuwsgierig moeten zijn. Echt, het is je eigen schuld."

„Maar waarom?"

„Je bent nog dommer dan ik dacht. Houd je mond nu maar. Daar komt Nadia weer aan. Houd je maar rustig. Ik probeer wel een oplossing te vinden die iets minder radicaal is dan de hare. Ze is keihard."

Jennie zweeg. Koortsachtig werkten haar gedachten. Ze zag het briefje weer voor zich: „Je familie leeft niet meer. Nu jij nog!"

Ze had een cheque van Nadia in handen gehad. Een cheque die ze uitgebreid bestudeerd had. Waarom was het haar niet eerder te binnen geschoten dat de twee handschriften identiek waren? En dan Verheul! Ze had hem steeds in vertrouwen genomen. Ronald had ze gewantrouwd, maar bij Verheul had ze haar hart uitgestort. Geen wonder dat hij geen politie bij de zaak wilde betrekken. Daarom ook had het zo lang geduurd voordat hij helderheid in de zaak kon verschaffen. Hij had haar aan het lijntje willen houden en haar angst aan willen jagen, zodat ze zou gaan verhuizen. Het was ook niet vreemd dat Hertog niets gedaan had, toen Snoepie vermoord was. Hij kende Verheul. Tijdens het opknappen van haar huis was hij regelmatig binnengelopen. Die nieuwe sloten waar ze om gevraagd had, hadden zo in de deuren gezeten, maar Verheul had wel de duplicaten van de sleutels. Hoe had ze zo kortzichtig kunnen zijn?

Waarom had ze dat niet eerder ingezien? En Ronald: waarom had hij zo geheimzinnig gedaan? Waar was hij nu gebleven? Spande hij samen met z'n vader? Hij kende Nadia immers ook? Hij hield van haar. Een felle pijn schoot door haar heen, en toen ze Nadia steeds dichterbij zag komen, kon ze die wetenschap ineens niet meer verdragen. Ze maakte gebruik van een moment van onachtzaamheid van Verheul. Ze rukte zich los en rende weg.

Achter zich hoorde ze geschreeuw en ze realiseerde zich dat ze het niet lang zou kunnen volhouden tegen de overmacht achter haar. Als ze maar een boerderij zou weten te bereiken. De dichtstbijzijnde lag driehonderd meter van haar af. De angst gaf haar vleugels. Ze rende over de weg, hoorde de motor van een auto starten en vloog de weg af. Na een sprong over een sloot kwam ze verkeerd terecht. Een snerpende pijn sneed door haar voet, maar ze rende toch door. Achter zich, steeds dichterbij, hoorde ze gehijg en gevloek. Een zwaar lichaam viel boven op haar. Er was een pokdalig gezicht, vlakbij het hare, en er waren twee handen rondom haar hals.

Ze probeerde te gillen, maar er kwam geen geluid. Met de moed der wanhoop probeerde ze aan die knellende greep te ontkomen, maar de man was zo sterk!

Ineens was er nog iemand en vaag zag ze dat het Ronald was. De greep om haar hals werd losser. Voor haar ogen hing een rode nevel. Ze snakte naar adem en hoestte. Toen was er niets meer. Helemaal niets meer.

Ze kwam weer bij. Langzaam maar zeker kwam ze weer bij haar positieven. Langzaam drong de waarheid weer tot haar door.

Naast haar zat een man: Ronald. Even schrok ze, maar hij legde geruststellend een hand op haar arm. „Niet bang zijn, alsjeblieft."

„Ik ben thuis," zei ze niet-begrijpend, de woonkamer in zich opnemend. „Thuis."

„Ik heb je hiernaar toe gedragen."

Ronald glimlachte even om haar verbaasde gezicht. „Het is allemaal voorbij. Straks zal ik je alles vertellen, want het is een heel verhaal. Voel je je in staat tegenover de politie een verklaring af te leggen?"

Ze knikte zwijgend en probeerde voorzichtig op te staan.

Ronald ondersteunde haar behoedzaam, en nu pas viel het haar op dat z'n wang geschramd was en z'n oog blauw. „Ronald? En jij?" informeerde ze zacht. „Wat hebben ze met jou gedaan?"

De angst voor hem was verdwenen. „Ronald, ik dacht…" begon ze timide.

„Niet zeggen. Ik weet wat je dacht."

Ronald hief haar gezicht op en kuste haar zacht op de mond. „Het was ook geen wonder, maar geloof me: ik kon niet anders."

Zijn lippen op de hare waren als balsem op haar gewonde ziel. Ze legde haar hoofd tegen z'n borst. „Ze hebben m'n poes vermoord en m'n hond. Ze hebben me bedreigd. Ik was zo bang. Ronald, wat is het erg, zo bang te zijn!"

„Ik had het zo graag willen voorkomen," bekende hij. „Maar het is me niet gelukt."

Buiten stonden politieauto's en een ambulance.

Verwonderd keek ze rond. Een man kwam op haar toe. „Gelukkig, mevrouw Boersma. Dankzij deze jongeman bent u er goed van afgekomen."

„Ach, wat," zei Ronald hard. „Ik had er veel eerder moeten zijn. Het had niet veel gescheeld of Jennie was er niet eens meer geweest."

Onbewust greep ze naar haar keel, waar pijnlijke plekken z'n woorden kracht bijzetten.

De man tegenover haar stak z'n hand uit. „Ik ben Van Wijk, rechercheur. Voelt u zich al in staat een verklaring af te leggen?"

Ze knikte en overzag het erf. „Wie ligt er in die ambulance?"

Van Wijk glimlachte. „Die hadden we gelukkig niet nodig. Er zijn wat kleine wondjes en pijnlijke plekken, die ter plekke door de arts behandeld konden worden. Maar loopt u even mee? Binnen kunnen we een stuk rustiger praten."

Toen ze zich omdraaide, stond ze ineens oog in oog met Verheul. Hij leek ineens jaren ouder, constateerde ze.

„Jennie?" Z'n stem was nauwelijks hoorbaar.

Ze knikte zwijgend, en hij vervolgde: „Zo heb ik het niet gewild, Jennie. Het spijt me."

Ze gaf geen antwoord, maar liep achter Van Wijk aan.

Binnen legde ze haar verklaring af, zonder ook maar één detail te vergeten. Steeds weer doorleefde ze die momenten van intense angst en na afloop trilde ze als een riet.

Ronald sloeg z'n armen om haar heen, terwijl Van Wijk met een 'u hoort nog van ons' afscheid nam.

Daarna was er stilte. Ze keken elkaar aan, nadat het geluid van de wegrijdende auto's weggestorven was. „We gaan naar mijn huis," verbrak Ronald de stilte. „Ik ben je nog een verklaring schuldig, en ik wil je vannacht hier niet alleen in huis laten."

Toen hij haar bedenkelijke gezicht zag, grinnikte hij. „Ik heb een logeerbed. Heus, ik heb geen slechte plannen met je."

Hij grijnsde jongensachtig, toen hij een vluchtig rood over haar wangen zag trekken. Met z'n armen om haar heen bracht hij haar naar z'n auto.

Om halfdrie 's nachts zaten ze tegenover elkaar. Jennie besefte nu pas hoe weinig ze van vader en zoon Verheul afwist. Ronald was bij het begin begonnen. Hij vertelde over z'n moeder, die hen had verlaten toen hij drie jaar oud was. Over z'n ontreddering en de vertwijfeling van z'n vader. „In die tijd werd ik een blok aan mijn vaders been. Mijn moeder had hem met mij laten zitten en daar maakte hij geen geheim van. Ik denk dat hij nooit van me heeft gehouden. Hij haalde me in ieder geval nooit aan, en ik kan me al evenmin herinneren dat hij eens iets aardigs tegen me zei. Tegenover anderen had hij het over de 'erfenis van Frieda'. M'n hele jeugd heb ik dat gevoeld, en al die tijd heb ik wanhopig m'n best gedaan de zoon te worden die m'n vader voor ogen had. Ik heb helaas nooit aan dat beeld kunnen voldoen."

Hij wachtte even en schonk onderwijl een glas wijn in. „Mijn vader is een zakenman in hart en nieren en zoals je al wel gemerkt zult hebben: ik niet. Hij is in een kleine antiekzaak begonnen, maar gaandeweg werden het meer zaken, waaronder de zaak die we tot op de dag van vandaag nog bezitten. Daarnaast kocht hij dit huis en de boerderij waar jij tegenwoordig woont. Op een gegeven moment klapte die antiekmarkt echter behoorlijk in. De gouden tijden waren voorbij. Er werden zaken verkocht, en wat geld betrof moesten we het allemaal met wat minder gaan doen. Dat kon hij niet aan. Hij raakte verbitterd. Hij legde de schuld bij iedereen behalve bij zichzelf. Hij kon niet wennen aan de nieuwe, sobere wijze van leven. Daarom probeerde hij op een andere wijze een zekere materiële welstand te verkrijgen. Hij kreeg nieuwe vrienden. Tenminste, hij meende dat het vrienden waren! In werkelijkheid wilden ze alleen maar van hem profiteren. Ze dwongen hem die schuur te gebruiken voor de doeleinden die zij voor ogen hadden."

„Opslag van gestolen goederen," zei Jennie.

„Juist. Maar wat jij hebt gezien was in feite maar een klein onderdeel van een grote organisatie. Mijn vader kwam daar pas achter, toen hij al tot over z'n oren in de nesten zat. Je hebt het gelukkig niet echt in de gaten gehad, maar jouw leven liep gevaar vanaf het moment dat je in die schuur ging kijken. Nadia was er namelijk op dat ogenblik. Ze had verzuimd de deur goed te sluiten, en tot haar schrik zag ze jou op een gegeven moment naar buiten komen. Terwijl jij in de schuur was, sloot zij je op en ging bij jou naar binnen. Het breken van het glas van die fotolijstjes was meteen al om je angst aan te jagen. Het is nooit de bedoeling geweest van mijn vader je op die manier in gevaar te brengen. Je ging de volgende dag met het hele verhaal naar hem toe en hij zou er met geen woord over gerept hebben bij die andere lui, als Nadia je zelf niet had gezien. Vanaf dat moment werd hij onder druk gezet om je het huis uit te krijgen. Hij moest je poes vermoorden. Nadia zorgde voor de bloemen en het briefje. Hij moest je hond vermoorden, en daarna zouden ze wel zien wat ze met jou zouden doen. Mijn vader kon vrij gemakkelijk bij jou naar binnen. Hertog kende hem immers? Hij was wel onrustig, maar m'n vader wist hem te kalmeren."

„Maar waarom zo drastisch?"

„Het zijn keiharde lui. Ze deinzen nergens voor terug. Dat antiek is voor hen maar bijzaak. Ze handelen in verdovende middelen. Mensen werden gedwongen in te breken, en dan niet het kleine kruimelwerk. Nee, wat je daar in de schuur hebt gezien waren heel kostbare stukken. Drugverslaafden doen alles voor die rommel. Er is laatst dan ook werkelijk iemand neergeschoten bij een roofoverval.

Snap je nu dat ik je in de gaten moest houden? Ik kon je niet in vertrouwen nemen, hoe graag ik dat ook had gewild. Je zou in paniek geraakt zijn, en dat zou nog meer gevaar opgeleverd hebben." „Het klinkt me in de oren als een goedkope detective," zei ze. „En toch is het de waarheid. De polder was natuurlijk een ideaal gebied om vanuit te opereren. Ze konden hier makkelijk alles opslaan en niemand zou er ooit achterkomen. Niemand, behalve jij." „Maar waarom verhuurde je vader die boerderij dan aan mij? Het was toch logisch dat ik een keer achter de waarheid zou komen?" „Je kent mijn vader nog niet goed. Hij is heel impulsief. Jij wilde graag een huisje middenin de polder. Hij kon je dat wel leveren. Veel te laat bedacht hij dat zich omstandigheden zouden kunnen voordoen, waardoor je toch in die schuur zou moeten zijn. Hij heeft jou nooit in gevaar willen brengen, Jennie. Dat geloof ik niet." „En Nadia? Ik dacht dat je van haar hield?" „Daar was ik al bang voor." Ronald grijnsde verontschuldigend. „Nadia was een onderdeel van het plan. Ik moest weten wat ze gingen doen, en via mijn vader zou ik het niet te weten komen. Hij wist immers hoe ik erover dacht? Via mijn vader ben ik in contact gekomen met Nadia, en hij was zelf nogal gecharmeerd van die vrouw. Toch zei hij niets. Hij heeft dan wel geen al te hoge dunk van me, maar hij zou me nooit in gevaar brengen, en daarom zweeg hij. Nadia heeft tot op het laatst gemeend dat ik bij hen hoorde."

Ze liet de woorden op zich inwerken. Hoe was het toch mogelijk dat ze al die tijd gemeend had dat Ronald een gevaar vormde? Hij had haar beschermd. „Heb jij ook de politie gewaarschuwd vanavond?" informeerde ze. „Ik zag je in de gang."

„Waarbij je me bijna de hersens insloeg," vulde Ronald nu lachend aan. „Ja Jennie, ik ben daarna naar de boerderij verderop gerend. Via de voordeur, die niemand in het oog hield, en daar heb ik alarm geslagen. Niemand wist dat ik me in jouw huis bevond. Ik had m'n vader naar binnen zien gaan. En nadat ik Hertog had horen kermen, begreep ik dat het jouw beurt zou zijn. Ze wilden je opwachten, omdat ze verwachtten dat je naar buiten zou komen. Wat je inderdaad deed. Ik ben intussen naar binnen geslipt, want ik hoopte je voor die fout te kunnen behoeden. Nou ja, de rest weet je."

„Maar je vader," zei ze aarzelend. „Vond je het niet vreselijk je vader op deze manier te grazen te nemen? Of was het een soort wraak om alles wat hij je altijd aangedaan heeft?"

Ronald nam een slok wijn en draaide z'n glas rond tussen z'n vingers. „Nee, het is zeker geen wraak. Misschien wilde ik hem behoeden voor een nog veel groter kwaad. Nu waren het nog huisdieren die hij doodde. Hoe veel groter was de volgende stap? Ik heb mijn vader weleens gehaat, maar ik wilde niet dat hij een moordenaar zou worden."

Er viel een diepe stilte tussen hen. Toen informeerde Jennie voorzichtig: „En nu? Hoe gaat het verder met de zaak?"

„Doorgaan!" zei hij vastbesloten. „Misschien zal m'n vader ooit nog trots op me kunnen zijn als ik de zaak, ondanks alle negatieve publiciteit, toch draaiend zal kunnen houden. Rijk zal ik waarschijnlijk niet worden, maar het is het vak waarvan ik houd."

„Het is ook mijn vak."

Ze keek hem aan.

„Meen je dat?" Z'n gezicht was dicht bij het hare. „Zou je samen willen blijven werken met mij?"

„Er is niets dat ik liever wil," verzekerde ze hem. „Bovendien wil ik m'n huis niet kwijt, hoewel ik het gevoel heb dat ik er doorlopend bang geweest ben. Misschien kwam het, afgezien van alle gebeurtenissen, mede door de donkere tijd. Overdag is het een prachtig stekkie, zo te midden van de akkers, maar 's avonds is het er pikdonker. Het is een huis in de duisternis, maar na de nacht is er opnieuw een morgen. Na deze winter zal het voorjaar worden. We gaan de goede tijd tegemoet, en ook die wil ik daar meemaken. Als jij het daarmee eens bent natuurlijk."

„Waarom zou ik dat niet zijn?" vroeg hij bevreemd.

„Omdat je vader het huis aan jou toegedacht had. Misschien voel je er zelf voor er te gaan wonen."

Hij grijnsde. „Daar voel ik zeker wel voor. Maar Jennie, ik zou daar voor geen goud alleen gaan wonen."

Voorzichtig pakte hij haar handen. Z'n stem klonk schor.

„Waarschijnlijk zal het allemaal nog wat tijd moeten hebben, maar dan, Jennie, zou ik dan bij je mogen komen wonen?"

„Draag je me dan als bruid over de drempel?" informeerde ze een beetje gekscherend.

„Uiteraard."

Hij kuste haar zacht, en ze sloeg haar armen om z'n nek.

Haar ogen blikten uitdagend in de zijne. „Je vader beweerde dat er geen vrouwenvlees aan je zat."

„Dat zat er ook niet aan, tot ik jou zag. Het heeft me heel wat moeite gekost dat niet te laten merken. Ik hield al heel lang van je, Jennie."

„Wat zal je vader blij zijn. Bovendien krijgt het huis dan toch nog de bestemming die hij voor ogen had. We moeten het hem gauw gaan vertellen, Ronald. Al zal z'n hoofd momenteel naar andere dingen staan."

„Dat doen we," beloofde Ronald en nam haar in z'n armen.

Ze wilde iets zeggen, maar Ronald gaf haar de kans niet meer. Haar lippen werden gevangen door de zijne, en ze vonden elkaar in een lange kus.

Truus van der Roest

BIENTJE EN DE BOZE BUURMAN

„Mammíé... help!" Met een klap gooit Bientje het tuinhek achter zich dicht en rent blindelings het grindpad over.

„Pak ze...!" schreeuwen een paar opgewonden jongensstemmen, „gauw... daar gaat ze!" Maar Bientje is al aan de andere kant van het huis en heeft zich hijgend achter een paar bosjes verborgen.

„Lekker," bonst het in haar hart, „jullie krijgen me tóch niet."

Maar even later...

Oei! Bientje durft bijna geen adem te halen als de jongens uit de straat rakelings haar schuilplaats passeren. Ze zien er ook zó angstaanjagend uit! Rik lijkt net een echte Indiaan met zijn bonte verentooi en Jan Piet heeft een zwarte wijde broek aan, die hij met een leren riem bij elkaar heeft gebonden.

En aan die riem... Hu! Bientje heeft dat grote touw waarmee ze haar aan de boom wilden vastbinden best gezien!

„Rovers zijn we!" had Rik zo-even gegild, „echte rovers! Als we je te pakken krijgen ga je mee..."

Daarbij had Jan Piet dreigend zijn zelfgemaakte zwaard naar haar opgeheven en wild met zijn ogen gedraaid.

En toen... O, 't was zo'n heerlijk, griezelig spel geworden! Wel vijf minuten hadden ze achter elkaar aangehold, maar nog steeds had Bientje kans gezien die twee sterke rovers uit de weg te blijven.

„Bientje...!" De stem van Rik schalt ongeduldig door de tuin, „snertmeid, waar zit je nou?"

Weer hollen twee paar jongensvoeten over het grind, weer is de tuin vol vrolijk lawaai.

Maar opeens... Vlak tegenover het bosje waar Bientje zich heeft verstopt kletst een deur open.

„Pas op!" schreeuwt Bientje angstig, „de buurman...!"

Ze is ineens het dreigement van Rik en het zwaard van Jan Piet vergeten.

201

Maar het is al te laat. Op dat ogenblik hollen haar twee achtervolgers recht in de armen van de buurman.

„Als jullie nou niet één, twee, drie m'n tuin uitgaan," schreeuwt deze woedend. „Vort! Wat denken jullie wel? Dat 't hier een speelplaats is?"

Dan kijkt hij nijdig naar Bientje, die juist met een zwart gezicht en verwilderde haren uit het bosje tevoorschijn kruipt. „En jij…"

De wijsvinger van de buurman lijkt nu zó dichtbij, dat Bientje het er benauwd van krijgt. „Vandaag of morgen stuur ik de hond op je af, begrepen?"

Bientje kijkt verslagen naar Rik en Jan Piet, die een beetje beledigd de tuin uitslenteren.

Weg is die verrukkelijke spanning van daarnet, weg dat hele opwindende avontuur.

„Wij… eh… wij spelen rovertje, ziet u," hakkelt ze zenuwachtig omdat de ogen van de buurman haar zó boos aankijken.

„Rovertje!" De buurman haalt verachtelijk zijn schouders op. „Bah, wat een spel voor een meisje van jouw leeftijd!"

Dan keert hij zich om en gaat driftig naar binnen, terwijl Bientje eenzaam bij het stoepje van de deur achterblijft.

Hè, ze merkt ineens, dat ze een beetje rillerig is geworden in haar dunne jasje, dat eigenlijk voor deze tijd van het jaar veel te koud is. Even kijkt ze weifelend om zich heen. Wat zal ze doen? Buiten blijven? Of nu maar naar binnen gaan? De jongens durven toch niet meer terug te komen, dat weet Bientje wel zeker.

Bijna geruisloos sluipt ze even later door de lange, marmeren gang van het huis waarin de buurman nu al zoveel jaren helemaal alleen heeft gewoond.

O ja, Bientje weet al lang, dat de buurman geen onnodige drukte aan zijn hoofd wil hebben. Daarom trekt ze, als ze naar binnen wil, nooit met een ruk aan de bel. Daarom klapt ze ook niet met de deur en daarom loopt ze meestal als een muisje zo stil de trap op naar boven. Maar dit keer blijft ze halverwege de trap nog even staan. Want vlak naast de trap is een deur. En achter die deur…

Boeh!… Bientje kan zich ineens niet meer inhouden. Met een

wraakzuchtig gezicht maakt ze onverwachts een lelijke lange neus in de richting van de kamer waar de buurman overdag altijd zit. Het is maar gelukkig, dat de buurman niets van haar balorigheid kan merken want anders… Och heden, het zou hem vast nog véél bozer hebben gemaakt.

„Jij lelijk woonwagenkind," zou hij misschien hebben gezegd, „wat doe je eigenlijk hier in mijn mooie huis? Waarom moesten je moeder en jij mijn rustige leventje zo onverwachts komen verstoren?"

Bientje klemt haar lippen stijf op elkaar als ze, veel langzamer dan anders, de laatste treden van de trap oploopt. Diep in haar hart zijn opeens weer zóveel akelige, ontevreden gedachten gekomen! Ja, waaróm woonden moeder en zij eigenlijk in die nare bovenkamer in dat huis van die brommerige mijnheer Bakker? Ze hadden dat zelf immers ook niet gewild?

Terwijl Bientje met trage bewegingen haar mantel losknoopt is het net of dat grote verdriet, waar ze het de laatste weken al zo vaak te kwaad mee heeft gehad, wéér haar keel probeert dicht te knijpen.

Maar Bientje slikt en schudt vastberaden haar hoofd. Néé… Ze wil er niet aan denken… nu niet… En toch…

Als Bientje een kwartier later met een boek voor het raam zit, terwijl moeder in haar geïmproviseerde keukentje op de gang het eten klaarmaakt, dwalen haar gedachten voor de zoveelste keer af naar die verschrikkelijke vrijdagmorgen nu bijna twee maanden geleden…

Vader had in de auto gezeten, die de mooie salonwagen waarin ze met z'n drietjes nu al zoveel jaren hadden gewoond, met een lekker gangetje voorttrok. Moeder en zij waren net bezig de boel in de wagen een beetje aan kant te maken. En toen… hoe het gebeurde weet Bientje nu nog niet, maar opeens, juist toen de wagen een flauwe bocht moest nemen schoot de haak, waarmee vader hem aan de auto had vastgemaakt, met een ruk los.

Vader schreeuwde, stopte onmiddellijk en sprong zomaar uit de auto, net op het moment, dat de hele wagen met huisraad en al opzij kantelde. Moeder en zij waren met de schrik vrij gekomen.

Maar vader…

Bientje knijpt haar handen tot vuisten. De regels van het boek, dat op haar schoot ligt, lijken te dansen voor haar ogen. Vader had na de klap, die hij van de vallende wagen had gekregen nog maar een uur geleefd.

Gelukkig hadden vriendelijke mensen zich dadelijk over moeder en haar ontfermd. Trouwens, nog vóór het avond was had de burgemeester van het dorp waar het ongeluk was gebeurd al beslist dat er, zolang er geen andere woonruimte beschikbaar was, in het grote huis van mijnheer Bakker maar een plaatsje voor hen moest worden ingeruimd.

De woonwagen lag immers helemaal in elkaar, daar konden moeder en zij voorlopig niet meer in.

En ze moesten toch ergens een plekje hebben om te kunnen wonen?

Maar of mijnheer Bakker blij was geweest met die beslissing van de burgemeester? Vast niet!

O nee, durven weigeren had hij natuurlijk niet, maar heus, Bientje kon zich niet herinneren, dat hij tot op vandaag één vriendelijk woord tegen moeder of haar had gezegd.

En als ze een beetje te veel lawaai maakten naar zijn zin, oei! Dan kon hij tekeergaan, dat je er de schrik van in je benen kreeg!

Eén keer had Bientje de buurman een héél lelijk antwoord teruggegeven... Maar toen had moeder haar zenuwachtig bij de arm gepakt.

„Bientje! Stil!" had ze gefluisterd, „als de buurman ons het huis uitzet is het jouw schuld!"

Hè! Bientje schokt op. Zie je, nu heeft ze tóch weer zitten prakkiseren.

Met een ruk trekt ze haar boek wat dichter naar zich toe.

Maar als ze amper een paar regels heeft gelezen dwalen haar gedachten zomaar weer af.

Beneden blaft de hond van de buurman al minstens vijf minuten aan één stuk. „Snertbeest!" scheldt Bientje wrevelig. „Akelige keffer!"

Dan kijkt ze naar buiten. Uit de loodgrijze lucht dwarrelen langzaam een paar verdwaalde sneeuwvlokken naar beneden.

Een ogenblik houdt Bientje haar adem in van louter verrukking.

Dan... met een sprong rent ze naar het gangetje.

,,Mam... mammie... het sneeuwt!!''

Moeder, die juist de aardappelen van het vuur neemt kijkt ook al zo verrast.

,,Dat wordt vast een witte Kerst, Bientje,'' voorspelt ze, als ze even later samen de steeds dichter vallende vlokken op hun tocht naar de koude, donkere aarde met gespannen ogen volgen.

Een witte Kerst... Ja, dat lijkt het werkelijk te worden!

Als moeder en Bientje op de avond voor het grote feest heel laat thuiskomen van de kerstviering, die ze met al hun oude vrienden uit het woonwagenkamp toch nog mochten meemaken, moeten ze gewoon moeite doen om heelhuids thuis te komen. Soms zakken hun voeten zomaar een paar centimeter weg in de ijskoude sneeuw-massa. Dan weer glijden ze uit over een spiegelglad baantje, dat de kinderen daar vanavond hebben gemaakt.

Maar wat geeft het? Bientje knijpt moeder telkens verrukt in haar arm. ,,Wat was 't fijn, hè moes? En wat kon die mijnheer mooi ver-tellen!''

Moeder is al even dankbaar als Bientje.

,,'k Heb het zó heerlijk gevonden nog eens alle oude bekenden te zien! 't Was héél lief, Bientje, dat ze ons ook hadden uitgenodigd.''

Ja, daar is Bientje het roerend mee eens. ,,'t Leek net, of we er weer helemaal bijhoorden,'' verzucht ze een beetje mistroostig ineens omdat ze, na al het heerlijke van deze avond, nu tóch weer terug moeten naar de kleine zolderkamer in het grote huis waar alles zo triest en ongezellig is.

,,Bien... hoor es!''

Bientje kijkt verschrikt op.

Moeders stem klinkt zo vreemd en verlegen. En het wonderlijkste is, dat er tranen in haar ogen glinsteren terwijl haar mond tóch lacht.

,,Bien...!''

Moeder drukt haar even een beetje dichter tegen zich aan. ,,Weet je wat ik vanavond het mooiste heb gevonden?''

Bientje haalt haar schouders op. ,,Nou?'' vraagt ze.

Moeders stem trilt een beetje als ze bijna peinzend zegt: „Dat lied, Bientje, je weet wel, dat de kinderen zongen."

Bientje begrijpt het opeens. „Over het Kindeke, dat op aarde was gekomen om ons allemaal gelukkig te maken?" raadt ze.

Moeder knikt: „Precies, Bientje…"

Een paar minuten lopen ze nu zwijgend door de donkere avond, heel dicht naast elkaar.

Het is moeder, die tenslotte de stilte verbreekt. „Laten we 't maar nooit vergeten, Bientje," zegt ze dringend, „reken erop, dat we 't met z'n beidjes nog wel eens moeilijk zullen krijgen in de komende maanden. Maar als we nou proberen te bedenken dat het Kind van het kerstfeest een heleboel om ons geeft en ons nooit in de steek zal laten…"

Bientje knikt. Ze weet niet goed wat ze moet antwoorden. „Eigenlijk moesten alle mensen daar maar aan denken," zegt ze tenslotte weifelend, „wedden, dat dan de héle wereld net zo blij zou worden als wij?"

Moeder kijkt haar even ernstig aan. „Ik geloof, dat de Here Jezus, dat ook zó had bedoeld, Bientje," knikt ze „de hele wereld…"

Ze aarzelt. Dan slaat ze met een warm gebaar haar arm om Bientjes schouder. „Als we maar beginnen vanuit ons eigen kleine hoekje, Bien, dan komt het met die andere mensen ook wel goed."

Dan sjokken ze weer voort over de besneeuwde wegen terwijl de natte vlokken telkens in hun gezicht prikken en de jagende wind, die net weer is gaan opsteken bijna hun adem afsnijdt.

Vreemd, als Bientje allang in bed ligt kan ze toch de slaap niet vatten. En dat terwijl het al zó laat is!

Maar ze is van binnen ook zó opgewonden! 't Lijkt net of ze de lichtjes van de kerstboom, die in het kamp stond, nog voor haar ogen ziet dansen. En in haar hoofd zingen wel drie, vier liederen tegelijk.

Dan weer hoort ze de stem van de mijnheer, die het kerstverhaal vertelde om het volgende ogenblik weer te denken aan moeder, die vanavond voor het eerst sinds vele weken weer zo echt blij had geleken.

„'t Kwam op de aarde voor ons allemaal…" gonst het weer in haar hoofd… „voor ons… voor ons allemaal…"

Beneden klinkt een driftig gekef. Het brengt Bientje opeens tot de werkelijkheid terug. Met een schok komt ze overeind in haar bed. Er is plotseling zó'n vreemde gedachte in haar opgekomen. „De buurman…" denkt ze, „de boze buurman, die heeft het lied over 't Kindeke natuurlijk nooit gehoord. Anders zou hij toch niet zo lelijk en zuur kijken?"

Nou ja… Bientje zakt langzaam weer onder de dekens en draait zich om in haar warme holletje.

Wat kan 't haar ook eigenlijk schelen? De buurman doet maar. Ze is lekker toch niet bang voor hem!

Maar het is net of Bientje hoe langer hoe helderder wordt in haar hoofd. En ook of de herinneringen aan dat heerlijke feest van vanavond langzaam maar zeker al haar lelijke gedachten over de buurman wegduwen. „Jij weet 't wel, Bientje," lijkt opeens een stem te fluisteren, „jij hebt 't vanavond allemaal gehoord. Maar de buurman… Och, die is zó eenzaam! Reken er maar vast op, dat er niemand is die hem met de kerstdagen het verhaal over de Here Jezus komt vertellen."

Bientje duwt haar hoofd nog dieper in het kussen.

Ze voelt zich ineens zó bang en onrustig.

„'t Is z'n eigen schuld!" prevelt ze in het donker, „onvriendelijke mensen zijn altijd alleen. En dat is net goed ook!"

Maar dan hoort ze het lied weer… „'t Kwam op de aarde voor ons… allemaal…"

„Oók voor de buurman…!" fluistert de stem weer, „ja heus, Bientje, je denkt wel van niet maar hij hoort er toch echt bij!"

„Nee!…" zegt Bientje opeens zo hard, dat ze er zelf van schrikt.

Op hetzelfde ogenblik glijdt haar blik aarzelend naar het kaarsje, dat moeder daarstraks, voor ze het licht uitdeed, in de vensterbank heeft gezet. Ze heeft het meegenomen als een blijde herinnering aan het feest in het kamp. De kinderen hebben het gebruikt toen ze moesten zingen. Och, 't had zó prachtig geleken al die dansende vlammetjes… in de halfdonkere zaal…

Bim! Bam! Bim! Bam! Oei!… Bientje schokt op.

Buiten wordt de stilte van de komende nacht opeens verbroken door het jubelende geluid van de kerstklokken. Bim... Bam... Jezus kwam!

Een ogenblik blijft Bientje ademloos zitten luisteren. En dan gebeurt het wonder! Het lied van de klokken maakt haar opeens zó vol van binnen, dat ze wel zo zou willen meejuichen. Ja... Ja! 't Is kerstfeest! Voor alle mensen... En óók... Bientje weet het plotseling heel zeker: óók voor de buurman!

Nee, nu kan ze gewoon niet meer denken aan zijn boze gezicht en zijn harde stem, nu weet ze nog maar één ding: de buurman móét het weten al zou ze 't hem zelf moeten vertellen.

Bim! Bam!.. Bim!.. Bam!.. De klokken luiden nog steeds. Het lijkt wel of ze er niet genoeg van kunnen krijgen. Bientje krijgt het er warm van.

Nóg eens kijkt ze naar het kaarsje in de vensterbank. En dan...

Met een ruk gooit Bientje opeens de dekens van zich af. Daar kletsen haar blote voeten al op het koude zeil. Hu! Bientje rilt. Maar het volgende ogenblik staat ze al op haar pantoffeltjes in de gang. In de kamer waar moeder slaapt is het stil.

Dat is aan de ene kant maar gelukkig want Bientje weet wel zeker, dat moeder het plannetje dat ze heeft bedacht vast niet zo één, twee drie zou goedkeuren.

Bientjes hart bonst als ze in het donker met haar hand naar de lucifers zoekt, die naast het gasstel moeten liggen. Hè, gelukkig! Daar heeft ze het doosje al.

Als de buurman nou nog maar niet naar bed is!

Bientje voelt zich tóch wel een beetje zenuwachtig als ze een paar minuten later met knikkende knieën vlak voor de kamerdeur van de buurman staat. Héél stilletjes is ze de trap afgelopen. Het kaarsje, dat nu echt brandt, houdt ze stevig in haar hand.

Dan zijn het de klokken daarbuiten, die haar opeens moed geven. Voorzichtig tikt ze op de deur.

Zo duidelijk mogelijk, net zoals ze het de kinderen heeft horen doen vanavond, zegt Bientje blij: „Komt mensen, komt, wil 't nieuws toch horen, dat Jezus Christus is geboren... 't Is kerstfeest, 't feest van 't Kindje klein, dat ook uw Redder graag wil zijn!"

Even houdt Bientje haar adem in... Maar dan... „Ja... ja!" juicht het in haar hart, „de buurman heeft het gehoord!"

Ze merkt het aan het gestommel achter de deur, aan het verschrikte geblaf van de hond... Ja... ja! Nu zal haar mooie plan zeker lukken. Even schraapt Bientje haar keel, dan begint ze te zingen, héél zacht maar toch ook héél verheugd: „Er is een Kindeke geboren op aard... 't Kwam op de aarde voor ons allemaal... 't Kwam op de aarde..."

Nee, verder komt Bientje niet met haar mooie lied, want met een ruk vliegt de deur open en het volgende ogenblik ziet ze nog maar twee dingen, die haar doen verstijven van ontzetting: het woedende gezicht van de buurman en vlakbij hem de hond, die zich met een vlugge beweging door de kier van de deur wringt.

„Wat móét jij..." begint de buurman te bulderen.

Maar ineens houdt hij verschrikt op.

„Hier!" schreeuwt hij. „Lex, niet dóén...!"

Maar het is al te laat. Met een vervaarlijk gegrom is de hond op Bientje afgesprongen. Zijn blanke tanden rukken woedend aan haar nachtjaponnetje. Bientje gilt van angst. Ze vergeet ineens het kaarsje, dat ze al die tijd zo zorgvuldig heeft vastgehouden.

Help! Daar rolt het zomaar uit haar hand, terwijl op hetzelfde ogenblik het vlammetje, dat zo-even nog stil en rustig brandde, hoog tegen haar kleren opwaaiert.

„Híer, zeg ik je...!"

De buurman stampvoet van woede en trekt uit alle macht aan de halsband van de hond, die door het dolle heen schijnt te zijn. Pas als de baas hem in zijn zenuwachtigheid een gevoelige trap geeft, trekt hij zich jankend terug.

Maar Bientje... In doodsangst steekt ze allebei haar handen uit naar de buurman.

„Help...!" huilt ze... „Au... au!"

Op dat ogenblik ziet de buurman pas, dat Bientjes nachtjaponnetje aan de onderkant in brand staat.

„Mee!" buldert hij, terwijl hij haar met een ruk in de richting van de buitendeur trekt.

En dan gaat alles zó gauw! Bientje begrijpt pas wat er is gebeurd als de buurman haar hijgend naar de tuin heeft gesleept en haar zomaar met haar brandende kleren in de sneeuw heeft gegooid.

Trillend van inspanning rolt hij haar nu met zijn grote handen om en om… Bientje heeft een gevoel alsof ze in een ijskoude zee ligt. Ze snikt het uit van angst en narigheid. Maar de vlammen, die al een heel gat in haar nachtjaponnetje hebben gebrand kunnen geen enkele kant meer op. Langzaam maar zeker dooft de natte sneeuw ze allemaal uit…

Het is een totaal ontredderde Bientje, die een kwartier later in moeders armen uithuilt, terwijl de buurman met een klap de deur van zijn kamer weer achter zich heeft dichtgetrokken.

„Bientje toch," stamelt moeder, die beeft van schrik om wat er beneden is gebeurd terwijl zijzelf maar rustig lag te slapen. „Stil nou maar, alles is toch goed afgelopen?"

Bientje schudt wanhopig haar hoofd. „Met mij wel," snikt ze, „alleen m'n been doet pijn, maar de buurman… hij heeft niet eens naar me geluisterd. En ik…"

Dan vertelt Bientje hortend en stotend het hele verhaal van haar mooie plannetje aan moeder.

Tik! tik! tik! Hela, wat is dat? Het is nog niet eens tien uur in de morgen en toch is er al iemand aan de deur.

Bientje, die met haar verbrande been op een stoel zit kijkt verwonderd. Moeder haast zich al naar de deur. Maar dan… O! Vreselijk!

Bientje lijkt in elkaar te krimpen van schrik. Want die stem… Haar gezicht wordt spierwit en het klamme zweet staat in haar handen.

„Daar heb je het nou," lijkt haar hart te bonzen. „De buurman komt natuurlijk nog eens bij moeder zijn beklag doen."

Er springen opeens weer tranen in Bientjes ogen.

„Misschien moeten ze het huis wel uit. O… o… waarom heeft ze toch zo dom gedaan gisteravond? Waarom is ze niet rustig gaan slapen na het mooie feest?"

„Bientje!"

Moeders stem klinkt helemaal zenuwachtig als ze weer binnenkomt, „hier is de buurman, hij kwam je even iets zeggen."

Bientje kijkt met een doodsbang gezicht in de richting van de deur.

„Néé..." fluistert ze radeloos, „'t hoeft niet..."

Dan slaat ze de handen voor haar gezicht en begint wild te snikken.

De buurman, die een beetje onzeker in de deuropening staat krijgt het er benauwd van.

Moeder schudt bezorgd haar hoofd en trekt Bientjes handen voor haar gezicht vandaan.

„Bientje... toe, er is toch helemaal geen reden om te huilen?"

Opeens raapt de buurman al zijn moed bij elkaar.

„Was je bang voor me?" vraagt hij schuw.

Bientje knikt heftig. „Als we hier niet mogen blijven wonen is 't mijn schuld," huilt ze, „maar ik dacht... ik hoopte dat u 't fijn zou vinden als ik kwam zingen. En toen..."

Kleintjes en in elkaar gedoken zit ze in haar stoel terwijl de buurman onrustig met zijn ene voet op de grond tikt.

„Bientje..."

De stem van de buurman klinkt zó anders dan gewoonlijk, dat Bientje verbaasd opkijkt.

„Je hebt je dit keer toch echt vergist," zegt de buurman zacht. „Zie je, ik had zo het gevoel, dat het goed zou zijn als ik je even ging zeggen hoe blij je me hebt gemaakt met je lied gisteravond, al leek dat er eerst helemaal niet op..."

„Blij?"

Bientjes mond zakt langzaam open in stijgende verwondering.

„Ja, heus!"

De buurman knikt verlegen, omdat Bientjes ogen hem geen ogenblik meer loslaten. „'k Heb er de hele nacht niet van kunnen slapen," bekent hij dan terwijl er een vreemde ontroering om zijn mond trilt. „Weet je, kind, dat lied, diezelfde woorden zong mijn Annemieke ook voor me op het laatste kerstfeest dat ze bij me was..."

De buurman veegt aangedaan met een grote zakdoek over zijn voorhoofd.

Bientje heeft nog altijd het gevoel dat ze droomt. „Uw Annemieke?" fluistert ze verschrikt. „Had u dan... was zij..."

De buurman knikt langzaam. Dan gaat hij ineens op de stoel vlak naast die van Bientje zitten en begint zomaar te vertellen. Het wordt een lang, triest verhaal over zijn vrouw, die er niet meer is, en ook over Annemieke, zijn kleine meisje, die, toen ze net zo oud was als Bientje, op een dag niet meer uit school thuiskwam omdat ze in de vaart was verdronken.

„Daarom kon ik Bientje zo vaak niet zien," fluistert de buurman beschaamd tegen moeder, „ik was alleen lelijk tegen haar omdat ik opstandig was en jaloers. En nu..."

Hij slikt. „Nu was er ineens dat lied waar ze me zomaar mee kwam overvallen."

Een ogenblik steunt de buurman het hoofd in zijn handen. Dan kijkt hij Bientje strak aan.

„'t Heeft me een heleboel gedaan," fluistert hij eindelijk, „een heleboel...!"

Moeder drukt ongemerkt Bientjes hand. Dan glimlacht ze de buurman door haar tranen heen toe. „Het is kerstfeest, buurman," zegt ze dringend, „voor Bientje en mij, maar ook... voor u! De Here Jezus kwam immers juist op aarde om ons door al die moeilijke en donkere dingen heen te helpen? Heus, Hij wil niet, dat we als eenzame, verbitterde mensen door het leven gaan."

Bientje knikt. „Ik was ook wel es heel boos op u," aarzelt ze, „maar gisteravond toen ik alles weer had gehoord over Jezus en zo, toen kón ik gewoon niet meer in m'n bed blijven..."

Moeder is opgestaan. „Weet u wat, buurman," zegt ze, „u blijft hier koffiedrinken, ik steek de kaarsen aan en Bientje..."

Bientje krijgt een kleur van blijdschap.

„Ja," zegt ze met een stem, die trilt van blijdschap, „ik ga zingen over het Kindeke..."

Buiten is het weer gaan sneeuwen. Dicht opeengepakt dwarrelen de ijzig koude vlokken uit de grauwe lucht. Maar de drie mensen in het huis van buurman Bakker merken daar niets van. Zij hebben alleen nog aandacht voor de boodschap van het kerstfeest, die zo onverwachts in het diepst van hun hart zóveel blijdschap heeft gebracht.

DORIEN DE RUITER

'EN HET GESCHIEDDE IN DIE DAGEN...'

O Kerstnacht, schoner toch dan alle dagen,
laat mij eerbiedig binnentreden in de stal.
En 't zachte wangetje van 't kindje strelen,
het kind, dat mijn Verlosser wezen zal.

Laat mij toch met Maria even praten
over bevallen en het wonder van haar kind.
Waarvan zij weet dat het een heel bijzonder kind is,
maar die z'als moeder toch al d'allerliefste vindt.

En laat mij Jozef hartelijk omhelzen,
die – nog wat onwennig en beduusd – terzijde staat.
Want 't is niet niks, zomaar een zoon te krijgen.
En dan nog Eén, die van zich spreken laat.

O Kerstnacht, schoner toch dan alle dagen,
waarin het Licht gloort van dé nieuwe dag.
Dat kleine kind wil mij altijd op handen dragen.
Ik dank U Heer, dat ik zó kerstfeest vieren mag.

Ine ten Broeke-Bruins

DE ADVENTSKALENDER

De Elzenhof was een doorsnee hofje: een tegelplein omgeven door een rand rozenstruiken. De laatste werden beschermd tegen voetballende jeugd door een laag raster. Rond het plein stonden in hoefijzervorm drie blokken van zes woningen. Op nummer 36, het eerste huis links vanaf de Peppelstraat, woonde Diet Tol, een gepensioneerde onderwijzeres.

Het vorig jaar rond Kerst had het monster voor het eerst zijn afschrikwekkende tentakels naar haar uitgeslagen. Ze was er zó van geschrokken, dat haar oude strijdbaarheid als door een wonder was teruggekeerd. Het leek alsof de ziekte, die haar lichaam langzaam sloopte, een halt was toegeroepen.

Het monster heette 'eenzaamheid'.

Tijdens haar drukke, afwisselende loopbaan was er nooit een directe confrontatie geweest. Dia wist, dat veel mensen leden aan dat verstikkende gevoel van alleen-zijn, niemand hebben waaraan je je gedachten, je zorgen en je pijn kwijt kon. Ze had het erg druk gehad met 'haar kinderen', die ook na schooltijd altijd een beroep op haar mochten doen: haar collega's, die veelal ook haar vrienden waren... Het spook eenzaamheid had op haar nooit vat gekregen. Tot die ellendige ziekte zich openbaarde, een half jaar na haar pensionering.

De kinderen vergaten haar voor de nieuwe juf die hen met evenveel enthousiasme thuis nodigde en ook de collega's lieten zich steeds minder zien.

Dia begreep het allemaal best. Iedereen had z'n eigen drukbezette leven. Ze zou het monster zelf moeten bevechten. En ze deed dat op haar eigen schooljuffrouwenmanier! 'Lopen kan ik praktisch niet meer, maar mijn vingers kan ik nog wel gebruiken, slechte dagen uitgezonderd. En handvaardigheid ligt mij nu eenmaal, dus...' Dia dook in haar welvoorziene voorraad materialen en toog begin januari ijverig aan het werk.

Het idee voor een adventskalender was in de kersttijd geboren. Vanachter haar raam had ze het pleintje met de spelende jeugd geobserveerd. De kinderen kende ze allemaal. Van een afstand. En de ouderen kende ze op dezelfde manier. Ze wist precies wie waar woonde. Ze wist ook, wie met wie omging of welke bewoners zich afzijdig hielden van de andere hofjesmensen. Ze kende ze allemaal en ze kende er niet één. En dat zou tragisch zijn, als Dia hierin berust had. Bovendien was er één uitzondering: mevrouw Bergsma, van nummer 12, het hoekhuis van het huizenblok aan de overzijde. Ze was weduwe en zij was de enige, die haar af en toe opzocht.

Op haar had Dia Tol haar hoop gevestigd…

Dia had het secuur berekend: de zevende december moest de expeditie beginnen! Het was een sombere grijze dag, die nattigheid, in welke vorm dan ook, voorspelde.

Dia, in haar ruststoel, hoopte vurig dat mevrouw Bergsma vandaag thuis zou komen. Ze had het sinterklaasfeest bij haar kinderen gevierd. Haar zoon had haar opgehaald. Dia had gezien hoe mevrouw Bergsma zorgzaam in de auto werd geholpen samen met een grote doos plus haar andere bagage. Ze hadden naar haar gezwaaid en zij had teruggezwaaid. Toen de auto om de hoek was verdwenen, had ze een vreemde prop in haar keel gevoeld. Omdat de schakel tussen haar en het hofje nu onbereikbaar voor haar was! Dezelfde melancholie van het vorige jaar dreigde Dia in te kapselen.

Maar dat mocht niet! Dat mocht niet!

Dia kwam moeizaam overeind. Leunend op de vensterbank, deed ze het zijraam een eindje open. Voor haar huis klom juist één van de jongens van nummer 14 in de lantaarnpaal.

„Hé daar, jongelui!” riep Dia met haar dunne stem.

Vreemd, hoe zwak je stem werd, als je nog maar weinig sprak. De jongens lieten zich pijlsnel terugglijden naar de grond. „Kom mee, die ouwe bromtol belt natuurlijk de politie, net als laatst!” gilde er één.

Dia sloot verdrietig het raam. Ze was eraan gewend dat de jeugd varianten bedacht op haar naam. Die leende zich nu eenmaal goed voor rijmerij en spotternij.

Maar dat ze voetstoots aannamen, dat zij hun een kwaad hart toedroeg en zelfs hun kwajongensstreken meldde bij de politie, ach... En ze hield zoveel van de jeugd. Ze hadden veertig jaar lang haar hele wereld uitgemaakt... Ze kon van kinderen heel veel verdragen...

Dia veegde driftig langs haar ogen. Vooruit: geen zelfbeklag. Ze moest een andere manier bedenken, om haar adventskalender in roulatie te brengen... Maar toen het al later en later werd, de lantaars brandden en de kinderen naar binnen waren gegaan om te eten, besprong het schemerspook haar. Het kwam vanuit de donkere kamerhoeken op haar toegeslopen...

Resoluut drukte Dia op het schakelaartje van de grote schemerlamp. Daarna bewoog ze zich moeizaam naar de andere lampjes. De kamer was opeens gezellig en sfeervol. Geen schaduwen meer. Morgen zou mevrouw Bergsma vast terug zijn. Als zij de kalender dan meteen bij nummer 2 bezorgde, kon hij precies op kerstavond bij haar terug zijn...

„Wat schitterend! Heeft u dit echt zelf gemaakt?" vroeg mevrouw Bergsma de volgende middag ongelovig. „Al die lapjes en kraaltjes en dan dat tekenwerk! Hoe lang bent u hier wel mee beziggeweest?"

„Heel veel uren," bekende Dia en ze doorleefde weer al die eenzame uren, gevuld met pijn en verlangen. Verlangen om weer deel te mogen uitmaken van de wereld buiten de vier muren van haar huisje.

„Dat besneeuwde kerkje doet me denken aan ons dorp," mijmerde mevrouw Bergsma. „Ik ging er héél vroeger, als klein meisje wel met mijn oma naar toe. Met Kerst... De kerkklokken beierden dan en in mijn herinnering sneeuwde het altijd. Net als op deze plaat. Voor wie is hij eigenlijk? Of heeft u hem voor uzelf gemaakt?"

„Nee. Hij is voor alle bewoners van ons pleintje. Iedereen mag hem een dag houden en één van de ramen of deurtjes openmaken. Kijk: ik heb de huisnummers bij de vensters gezet."

„Schitterend," zei de buurdame weer. „Wat een aardig idee. En wat zit er achter zo'n venster?"

„Dat blijft een verrassing, tot u uw eigen deurtje openmaakt," glimlachte Dia. „Het is maar een aardigheidje, dat begrijpt u wel. Anders past het niet tussen de plaat en het karton. Maar nu heb ik een verzoek: ik kom zelf de deur niet meer uit, dat weet u. Wilt u dit pakje op nummer 2 afgeven met het verzoek dat morgen op hun beurt bij nummer 4 te doen? Ik heb een briefje bijgesloten, waarop ik mijn bedoeling met de adventskalender precies heb uitgelegd."

„Natuurlijk wil ik dat, alleen…" Mevrouw Bergsma keek naar het door pijn getekende gezicht van de oude onderwijzeres. Wat mankeerde haar precies? Hoe kwam het, dat ze zich nog slechts met moeite van de ene stoel naar de andere bewegen kon? Ik weet het niet eens, dacht ze verward. Juffrouw Tol praat nauwelijks over haar ziekte. Ook niet over haar eenzaamheid. Terwijl ik weet, dat ze buiten mij geen contacten heeft met de bewoners van de Elzenhof. Deze kalender vertolkt de hunkering van een eenzame, die midden tussen ons woont en we hebben dat niet opgemerkt. Omdat we het te druk hadden met ons werk, kinderen, familie, hobbies, sport, en o, met zoveel andere zaken. Deze gepensioneerde onderwijzeres, met haar wijze, wetende ogen, heeft begrepen, dat je eenzaamheid slechts op kunt lossen door die zelf ter hand te nemen.

„Ik ben bang, dat er spelbrekers zullen zijn," zei ze tenslotte haperend. „Er wonen mensen op het plein, die al jaren geen woord meer met elkaar wisselen."

„Ik weet het. Ik zie zoveel sinds ik in mijn stoel voor het raam zit. Daardoor is juist dit idee ontstaan. Ik zou het zo heerlijk vinden, als hier op ons hofje tenminste vrede heerste. Dat is de hele opzet van mijn adventskalender."

„Het zal aan mij niet liggen… Ik zal wel een oogje in het zeil houden…" beloofde mevrouw Bergsma. En met die belofte verdween ze, de adventskalender onder haar arm geklemd.

Het was spannend om te proberen de kalender op zijn tocht te volgen, de komende dagen. Voor Dia betekende het een welkome afleiding in haar kleurloze bestaan.

Haar opwinding groeide met de dag. Zou haar plannetje slagen? Zouden de mensen hun ruzie voor even kunnen vergeten en een schakeltje willen zijn in haar vredesketen?

Mevrouw Bergsma kreeg de kalender na vijf dagen weer in handen en o, ze zag het dadelijk: er waren vijf vensters van het kerkje geopend! Dat betekende dat alle bewoners van haar huizenblok hadden meegedaan.

Dat was een prima start. Maar eigenlijk had ze dit ook wel verwacht. De problemen lagen in de andere twee blokken. Daar woonden mensen die zich met niemand bemoeiden en mensen die met elkaar overhoop lagen. Mevrouw Bergsma legde de kalender op de eettafel en peuterde voorzichtig één van de zijdeuren van het kerkportaal open. Ze zag een piepklein stukje kant. Toen ze het openvouwde bleek het een zakdoekje te zijn, waar met precieuze steekjes 'vrede' op was geborduurd.

Ze zag de blauwgeaderde handen van haar overbuurvrouw, die altijd licht beefden, met eindeloos geduld de fijne steekjes toveren op het witte damast. Tranen prikten achter haar ogen…

„Als het aan mij ligt, zullen alle ramen en deuren van jouw kerkje wijdopen staan op kerstavond," mompelde ze ontroerd. Maar ze wist nu al, dat het een vrome wens zou blijven. De droom van een oude, zieke vrouw…

„Wat betekent nu zoiets?" vroeg Tinke de Rooy. „Dat mens van nummer 36 is bepaald getikt. Ik heb het verschrikkelijk druk en daarom gun ik me voor zo'n kinderachtig spelletje geen tijd. Sorry!"

„Ze heeft er wel veel werk aan gehad. Moet je nagaan: al die zakdoekjes en boekenleggers heeft ze zelf geborduurd. En heb je die plaat goed bekeken? Fantastisch mooi gedaan."

„Ik heb er niet om gevraagd. Bovendien: dat mens heeft plenty tijd. Zit de goed-ganse dag voor het raam. En wij maar jakkeren om alles op tijd klaar te krijgen."

„Misschien is ze eenzaam?"

„Moet ze naar een bejaardentehuis of zoiets gaan. Geen mens hoeft eenzaam te zijn tegenwoordig. Nou enfin, ik zal hem dan maar aanpakken en doorgeven aan die zuurpruim van hiernaast, maar ik weet wel zeker dat die bedankt voor dit onnozele gedoe!"

Nadat haar buurvrouw verdwenen was, peuterde Tinke het venster met nummer 12 open. Met een onzekere beweging trok ze het opgevouwen zakdoekje tevoorschijn, dat de zieke dame van nummer 36 voor haar geborduurd had. Vrede... tja... als je er goed over nadacht... naar gevoel eigenlijk, dat ze nooit naar die ouwe ziel had omgekeken. Alleen naar haar gezwaaid, als ze langs haar huis fietste... Nee, zij zou geen spelbreker zijn. Al wist ze vrijwel zeker, dat Van Straten, die brombeer, niet mee zou werken. Hij leefde als een kluizenaar, immers?

De volgende dag hield ze de hele dag de voordeur van haar rechter buurman in de gaten en ja hoor, toen de lantaarns aan waren, zag ze hem naar het derde huis gaan. Hij was in een ommezien terug. Maar, hij was gegaan! Van nu af aan gaf ze echter niets meer voor het plannetje van de ontwerpster. In de volgende huizen woedde al jaren een burenvete en ook in het laatste huizenblok was dat het geval. Nou, enfin, zij had haar best gedaan!

Ook mevrouw Bergsma volgde de kalender met argusogen. Zij wist, dat hij nu in het middelste blok was beland. Ook zij vreesde, dat deze daar zou blijven steken en daarom stapte ze de morgen van de vijftiende december naar Elzenhof nummer 18 en belde aan. Een tot in de puntjes verzorgde vrouw van onbestemde leeftijd deed open.

„Ah, mevrouw Bergsma, dat is gezellig! Ik zit juist aan de koffie. Kom verder!"

„Graag," glunderde mevrouw Bergsma. „Wat hééft u het smaakvol ingericht. Wat een verschil toch: het zijn allemaal dezelfde huizen, maar de één weet er heel wat meer van te maken dan de ander."

„Och, een kwestie van smaak," merkte de vrouw bescheiden op. „Mijn man verdient goed. Hoewel wij ook net als iedereen een stapje terug moeten doen. Maar we hebben het toch nog goed, hoor!"

„Ja, zo te zien wel. Maar er zijn er genoeg, die ieder dubbeltje om moeten keren."

„Dat zal wel!" zei de vrouw koel en ongeïnteresseerd. „Wat ik zeggen wil: heeft u al kennisgemaakt met die doorgeef-kalender? Van die mevrouw van de hoek? Tja, een mens doet al wat om in de belangstelling te komen. Eigenlijk zielig. Het lijkt me trouwens een zure tante. Zoals ze de kinderen wegsnauwt als er eens een balletje in haar tuin komt!"

„Dat lijkt me sterk. Juffrouw Tol is veertig jaar onderwijzeres geweest. Ze houdt van kinderen. Bovendien: ze komt haar huis helemaal niet meer uit!"

„O, nou, dat kan wel. Ik ken haar niet persoonlijk. Ze zit altijd voor het raam te loeren, dat weet ik wel."

Hierop ging mevrouw Bergsma maar niet in. „Heeft u de kalender doorgegeven?"

„Nee, daar ligt hij nog. Wij hebben helemaal geen contact met de buren hiernaast. Die spreken al jaren niet meer tegen ons. Om een of andere onbenulligheid. Het ging over een boom die net wel of net niet op de afscheiding stond. Dus: om nu ineens met zo'n kalender daar aan de deur te bellen. En mijn man hoef ik het helemaal niet te vragen!"

„Geeft u hem mij maar," bood mevrouw Bergsma aan.

Ze dronk een kopje koffie mee en daarna ging ze naar het buurhuis. Gelukkig beloofde men daar, om de kalender door te geven aan het hoekhuis. „Maar ik denk niet, dat die ervoor te porren zijn, om dat ding op nummer 26 te bezorgen. Dat is kat en hond, die twee."

Morgenavond nog maar eens op pad, anders loopt het toch nog mis! dacht mevrouw Bergsma verdrietig.

Vaag was er nog de gedachte aan een plekje, waar ze heel vroeger gehoord had over vrede. Echte vrede, die het kerstkind bracht in ruziënde mensenharten…

Het was net alsof er rondom de Elzenhof een mysterieuze sluier hing, die kerstavond… In feite was het een dichte mistdeken, die de bewoners van het plein zeer welkom was. Als dieven slopen ze achter elkaar door de steeg, die achter het eerste huizenblok liep.

Het plannetje was van mevrouw Bergsma uitgegaan. „Natuurlijk kunnen we de adventskalender zonder meer aan de eigenaresse terug bezorgen. Maar zou het niet veel hartelijker zijn, om haar adventsgedachte te beantwoorden met een persoonlijk bedankje?"

„En hoe had u zich zoiets dan wel voorgesteld?" had de heer Van Straten gebromd. „U denkt toch niet, dat ik, als loslopende man, bij een alleenstaande dame aanbel?"

„U hoeft niet aan te bellen, ze kan toch niet opendoen. En wat het decorum betreft: we gaan en bloc en u mag voor mijn part als laatste binnengaan."

„Dan zal ik wel in de keuken stranden. Als je met zo'n optocht binnenkomt!"

„U verzamelt dus morgenmiddag alle kinderen van ons plein?" zette Tinke de Rooy nog even de puntjes op de i.

Mevrouw Bergsma beaamde dat. „Ja, wij moeten de kinderen ook betrekken in het omzien naar de medemens!"

Achterin de stoet klonk opnieuw gegiechel. „Ik weet niet, of ik mijn jongens zover krijg!" zei Tinkes buurvrouw kribbig. „Ze moeten niet veel hebben van dat ouwe mens. Ik hoor ze vaak over 'die heks' praten."

„O, ze praten ook over 'bromtol' en... nou enfin, ik zal de woorden maar niet eens herhalen. Maar ze rijmen op Tol," merkte Tinke op.

„Nou mensen, komt er nog wat van? We staan hier zo gek, net een klas schoolkinderen," drong de onberispelijk gekapte dame van het middelste huis.

„O, pardon!" Verschrikt klapte ze de hand voor haar mond, toen ze zag, dat haar buurman naast haar stond, die al twee jaar lucht voor hen was.

„U heeft gelijk: het is een vreemd gezicht, maar de gedachte erachter vind ik prima. Een echte kerstgedachte! O, pardon!" zei hij toen het tot hem doordrong, tegen wie hij sprak. Daarop slopen ze naar de achterdeur, die – daar had mevrouw Bergsma voor gezorgd – nog niet op slot was.

Mevrouw Bergsma ging voorop. Ze gaf een tikje op de kamerdeur en vroeg: „Mag ik verder komen, juffrouw Tol? Ik kom de kalender terugbrengen!"

„Ja hoor, ik had u al verwacht!" klonk het blij vanuit de woonkamer.

Toen zette mevrouw Bergsma de deur helemaal open.

Allemaal kwamen ze: een lange rij timide mensen. Onwennig stonden ze in de kamer, die ineens veel te klein en te vol leek. Ze keken zwijgend naar dat ingevallen, door lijden getekende gezicht, dat zeldzaam oplichtte, toen ze de stoet zag binnenkomen.

„Mensen, ménsen…" stamelde Dia Tol. Ze staarde met brandende ogen naar al die buurtbewoners die gekomen waren. Haar keel leek wel toegeschroefd. Ze kon geen woord uitbrengen.

Mevrouw Bergsma deed dat toen maar, uit naam van alle hofjesmensen. „Wij vonden het zo'n lieve gedachte, zo'n goede ook, die boodschap van vrede, die u ons op deze originele manier door wilde geven met Kerst… wij eh… nou ja, wij hebben het begrepen… tenminste…"

„Niks tenminste. Alle huisnummers zijn hier vertegenwoordigd. Dat moet voor u het bewijs zijn, dat we allemaal achter uw boodschap staan!" sprak de bewoner van nummer 20 en – het was geen toeval – hij stond naast zijn vroegere aartsvijand en keek deze bij zijn woorden vol aan.

Het werd Dia warm om het hart. Ze wist dat ze hun strijdbijl begraven hadden, die twee uit het middelste blok. Hoe het met de andere ruziemakers stond, wist ze niet, maar wel, dat het een hoopvol teken was, dat iedereen gekomen was.

„Ik moet de kinderen naar bed brengen," zei iemand achter uit de stoet. Eén voor één gaven ze de oude onderwijzeres een hand. De dames bedankten voor het zakdoekje en de heren voor de boekenlegger. Toen Tinkes buurvrouw aan de beurt was, vroeg deze met een bewonderende blik op het handgeknoopte tapijt: „Geeft u eigenlijk nog handwerkles? Ik bedoel… het is toch vreselijk jammer als u niets meer met uw gave doet? Ik zou zelf zo graag wat beter leren breien en haken…"

„Nou, anders ik wel!" viel Tinke haar enthousiast bij.

Want het viel niet langer te ontkennen: de zieke onderwijzeres had een gevoelige snaar bij haar aangeroerd.

„En de kinderen…, zouden die… bijvoorbeeld op hun vrije middag…?"

Er openden zich hoopvolle perspectieven. Dia's ogen straalden. Dat zijzelf nooit aan deze mogelijkheid had gedacht! Wat dom!

Hoewel… ze had tot vanavond immers geen enkel contact met de Elzenhofbewoners gehad? Mevrouw Bergsma uitgezonderd.

Toen deze alleen met haar was overgebleven, vroeg Dia: „Het is kerstavond… moet u niet naar één van uw kinderen?"

„Vanavond niet," glimlachte mevrouw Bergsma. „Als het goed is, blijf ik bij u. Ik heb van alles meegebracht en kijk, dit is nog voor u, van allemaal samen."

Ze nam een in plastic verpakt kerststukje en zette dat voorzichtig voor Dia neer.

„O, wat mooi! Maar nu kan ik de anderen niet bedanken."

„Die gelegenheid komt nog wel!" antwoordde mevrouw Bergsma en het klonk of ze daar héél zeker van was.

Haar ogen hechtten zich aan de adventskalender. Iemand had hem op het dressoir tegen de muur gezet.

Dia keek ook. Toen zagen ze het tegelijk: alle deuren en vensters stonden wijdopen. En dat kon maar één ding betekenen: dat alle bewoners van de Elzenhof ook hún deur geopend hadden! De deur naar de ander. De deur naar de vrede!

BRONVERMELDING

ALS DE MIST OPTREKT, Julia Burgers-Drost
Uit: *De liefde heeft het laatste woord, Zomer & Keuning, Ede*

GELUKKIG NIEUWJAAR... MOEDER, Annie Oosterbroek-Dutschun
Uit: *Licht dat in de nacht begint, Uitgeverij Kok, Kampen*

HET POESJE IN DE SNEEUW, W.G. van de Hulst
Uit: *Winterverhalen, Uitgeverij G.F. Callenbach bv, Kampen*

ONTHULLING IN DE WIND, Henny Thijssing-Boer
Uit: *Een boeket vol verlangen, Uitgeverij Kok VCL, Kampen*

ADVENT, Co 't Hart
Uit: *Licht dat in de nacht begint, Uitgeverij Kok, Kampen*

TWEESTRIJD, Gerda van Wageningen
Uit: *De liefde heeft het laatste woord, Zomer & Keuning, Ede*

GEEN VREDE OP AARDE, Wim Hornman
Uit: *Nieuw gezinsboek voor Kerst, J.N. Voorhoeve, Den Haag*

OUWE JAN, W.G. van de Hulst
Uit: *Winterverhalen, Uitgeverij G.F. Callenbach bv, Kampen*

ANNO DOMINI, Nel Benschop
Uit: *Kerstboeket, J.N. Voorhoeve, Den Haag*

DE LAATSTE OORLOGSWINTER, Jenne Brands

HET LIED VAN DE WIJZEN UIT HET OOSTEN, Hans Bouma
Uit: *Nieuw gezinsboek voor Kerst, J.N. Voorhoeve, Den Haag*

HUIS IN DE DUISTERNIS, Greetje van den Berg
Uit: *De liefde heeft het laatste woord, Zomer & Keunig, Ede*

BIENTJE EN DE BOZE BUURMAN, Truus van der Roest
Uit: *Nieuwe Kinder Kerstpocket, J.N. Voorhoeve, Den Haag*

EN HET GESCHIEDDE..., Dorien de Ruiter

DE ADVENTSKALENDER, Ine ten Broeke-Bruins
Uit: *Kerstfeest, Uitgeverij J.N. Voorhoeve, Den Haag*

T